古新羅 古墳群 研究

古新羅 古墳群 研究

2021년 6월 14일 초판 1쇄 발행

글쓴이   박형열
펴낸이   권혁재
편 집   조혜진
표 지   이정아

제 작   성광인쇄
펴낸곳   학연문화사
등 록   1988년 2월 26일 제2-501호
주 소   서울시 금천구 가산디지털1로 168 우림라이온스밸리 B동 712호

전 화   02-2026-0541
팩 스   02-2026-0547
E-mail   hak7891@chol.com

책값은 뒷표지에 있습니다.
잘못된 책은 바꾸어 드립니다.

ISBN 978-89-5508-436-8 93910

古新羅 古墳群 研究

박형열 지음

학연문화사

　이 책은 박사학위 논문인 「4~6세기 신라 중심고분군 연구」(경북대학교 대학원 고고인류학과, 2020)를 옮긴 것이다. 박사논문을 작성 한 후 내용을 첨가하고 다듬어서 글을 완성하려고 마음을 먹었었지만, 생각만큼 글을 쓰는 것은 어려운 일인 것 같다.

　책의 제목은 서기 4~6세기가 신라의 마립간으로 대표되는 古新羅 시기이기에 『고신라 고분군 연구』로 정하였다. 거창한 내용을 담고 싶은 것이 저자의 바람이었지만 아직 역량이 그에 부족한 것이 사실이다. 저자에게 이 책은 신라에 대한 궁금증을 해결해가는 첫걸음이며, 삼국시대 고분연구의 시작과도 같다.

　그동안 신라 고분에 관련된 논문이나 책은 복잡한 전문용어의 사용이라는 점에서 매우 어렵게 다가왔다. 이 글은 복잡한 용어를 좀 더 쉽게 읽힐 수 있도록 정의하고 개념을 재정리하는 것에 작은 목적을 두었다. 막상 신라 고분군에 대한 연구를 시작하려고 자료를 정리하면서 신라 고분군에 대한 연구가 부족하다는 것을 알게 되었다. 어쩌면 한국에서 가장 유명한 황남대총, 천마총, 금관총, 금령총, 서봉총, 식리총, 호우총, 은령총, 봉황대 등의 고분들이 밀집된 곳인 경주의 신라 고분군에 대해 매우 많은 것을 놓치고 있었다는 점이다.

　신라 중심고분군 내에서는 일제강점기부터 1970년대 대규모의 고분발굴조사를 지나 2000년대까지 수많은 고분이 발굴되고 세상에 알려졌다. 이 중에는 사진만 남긴 채 사라진 고분들도 함께 존재하며 발굴된 후 이미 없어진 고분도 있다. 이 책에서는 현재 보이지 않는 고분들을 포함하여 신라 중심고분군의 다양한 묘제와 각 묘제의 변화, 묘제 간의 순서, 묘제의 상호관계 등을 알아봄으로써 신라 중심고분군이 어떻게 만들어지고 변화하며 신라 고분의 중심으로 작용하였는지 알아보았다.

　약 100년간의 경주 고분 발굴에서 쌓여 있던 많은 자료를 분석하고 해석하는 것은 어려움이 따랐다. 그래도 많은 선학들께서 신라 고분에 대한 연구를 축적하신 덕분에 그나마 글을 마무리 할 수 있었다. 또한 대형분을 중심으로 한 연구의 한계를 벗어나 황금유물과 대형고분에 가려져 빛을 보지 못했던 작은 고분을 더 많이 알게 되었다는 것과 분과 묘의 개념을 명확히 하여 신라 고분군을 구성하는 다양한 묘제를 분류하고 그 변화상을 알아보려던 소기의 목적을 달성한 것에 작은 만족을 한다.

신라 고분군도 크고 화려한 것에 비중을 두고 집중하려는 경향 때문에 전체의 변화와 모습보다는 유명한 고분 몇 기에 가려져 있었다. 신라 고분은 본 책의 연구결과에 따르면 위계에 따라 정해진 묘제를 사용하며, 중심과 지방고분군에서는 그 위계에 맞는 묘제로 군을 형성한다. 따라서 지상식 적석목곽분, 지하식 적석목곽분, 적석목곽묘, 목곽묘, 석곽묘, 지하식 적석목곽분이 변형된 석곽분 등이 각 지역의 위계에 맞게 축조되고 있음을 알 수 있었다. 이것은 하나의 체제를 이루고 있다고 생각되며, 지상식 적석목곽분을 필두로 한 신라의 적석목곽분체제라고 부를 수 있을 것이다.

처음 연구에서 신라의 모든 고분을 포함한 분묘들과 고분군을 다루려고 했던 마음은 지나친 욕심과 무모한 도전정신에서 나온 것이었음을 서문을 작성하면서 느낀다. 아직 신라 중심고분군은 드러나지 않은 모습이 더 많기에 풀어야 할 숙제가 가득하다. 다만 이 책이 신라고분과 고분군에 대한 연구에 도움이 되었으면 한다.

이와 더불어 책에서는 신라 고분과 고분군에 대한 연구에 도움이 되고자 몇 개의 자료를 추가하였다. 일제강점기에 발굴이 되고 당시에 남아있던 고분에 번호가 매겨졌지만 정확한 수량과 순서를 알 수는 없었다. 그로 인해 후대의 발굴에서는 번호가 중복되고 복잡해지는 일이 생겼으며, 누락된 고분이 발생하게 되었다. 또한 정해진 고분의 번호보다 많은 양의 분묘가 확인되면서 고분군의 관리를 위해 일괄적인 번호부여가 필요한 실정이다. 그래서 이왕의 신라 중심고분군에 대한 연구이기 때문에 그 일환으로 일제강점기 고분의 수량과 번호부여순서를 파악한 글을 앞으로 있을 신라 고분의 발굴과 연구에 도움이 되고자 부록으로 실었다. 더불어서 유구의 정확한 위치와 내부 유물배치 양상을 확인하고자 작성한 도면을 신라고분을 연구하는 분을 위해 부록으로 실었음을 밝힌다.

선학들께서는 내세울 수 없는 기간이지만 필자가 고고학이라는 학문을 접한 것도 20년이라는 시간이 지난 것 같다. 이 동안 감사드려야 했던 분들이 아주 많았는데, 이 책을 빌려 그분들에게 소소한 인사를 드리고자 한다.

저자는 신라 고분 유적인 경주 황오100 유적 유물을 세척하고 복원하면서 고고학을 시작하였다. 복원기술이 무르익을 때쯤 유물연구의 기초인 토기 실측을 배울 수 있었으며, 이때 토기 실측을 가르쳐 주신 안재호, 이동헌 선생님께 감사드린다. 그리고 현장에서 발굴을 경험할 기회를 주신 최득준 선생님과 발굴을 가르쳐 주신 안재호, 김권일 선생님께 감사드린다.

신라고분을 직접 발굴할 수 있도록 기회를 주신 박윤정 선생님께도 감사의 인사를 전한다. 그리고 호남지역에서 고분 측량을 하면서 고고학을 공부하는 재미를 느끼게 해준 김영희 선생님, 지치지 않는 열정을 보여주시고 기회를 주신 이영철 선생님께도 감사드리며, 한국과 일본 미야자키, 사가, 후쿠오카, 나라, 오사카, 교토의 답사에서 많은 도움과 공부에 영감을 주신 김무중, 권오영, 성정용, 홍보식, 정인성 선생님께도 감사드린다.

저자는 뜻밖에 국내 발굴뿐 아니라 해외발굴을 할 수 있는 좋은 기회도 얻었었다. 해외발굴은 고분연구에 대한 다양한 문화를 깨우치게 하였다. 몽골 도르릭-나르스, 카자흐스탄 카타르-토베 발굴은 백제와 신라고분에만 메어 있던 저자에게 또 다른 세상을 보여준 계기이다. 사실 몽골에서의 발굴은 나들이치곤 꽤 힘든 일이었지만 저자의 첫 해외 나들이였다. 그래서인지 아직 제대로 된 해외여행을 가지는 못했다. 그래도 우리나라에서 보면 극한 오지에서 주어진 짧은 시간에 발굴하는 것으로 치밀한 계획과 최첨단의 발굴기술이 접목된 고고학의 꽃이었다. 여기에서 배운 사진 측량기술과 드론 촬영, 기구 촬영, 유구의 3D 스캔은 이 책을 쓰는 데에도 도움이 되었다.

항상 감사의 인사를 드리겠다고 하지만 말을 하지 못해 죄송한 홍진근 선생님, 친형처럼 보살펴 주신 류정한 선생님, 공항에서의 추억을 간직한 윤민근 선생님께 감사드린다. 그리고 카자흐스탄을 억지로 데려가 주신 김보상 선생님, 따뜻함으로 고분발굴을 믿고 맡겨주신 변영환 선생님, 아칸 소장님, 물리탐사를 통해 땅속 세계를 보여주신 오현덕 선생님, 함께 허허벌판 초원에서 텐트 생활을 한 이홍식, 권문희, 정윤희 선생님께 감사드린다.

글을 쓰는 것이 항상 어렵게 느껴지던 것에 담금질하는 방법을 알려주신 강현숙 선생님께 감사드리며, 아직도 서툰 글쓰기에 죄송함을 느낀다. 그리고 서현주 선생님께도 늘 전하지 못했지만 감사하다는 말을 전하고 싶다.

적석목곽분에 대한 논문을 쓰는데 좋은 말씀을 해주신 김용성 선생님과 그 길을 열어주신 김대환 선생님께도 감사의 인사를 드린다. 공부의 미흡함을 알려주시고 고칠 수 있도록 기회를 주신 박광열 선생님과 신라 고분에 대한 다양한 판단력을 보여주신 최병현, 강봉원 선생님께도 감사 인사를 드리고 싶다.

　박사학위에서 공부는 끝이 없는 것이라는 것을 느끼게 해주신 이희준 선생님, 발굴이 고고학이라는 생각에 돌을 던져주신 주보돈 선생님께 감사드린다. 그리고 두 분의 마지막 수업을 들을 수 있어서 영광이었다.

　재치있는 입담과 멋을 보여주신 박충환 선생님, 친형같이 논문 통과를 둘도 없이 좋아해 주신 안승택 선생님, 발표에 자신감을 넣어주신 김희경 선생님, 친구같이 위로와 격려를 해주신 곽승기 선생님께 감사를 전한다.

　수업과 답사에서 우정을 함께 한 김현희, 이춘선, 배군열, 김준식, 박영민, 방세현, 로시차 선생님께 감사드리며, 늦게나마 알게 되어 기쁜 김도영 선생님과 이정희, 한대흠, 김현섭 학우께 감사드린다. 할 수 있다는 긍정의 힘을 준 이수정, 송아름 선생님과 네덜란드로 유학을 간 최준규 선생님께도 감사를 전한다. 이름을 모두 거론하지는 못하지만 도움을 주신 임영진, 한옥민, 김상민, 김낙중, 이동희 선생님 등 모든 분께 감사드리며, 무엇보다 공부에 지쳐 있을 때 계속 공부를 할 수 있도록 칭찬을 아끼지 않았던 최성락 선생님께 감사드린다.

　감사드려야 할 분들이 매우 많지만, 학위논문을 다듬어 주시고 아낌없는 질책과 조언을 해주신 박천수, 박보현, 김용성, 이재현, 이성주 선생님께 감사드린다. 아무래도 이성주 선생님께 가장 마음 깊이 감사드리고 싶다. 박사과정에서 지도교수로 신청할 때 마음에 내키지 않으셨을 텐데 기꺼이 받아주신 점부터 지도과정에서 기대에 못 미치는 역량으로 떼를 쓰기도 해서 항상 죄송함과 감사함 마음이 가득하다.

　끝으로 공부를 하면서 필수 교재로 여겼던 학연문화사의 도서로 출판을 허락해주신 권혁재 사장님과 좋은 책을 만들어 주신 조혜진 선생님께 감사드린다.

　그리고 부모님께 감사드리며, 자리를 못 잡고 공부의 늪에서 방황하는 저자에게 항상 길라잡이가 되어 주는 아내 이지향에게 마음을 다해 이 책을 드린다.

2021年 4月

朴 亨 烈

目　　次

I 章　序論

II 章　新羅 中心古墳群의 墓制 構成과 特徵

Ⅲ章 新羅 中心古墳群의 墓槨 分類와 編年

I章　序論

경주 분지의 한 가운데, 경주 시내와 월성 사이에는 왕릉급 고총을 포함한 대규모 고분군이 조성되어 있다. 신라 월성을 기준으로 그 북쪽에 위치한다고 하여 이 고분군을 '월성북고분군'이라 부른다[1]. 이 고분군을 마립간 시대를 중심으로 왕경의 핵심지역에 조성된 신라의 중심고분군[2]이었다는 사실에 대해 부정하는 사람은 거의 없다. 이 고분군의 성격을 파악하는 것은 마립간시대 신라 중앙의 지배집단을 이해하는데 매우 중요하다. 그래서 삼국시대 어느 고분군보다 많은 연구가 이루어졌다고 할 수 있다. 고분과 부장품의 분류와 편년으로부터 고분의 구조와 매장의례, 부장양상과 위계에 따른 지배집단의 제도화된 계층성, 중앙과 지방 고분의 관계 등, 실로 다양한 관점에서 신라 중심고분군을 연구대상으로 삼아왔다. 특히 신라 고유의 대표적 묘제라 할 수 있는 적석목곽분은 핵심적 연구대상이었으며 그 계통, 편년, 매장의례의 과정, 복원에 접근하는 여러 방식의 연구가 이루어져 왔다.

이 신라 중심고분군을 통해 중앙 지배집단의 제도화된 분묘 양식(묘제)을 분류하고 정의하는 작업이 이 연구의 첫 번째 목적이다. 둘째, 이 논문에서는 각 묘제의 매장시설, 즉 묘곽의 형식 변천을 통해 상세한 상대편년을 시도했다. 정리된 편년을 토대로 발굴조사 구간 내에 노출된 묘곽들이 시간적 순서에 따라 어떤 관

---

1 최병현, 2012, 「경주지역 신라 횡혈식석실분의 계층성과 고분 구조의 변천」, 『한국고고학보』 83집.
　최병현, 2014, 「경주 월성북고분군의 형성과정과 신라 마립간시기 왕릉의 배치」, 『한국고고학보』 90집.
2 이성주, 1998, 『신라·가야사회의 기원과 성장』, 학연문화사.

계를 가지고 추가되는지 파악하여 묘곽의 단독 및 연접배치의 양상을 통해 역동적으로 구성되는 묘역의 구성원리를 밝혔다. 셋째, 묘곽의 배치 방식을 통해 파악되는 묘역형성의 원리는 거시적인 관점에서 월성북고분군의 시기적 누적 배치과정을 추적하는 기준이 될 수 있어 이와 같은 접근을 통해 궁극적으로 중심고분군의 공간구성이 어떻게 완성되었는가를 설명할 수 있었다. 넷째, 중심고분군의 형성과정을 경주 분지 외곽의 주변고분군과 비교해 봄으로써 왕경 일원의 중심과 주변 집단 사이의 차이점을 설명해 보았다. 끝으로, 묘제와 부장양상의 차이로 파악되는 신라고분의 위계가 월성북고분군의 최대형 적석목곽분으로부터 최하위의 무덤에 이르기까지 어떻게 조직되었는지 파악해보는 작업을 시도했다. 이를 토대로 신라 중심고분군과 경주분지 외곽 주변집단의 고분군에 나타난 고분의 위계적 구성들을 비교하여 초대형적석목곽분을 정점으로 적석목곽분 체제라 할 수 있는 신라 중심세력의 고분문화에 나타난 질서를 이해하여 보고자 했다.

신라의 묘제가 어떤 것인지는 개략적으로 알고 있지만, 적석목곽분과 적석목곽묘의 구분처럼 그것을 구조적, 그리고 개념적으로 명확히 변별해 보라면 막연해지는 것이 보통이다. 특히 마립간 시기에 무언가 제도화되어 변별되는 매장의례의 결과물이 있었다면 그것은 신라 중심고분군의 고분들에 분명히 드러나 있을 터인데 고분군 내 묘제의 차이에 관해서는 명확히 파악하고 있지 못한 것이 현실이다. 이와 같은 신라묘제에 대한 불충분한 인식은 앞서 말한 바와 같이 그동안의 연구가 초대형의 적석목곽분에만 초점을 맞추어 왔기 때문이 아닐까 하는 생각이 든다. 물론 신라 중심고분군에서는 왕릉급 초대형 적석목곽분의 존재가 당연히 두드러지고 그에 대해 관심이 집중되는 것은 필연적인 일이다. 그러나 이 중심고분군은 다양한 묘제로 구성되어 있고 연구자들도 그렇게 알고 있다. 그럼에도 형태와 구조에 관한 명확한 분류 기준이 없이 직관적으로 고분을 구분하고 이름을 붙여 왔던 것이 사실이다. 실제 고분의 축조 공정과 그로 인해 나타나는 형태와 구조의 차이에 따라 각 묘제가 엄밀하게 변별·정의되는 신라 묘제의 분류체계가 마련되어야 한다고 생각된다.

신라 중심고분군 가운데는 왕릉급의 초대형 적적목곽분으로부터 소형묘에 이르기까지 폭넓은 위계의 고분들이 축조되어 있을 뿐만 아니라 묘제 또한 다양하다. 고분의 규모와 부장양상에서 커다란 차이가 있는 것을 보면 피장자들의 계층이 다양했다는 것을 우선 짐작할 수 있다. 또한, 묘곽의 배치상에는 묘곽과 묘곽 사이의 관계를 실로 다양한 방식으로 표현하고 있다는 것을 알 수 있다. 즉 신라 중심고분군에서는 규모와 부장양상으로 표현되는 계층적 다양성과 묘곽의 배치 방식으로 드러내는 관계의 복잡성이 읽혀진다. 경주에서는 이미 서기 3-4세기 목곽묘단계에서부터 매장시설의 규모와 부장양상에서 계층의 차이가 뚜렷이 표현되고 있다.[3] 계층에 따라 무덤을 사용하는 제한이 있었다면, 공간적인 차별성도 동시에 지니고 있었을 가능성이 높다. 이런 점에서 경주 월성북고분군은 계층집단이나 가계집단의 세력범위와 타집단과의 공간배치양상을 살펴볼 수 있다. 중심고분군의 형성과정에는 신라 중심집단의 사회적 계층성과 관계성, 그리고 그 변화과정이 담겨 있다고 말할 수 있다. 중심고분군의 형성과정을 설명하기 위해 본 연구에서는 묘곽 배치의 원리를 파악하는 작업으로부터 출발하고자 한다.

신라 경주분지 일원을 통합한 정치체로 출발하여[4] 마립간시대에는 낙동강 이동의 여러 소국들을 간접지배의 방식으로 통합한 광역의 정치체가 된다. 신라 정치세력의 통합이 확장되어감에 따라 당연히 신라고분의 공간적 범위도 넓어진다. 이 논문의 연구 대상인 마립간 시대 신라고분군의 범주 안에는 월성북고분군으로 불리는 중심고분군으로부터 경주분지 외곽의 고분군뿐만 아니라 보다 확장된

---

3 박형열, 2016, 「경주 덕천리유적 목곽묘단계의 시공간적 특징으로 본 집단과 계층」, 『한국고고학보』 100집.

4 영남지역은 지형적으로 소규모의 폐쇄적인 분지 지형이 발달하며, 이 분지를 중심으로 고대 정치체가 발전하는 모습이 확인된다.
  이성주, 1998, 『신라 · 가야사회의 기원과 성장』, 학연문화사: p.140-144.

신라의 영역 안의 고분군을 포괄하게 된다. 즉 낙동강 이동의 제 지역 고분군들이 신라고분의 범주 안에 들어온다는 것이 일반적 인식이다[5]. 마립간 시기 신라 사회를 중앙과 지방의 구도로 본다면 고분도 중심 집단의 고분군과 지방 소국의 고분군으로 나누어 볼 수 있다. 이와 같은 관점에서 낙동강 이동 제 지역, 경산, 의성, 대구, 창녕, 선산, 부산, 동해안의 강릉 등지의 고총군들을 지방 제 소국의 중심고분군으로 이해해 왔다. 이를테면 경산 임당고분군, 대구 달성고분군, 의성 금성산고분군, 창녕 계성고분군, 영덕 괴시리 고분군, 부산 복천동-연산동고분군, 강릉 초당동고분군 등은 바로 그러한 지방 소국의 중심고분군에 해당된다. 그동안 신라고분의 연구에서 비중이 높았던 연구 주제는 중앙과 지방의 고총을 비교하여 신라의 중앙과 지방소국 지배세력 간의 관계를 해명하는 작업이 아닌가 한다. 이를테면 고총체계라는 모델이 있는데 중앙과 지방의 관계를 묘제와 위세품의 비교를 통해 접근하는 해석의 관점에서 나온 개념이라 할 수 있다[6].

신라 중앙 정치세력과 지방 소국의 관계에 초점을 맞춘 고분 연구에서 소홀이 다루어진 부분이 과연 중앙 정체세력 즉 중심 집단의 고분군을 어떻게 이해할 것인가 하는 문제이다. 그간의 연구에서는 신라 중앙 정치세력의 고분군은 당연히 월성북고분군이었다. 지방 소국 중심고분군의 묘제와 장신구, 마구, 무구, 유리기 등의 부장품을 검토할 때 항상 월성북고분군이 그 비교대상이 되었고 황남대총 남분과 북분, 천마총 등의 묘제와 출토품을 비교자료로 사용해왔다. 마립간 시기, 경주분지 일원이 신라의 중심세력권이라면 월성북고분군이 신라와 그 중심권역을 대표하는 중심고분군인 것은 사실이다. 그러나 신라 중심권역 경주분지의 외곽에는 여러 집단의 고분군이 있다. 이를테면 월산리고분군, 사라리고분군, 금척리고분군, 구어리고분군, 중산리고분군, 사방리고분군, 안계리고분군, 하삼정고

---

5 李熙濬, 1998,『4-5世紀 新羅의 考古學的 研究』, 서울大學校 大學院 博士學位論文.
6 金龍星, 2009,『신라왕도의 고총과 그 주변』, 학연문화사.

분군 등등은 그러한 신라 중심세력을 구성한 집단의 고분군이라 할 수 있다. 신라의 중심세력에 접근하고자 한다면 월성북고분군만으로는 타당한 이해에 도달하기 어려우며 경주분지 외곽집단 고분군과의 관계를 고려해야 한다.

본 연구에서는 월성북고분군에 초점을 맞추어 묘제의 분류체계를 마련하고 고분군의 형성과정과 공간적 구성원리를 밝혔다. 이를 지방소국의 고분군과 비교하기에 앞서 경주 분지 외곽의 고분군들과 비교분석해야할 필요성을 느꼈다. 사실 지방소국의 중심고분군에서 확인되는 묘제는 월성북고분군의 그것과 유사한 점도 있지만 무언가 일관되고 위계화된 축조공정의 체제 안에서 이해할 수 있는 부분은 적다. 그러나 경주분지 일원의 고분군들에서 확인되는 묘제들을 보면 월성북고분군의 초대형 적석목곽분을 정점으로 하여 하위의 고분에 이르기까지 축조공정의 위계가 일관되게 나타나도록 제도화된 듯한 인상을 준다. 이 논문에서는 월성북고분군의 묘제 분류체계, 묘곽의 단독 및 연접배치 과정, 그리고 고분군 형성원리를 경주 분지 외곽집단 고분군의 양상과 비교하면서 초대형분으로부터 하위묘에 이르는 제도화된 축조양식과 같은 것을 파악하려 했으며 그것을 적석목곽분체제라고 하면 어떨까 하는 제안을 하고자 한다.

1. 研究史

1) 연구의 전환기

신라 고분에 대한 연구사를 검토하면서 전환기를 4기로 설정하여 논리를 전개하고자 한다. 전환기는 발굴과 마찬가지로 새로운 발견과 연구 시야의 변화, 해석의 발전으로 말미암아 나타난다. 1기는 일제강점기부터 70년대까지이고, 2기는 80년대 최병현의 연구와 편년의 정리, 3기는 90년대부터 2000년대 초까지의 울산 중산리고분군을 필두로 한 대규모 전면 발굴, 4기는 쪽샘 발굴 전후 적석목곽분의 체계적 이해를 꼽을 수 있다.

1기는 일제강점기부터 70년대까지 경주에서 적석목곽분이 발견되면서 그 구조와 기원, 편년, 변천과정 등을 주제로 연구되는 시기이다. 이 시기에는 고분과 유물에 대한 개별 단위 연구가 진행된다. 2기는 80년대 최병현의 연구와 편년 이후 신라 고분에 대해 다양한 논제가 활성화되는 시기이다. 특히 90년대 이후에 고분, 토기, 장신구, 위계, 복식품, 사회구조 등 여러 주제의 장이 마련된다. 즉 80년대 정리된 토기의 편년은 90년대 이후 다양한 연구의 기폭제인 것이다. 3기는 90년대부터 2000년대 초까지의 대규모 발굴이 이루어진 시기이다. 이 시기에는 목관, 목곽묘에서 적석목곽분까지 신라 고분의 순차적인 편년을 제시할 수 있었다. 이후 구조를 재인식하면서 기원계통보다는 신라 지배층의 사회 관계에 대한 연구에 집중된다. 더불어 개별단위에서 전체 고분군의 변화상에 대한 연구가 진행된다. 4기는 신라의 중심고분군인 쪽샘유적 발굴 이후의 시기이다. 전형적인 적석목곽분의 예가 확인되면서 적석목곽분을 체계적으로 이해할 수 있는 계기를 마련했다.

신라 고분은 새로운 발굴과 발견을 통해 연구되어왔다. 최초의 신라 적석목곽분의 발견은 1906년 황남리 남총이다[7]. 이마니시 료(今西龍)에 의해 시굴 조사된 황남리 남총(145호분) 이후 일제강점기 동안 1921년 금관총(제127호)[8]을 시작으로 발굴이 본격적으로 이루어진다. 1924년 식리총[9], 1925년 금령총[10], 1931년 142호분(옥포총)[11], 1934년 14호분과 109호분[12], 1935년 82호분과 83호분[13] 등의 발굴을

7 梅原末治, 1932,『大正13年度古蹟調査報告 第1冊 本文 - 慶州金鈴塚飾履塚發掘調査報告』: p.6.

8 朝鮮總督府, 1924,『古蹟調査特別報告 第三冊 慶州 金冠塚と 其遺寶 本文上冊』.

9 朝鮮總督府, 1932,『大正13年度古蹟調査報告 第1冊 本文 - 慶州金鈴塚飾履塚發掘調査報告』.

10 朝鮮總督府, 1932,『大正13年度古蹟調査報告 第1冊 本文 - 慶州金鈴塚飾履塚發掘調査報告』.

11 國立中央博物館, 2000,『慶州 路東里 4號墳』.

12 朝鮮總督府, 1937,『昭和九年度古蹟調査報告 第一冊 - 慶州 皇南里 第百九號墳皇吾里第十四號墳調査報告』.

13 朝鮮總督府, 1935,『昭和六年度古蹟調査報告 第一冊 - 慶州 皇南里 第八十二號墳第八十三號墳 調

통해 적석목곽분의 구조가 드러났다. 하지만 1937년 황오리고분(황오리 98-3번지 고분)[14]을 마지막으로 일제강점기 경주에서의 발굴은 중단된다. 중단된 발굴은 해방 이듬해에 호우총과 은령총[15]을 기점으로 재개되었다. 1970년대 초까지 이루어진 신라 고분의 조사는 일제강점기와 같이 산발적이었다. 이러한 발굴은 1970년대 초 전환기를 맞이한다.

그 전환기는 1973년부터 1980년대 초까지 경주 중심부의 월성북고분군에서 이루어진 대규모 발굴조사이다. 대릉원을 조성하기 위해 1973년 4월 천마총[16]을 시작으로 6월 황남대총 북분[17], 7월 황남대총 남분[18], 미추왕릉지구의 12개 구역[19], 계림로고분군[20], 1979년 조양동유적[21], 1982년 구정동고분군[22] 등이 차례로 조사되었다. 이들 발굴을 통해 수많은 적석목곽분과 목곽묘, 옹관묘 등이 확인되었으며, 적석목곽분에 대한 인식이 바뀌는 계기가 된다.

1985년 경주 월성로고분군[23]이 조사되면서 기존에 가장 이른 적석목곽분에 대

查報告』.

14 朝鮮古蹟研究會, 1937, 「乙 慶州邑皇吾里古墳の調査」, 『昭和十一年度 古蹟調査報告』: pp. 37-44.

15 國立博物館, 1948, 『壺衧塚과 銀鈴塚』, 乙酉文化社.

16 文化公報部 文化財管理局, 1974, 『天馬塚 發掘調査報告書』.

17 文化財管理局 文化財研究所, 1985, 『皇南大塚 I 北墳 發掘調査報告書』.

18 文化財管理局 文化財研究所, 1994, 『皇南大塚 II 南墳 發掘調査報告書 (本文)』.

19 金宅圭・李殷昌, 1975, 『皇南洞古墳發掘調査概報』, 嶺南大學校博物館.
   文化財管理局 慶州史蹟管理事務所, 1975, 『慶州地區 古墳發掘調査報告』 第一輯.
   文化財管理局 慶州史蹟管理事務所, 1980, 『慶州地區 古墳發掘調査報告』 第二輯.

20 국립경주박물관, 2010, 『경주 계림로 14호분』.
   國立慶州博物館, 2012, 『慶州鷄林路新羅墓 1』.
   國立慶州博物館, 2014, 『慶州鷄林路新羅墓 2』.

21 國立慶州博物館, 2000, 『慶州 朝陽洞 遺蹟』.

22 國立慶州博物館, 2006, 『慶州 九政洞 古墳』.
   崔鍾圭, 1983, 「慶州九政洞一帶發掘調査」, 『박물관신문』 제39호 국립중앙박물관.

23 國立慶州博物館・慶州市, 1990, 『慶州市月城路古墳群-下水道工事에 따른 收拾發掘調査報告-』.

한 인식이 새롭게 바뀌게 된다. 새로 발견된 월성로 가지구 13호는 적석목곽분으로 평가되며[24] 황남동 109호분 3·4곽보다 빠른 유구이다. 이외에 가지구 5호, 6호, 29호, 30호 등 서기 4세기대의 유구가 확인되었다. 이후 1991년부터 1994년까지 3차례에 걸친 울산 중산리고분군[25] 발굴은 대규모의 전면 발굴이라는 점에서 의의가 있다. 기존의 발굴은 개별 유구에 대한 조사에 한정되었다면 중산리고분군은 전면제토를 통해 고분군의 전모가 확인되었다. 따라서 신라고분의 발생에서부터 전개, 소멸과정을 동일 유적에서 밝힐 수 있는 최적의 자료를 확보하게 되었다[26]. 경주에서도 1993년 황성동 고분군 발굴을 통해 목관묘, 목곽묘, 적석목곽분 등 전시기의 유구가 드러나기 시작했다.

2000년대에는 경주 황오동 100번지 유적[27]이 발굴되고, 적석목곽분과 그 이전 시기의 유구가 상하층으로 구분되어 있음이 밝혀졌다. 그리고 2007년 이후 대릉원의 동편에서 진행되는 경주 쪽샘유적의 발굴조사는 일제강점기부터 1970년대 대릉원 일원 발굴조사, 1980년대에서 1990년대까지의 조사 범위를 포함한 경주 월성북고분군의 전체 모습을 확인하는 것이다. 그동안의 쪽샘유적 발굴조사에서는 적석목곽분의 구조, 배치, 선후관계 등이 새롭게 발견되었다.

---

24 이희준, 1996,「경주 월성로 가-13호 적석목곽묘의 연대와 의의」,『석오윤용진교수정년퇴임기념논총』: pp. 295-307.

25 창원대학교 박물관, 2006,『울산 중산리유적 I 』.

26 창원대학교 박물관, 2006,『울산 중산리유적 I 』: p.1.
이성주, 1992a,「울산 중산리유적 빌굴을 통하여 본 신라묘제의 기원」,『제11회 영남고고학회 학술발표회 발표 및 토론 요지』, 영남고고학회.
이성주, 1996,「신라식 목곽묘의 전개와 의의」,『신라고고학의 제문제』, 한국고고학회 제20회 한국고고학 전국대회, 한국고고학회: p. 39-64.

27 東國大學校 慶州캠퍼스 博物館, 2008,『慶州 皇吾洞 100遺蹟 I 』.

2) 연구 관점의 변화와 쟁점의 추이

(1) 관점의 변화

이와 같은 새로운 발견을 통해 신라 고분에 대한 해석 틀도 변화해 왔다. 즉, 연구 관점의 변화가 이루어진 것이다. 연구의 관점은 첫 번째로 고분구조의 파악에 집중되었다. 초기 경주에서 발견된 적석목곽분은 목곽주위에 돌을 쌓고 그 위에 흙으로 덮은 구조로 이례적인 고분의 구조로 여겨졌다. 따라서 금관총 보고서에서는 중앙아시아지역의 적석총과 비교하는 내용이 제시되었다[28]. 이러한 연구의 관점은 점차 고분의 발굴이 늘어나면서 두 번째 적석목곽분에 대한 초보적 분류와 계통의 파악으로 이어진다. 1940년대에서 1970년대까지 적석목곽분은 단곽묘와 다곽묘로 분류되었다[29]. 단곽묘가 고위자, 다곽묘가 하위자의 무덤이라고 보는 견해와 다곽묘가 단곽묘보다 시기적으로 앞선다는 견해가 있었다[30]. 세 번째는 묘형과 묘곽의 형식분류와 편년이었다. 1970년대 대규모의 발굴조사를 통해 얻어진 결과를 바탕으로 최병현은 1980년대 이후 적석목곽분의 묘형과 묘곽에 대한 체계적인 형식분류와 편년을 시도하였다[31]. 나아가 1992년에는 신라 조기와 전기, 후기의 고분과 유물에 대한 전반적인 결과를 제시하였다. 이 연구의 묘형과 묘곽에 대한 분류와 편년이 1990년대 대규모 발굴에 기초자료로 적용되었다. 중첩된 묘곽과 유물에 대한 편년이 더욱 활발하게 진행 되었으며, 편년 이외에 다양한 자료를 해석하는 계기가 되었다. 네 번째는 부장품의 정치 · 사회적 관계에 대한 연구였다. 토

28 朝鮮總督府, 1924,『古蹟調査特別報告 第三冊 慶州 金冠塚と 其遺寶 本文上冊』.

29 梅原末治, 1947,『朝鮮古代の墓制』: p.98.
  박진욱, 1964,「신라 무덤의 편년에 대하여」,『고고민속』4, 사회과학원출판사.
  金基雄, 1970,「新羅古墳의 編年에 대하여」,『漢坡李相玉博士回甲紀念論集』: pp.97-108.
  金基雄, 1976,『新羅の古墳』: p.178.

30 김원룡, 1986,『韓國考古學槪說』第三版, 一志社 : 205.

31 崔秉鉉, 1980,「古新羅積石木槨墳研究(上)-墓型과 그 性格을 중심으로-」,『韓國史研究』31.
  崔秉鉉, 1981a,「古新羅積石木槨墳研究(下)-墓型과 그 性格을 중심으로-」,『韓國史研究』32.

기를 중심으로 한 연구에서 장신구류[32], 무구류, 마구류[33] 등의 부장품에 대한 편년과 정치·사회적 문제로 연구의 폭을 넓혔다. 다섯 번째는 의례의 과정을 복원적으로 연구하는 것이었다. 적석목곽분의 주변에서 확인되는 토기 매납유구와 마갱 등에 대한 새로운 연구가 진행되고, 의례에 대한 연구[34]로 확대되었다.

(2) 쟁점의 추이
① 기원과 계통

신라 고분에 대한 연구 관점의 변화는 결국 논쟁을 야기했다. 쟁점의 추이를 살펴보면 다음과 같다. 구조에 대한 관점은 적석목곽분의 기원에 대한 쟁점으로 발전하였다. 적석목곽분과 비슷한 구조를 가진 중앙아시아지역의 적석총은 북방기원설의 근간이 되었다. 북방기원설[35]은 시간과 거리적인 문제에서 비판되었고, 울산 중산리유적 조사를 통해 적석목곽분의 발생과정이 밝혀지면서 자생론[36]이 등장하였다. 이후 구조적인 측면에서도 다른 점이 확인되었다. 이처럼 기원에 대한 외부기원설과 자생설이 쟁점이 되었다. 더불어 신라 고분에 쟁점은 토기편년과

---

32 朴普鉉, 1987,「樹枝形立華飾冠의 系統」,『嶺南考古學』4.
　　李漢祥, 1995,「5~6世紀 新羅의 邊境支配方式 —裝身具分析을 중심으로—」,『韓國史論』33, 서울大學校國史學科: pp.1-78.
　　李漢祥, 1996,「6世紀代 新羅의 帶金具 —'樓岩里型'帶金具의 設定—」,『韓國考古學報』35, 韓國考古學會: pp.51-78.
　　李漢祥, 1997a,「裝飾大刀의 下賜에 반영된 5~6世紀 新羅의 地方支配」,『軍事』35, 國防部軍史編纂委員會: pp.1-37.
33 金斗喆, 1993,「三國時代 鐏의 研究」,『嶺南考古學』13호.
34 김동숙, 2002,「신라·가야 분묘의 제의유구와 유물에 관한 연구」,『영남고고학보』30호.
　　崔鍾圭, 2011,「積石塚의 封, 槨, 殉」,『考古學探究』9.
　　김은경, 2020,『신라 적석목곽묘 상장의례 연구』, 영남대학교 대학원 박사학위논문.
35 崔秉鉉, 1992,『新羅古墳研究』, 一志社.
36 이성주, 1996,「신라식 목곽묘의 전개와 의의」,『신라고고학의 제문제』, 한국고고학회 제20회 한국고고학 전국대회, 한국고고학회: p. 39-64.

역연대, 그리고 왕릉비정, 위세품 연구, 고분의 위계와 신라사회의 계급구조, 중앙과 지방, 지방고분군의 신라 혹은 가야인지의 소속 논쟁, 고분군의 이해, 토목공학 · 건축학적 이해 등이 있다.

② 편년

토기편년과 역연대설정은 개별 고분의 상대편년을 결정하는 토대로 사용된다. 경주지역 토기에 대한 연구는 신라양식 · 가야양식[37] 혹은 낙동강 동안양식 · 서안양식[38]으로 양식을 구분하거나 시기에 따라 와질토기[39]와 고식도질토기[40], 신라토기[41]로 검토되었다. 이 중에서 신라토기 연구의 전환점은 후지이 가츠오(藤井和夫)[42]의 연구와[43] 최

37 김원룡, 1960, 『신라토기의 연구』, 을유문화사.
38 李殷昌, 1970, 「伽耶地域 土器의 硏究」, 『新羅伽倻文化』第2輯, 嶺南大學校 新羅伽倻文化研究所: pp. 85-175.
   李殷昌, 1981, 「新羅 · 伽倻土器 編年에 關한 硏究」, 『曉大論文集』: pp. 725-856.
39 申敬澈, 1982, 「釜山 · 慶南出土瓦質系土器」, 『韓國考古學報』12: pp. 39-99.
   崔鍾圭, 1982, 「陶質土器成立前夜와 展開」, 『韓國考古學報』12: pp. 213-244.
   崔鍾圭, 1995, 『三韓考古學硏究』, 書景文化社.
   이성주, 1999, 「진 · 변한지역 분묘 출토 1~4세기 토기의 편년」, 『영남고고학』24, 영남고고학회.
40 崔鍾圭, 1982, 「陶質土器成立前夜와 展開」, 『韓國考古學報』12: pp. 213-244.
   安在晧 · 宋桂鉉, 1986, 「古式陶質土器에 관한 약간의 考察」, 『嶺南考古學』1: pp. 17-54.
41 이성주, 1993, 「낙동강동안양식토기에 대하여」, 『제2회 영남고고학회 학술발표회발표 및 토론요지』, 영남고고학회.
   金龍星, 1996, 「土器에 의한 大邱 · 慶山地域 古代墳墓의 編年」, 『韓國考古學報』35: pp. 79-151.
   이희준, 1997, 「토기에 의한 신라고분의 분기와 편년」, 『한국고고학보』36.
   崔秉鉉, 2011, 「신라 후기양식토기의 편년」, 『嶺南考古學』59號, 嶺南考古學會.
   최병현, 2012, 「신라 조기양식토기의 설정과 편년」, 『영남고고학』63호: pp. 105-156.
   최병현, 2013, 「신라 전기양식토기의 성립」, 『고고학』12-1호, pp. 5-58, 중부고고학회.
   최병현, 2014, 「5세기 신라 전기양식토기의 편년과 신라토기 전개의 정치적 함의」, 『고고학』13-3호, 中部考古學會.
42 藤井和夫, 1979, 「慶州古新羅古墳編年試案-出土新羅土器中心-」, 『神奈川考古』6.
43 최병현, 2014a, 「경주 월성북고분군의 형성과정과 신라 마립간시기 왕릉의 배치」, 『한국고고학보』

병현의 연구였다. 최병현은 1980년대 경주지역 적석목곽분을 6기로 설정하고 토기를 편년하였다[44]. 이후 토기 편년은 월성로고분군에서 출토유물 전체에 대한 실측도면이 제시된 이후 활발하게 진행되었다[45]. 2000년대 조정단계를 거쳐[46] 현재 토기의 상대 편년은 어느 정도 안정적이다.

그러나 역연대의 경우는 월성로 가-13호분과 황남동 109호분 3·4곽[47], 황남대총 남분 등 논쟁이 지속되고 있다. 최병현은 연구 초기에 황남동 109호 3·4곽을 4세기 후반 초로 보았지만 조정단계를 거치며 풍소불묘 등자의 연대, 일본 스에키의 연륜연대 등을 통해 4세기 후엽으로 설정하였다. 동일한 연대조정근거로 보면 월성로 가-13호는 4세기 4/4분기, 나-13호는 5세기 1/4분기로 설정할 수 있다. 또한 2014년에 그는 이성주[48]와 이희준[49]의 연구를 바탕으로 토기 편년을 수정하였다. 그동안의 토기편년안을 정리하면서 신라전기양식토기의 1Ba기와 1Bb기의

제90집, 韓國考古學會: p.138.

44 崔秉鉉, 1981b,「古新羅 積石木槨墳의 變遷과 編年」,『韓國考古學報』10·11, 韓國考古學會.
   崔秉鉉, 1987,「新羅後期樣式土器의 成立 試論」,『三佛金元龍敎授停年退任記念論叢』I 考古學 篇.
   崔秉鉉, 1992,『新羅古墳研究』, 一志社.

45 國立慶州博物館·慶州市, 1990,『慶州市月城路古墳群-下水道工事에 따른 收拾發掘調查報告-』.
   崔秉鉉, 1992,『新羅古墳研究』, 一志社.
   송의정, 1991,「경주 월성로 출토유물의 분석」, 서울대학교 대학원 석사학위논문.
   이성주, 1993,「낙동강동안양식토기에 대하여」,『제2회 영남고고학회 학술발표회발표 및 토론요지』, 영남고고학회.
   김용성, 1996,「토기에 의한 대구·경산지역 고대분묘의 편년」,『한국고고학보』35
   이희준, 1997,「토기에 의한 신라고분의 분기와 편년」,『한국고고학보』36.

46 이희준, 2007,『신라 고고학연구』, 사회평론: pp.101-167.

47 朝鮮總督府, 1937,『昭和九年度古蹟調查報告 第一冊 - 慶州 皇南里 第百九號墳皇吾里第十四號墳調查報告』.
   李熙濬, 1987,「慶州 皇南洞 第109號墳의 構造 再檢討」,『三佛金元龍敎授停年退任記念論叢 I-考古學篇』, 一志社.

48 이성주, 1993,「낙동강동안양식토기에 대하여」,『제2회 영남고고학회 학술발표회발표 및 토론요지』, 영남고고학회.

49 이희준, 1997,「토기에 의한 신라고분의 분기와 편년」,『한국고고학보』36.

기간폭이 길지 않다는 것을 인정하고, 황남동 110호분(기존 1Bc기)과 황남대총 남분(기존 2a기)을 한 단계로 조정한 것이다[50].

반면 김용성[51]은 황남동 109호 3·4곽을 앞의 견해와 유사한 4세기 4/4분기로 설정하지만 그 이후 단계를 늦추어 보는 주장을 하였다. 이것은 왕릉비정과 관련하여 연대를 조정한 것으로 추정된다. 하지만 이희준의 지적[52]과 같이 연대의 폭이 넓은 것은 조정할 필요가 있다. 김두철[53]은 신라토기의 출현 연대와 황남대총 남분의 피장자를 설정한 후 토기의 연대를 조정하였다. 따라서 신라토기의 상한은 400년, 남분은 458년 이후로 설정된다. 그러나 이전 단계 토기의 변화로 보면 경주지역의 변천양상이 반영되지 않았다. 또한 신라 중심과 지방의 관계를 고려하지 않은 신라토기의 상한 설정은 다소 문제가 있다. 이와 같은 토기 편년의 쟁점은 적석목곽분의 출현연대와 왕릉비정으로 이어진다.

③ 왕릉비정

왕릉비정은 황남대총 남분[54]이 1993년 보고 되고 피장자의 신분에 대한 부분이 부각되면서 본격적으로 연구되었다. 남분의 피장자를 내물이사금(402년 몰)이나 실성이사금(417년 몰), 눌지마립간(458년 몰) 등으로 비정하는 것이 대표적이다. 보고서가 간행되기 이전인 1992년에는 이종선[55]이 황남대총의 피장자를 내물마립간

---

50 최병현, 2014a, 「경주 월성북고분군의 형성과정과 신라 마립간시기 왕릉의 배치」, 『한국고고학보』 제90집, 韓國考古學會: p. 142.

51 金龍星, 1996, 「土器에 의한 大邱·慶山地域 古代墳墓의 編年」, 『韓國考古學報』 35: pp. 79-151.
    김용성, 2003, 「황남대총 남분의 연대와 피장자 검토」, 『한국상고사학보』 42: pp. 57-86.

52 이희준, 2007, 『신라 고고학연구』, 사회평론: pp. 113-114.

53 金斗喆, 2011, 「皇南大塚 南墳과 新羅古墳의 編年」, 『韓國考古學報』 80.

54 文化財管理局 文化財研究所, 1993, 『皇南大冢 Ⅱ 南墳 發掘調査報告書 (圖版·圖面)』.
    文化財管理局 文化財研究所, 1994, 『皇南大冢 Ⅱ 南墳 發掘調査報告書 (本文)』.

55 이종선, 1992, 「적석목곽분의 편년에 대한 제논의」, 『한국고대사논총』 3집.

부부의 능묘라고 주장하였다. 이후 남분은 1996년 김용성[56]에 의해 눌지마립간으로 비정된 다음 1997년에 내물이사금이라는 이희준[57]의 비판이 있었다. 2000년대에 들어서 남분의 피장자를 내물[58]과 눌지[59]로 보는 견해로 양분되었다. 2010년대에는 새롭게 함순섭[60]에 의해 실성으로 보는 견해가 제출되었다.

이후 내물[61], 실성[62], 눌지[63]의 왕릉이라는 견해가 현재까지 대립되고 있다. 2010년대 후반에는 황남대총 남분에서 출토된 바둑알 목합의 연대[64]와 충주 중원

---

56 김용성, 1996, 「토기에 의한 대구·경산지역 고대분묘의 편년」, 『한국고고학보』 35

57 이희준, 1995, 「경주 황남대총의 연대」, 『영남고고학』 17호: 33-67.

58 이희준, 2007, 『신라고고학연구』, 사회평론.

59 김용성, 2003, 「황남대총 남분의 연대와 피장자 검토」, 『한국상고사학보』 42: pp.57-86.
   김용성, 2009, 『신라왕도의 고총과 그 주변』, 학연문화사.
   박천수, 2006, 「新羅加耶古墳의 編年 -日本列島 古墳과의 並行關係를 中心으로-」, 『日韓古墳時代의 年代觀』〈歷博國際研究集會〉, 國立歷史民俗博物館·韓國國立釜山大學校博物館.

60 咸舜燮, 2010, 「皇南大冢을 둘러싼 論爭, 또 하나의 可能性」, 『황금의 나라 신라의 왕릉 황남대총』: pp. 226-247.

61 최병현은 1992년 황남대총의 연대설정에 사용한 자신의 토기 편년이 월성로고분군이 발굴되기 이전으로 다소 문제가 있음을 자책하였다. 그리고 2010년대 여러 토기 편년을 재작성함과 동시에 그동안 황남대총 남분을 눌지왕릉으로 비정하던 견해에 대해 반박하였다. 눌지왕릉이라고 주장하는 토기의 근거(475년 월성해자 출토)가 오히려 남분의 연대를 그 보다 두 단계 이르다는 것을 역설하는 것으로 보았다(최병현 2014: 151). 따라서 토기의 연대와 마립간기 왕릉의 배치에 대한 기획성을 고려하면 내물왕릉으로 보는 것이 타당하다고 주장하였다.
   최병현, 2014a, 「경주 월성북고분군의 형성과정과 신라 마립간시기 왕릉의 배치」, 『한국고고학보』 제90집, 韓國考古學會.

62 박광열, 2014, 「신라 적석목곽분의 연구와 금관총」, 『금관총과 이사지왕』(국립중앙박물관 학술심포지엄), 국립중앙박물관.

63 박천수, 2010, 「新羅 加耶古墳의 曆年代」, 『한국상고사학보』 69: pp.71-102.
   박천수, 2016, 「慶州 皇南大塚의 曆年代와 新羅 陵園의 形成 過程」, 『신라문화』 47: pp.1-18.
   김두철, 2011, 「皇南大塚 南墳과 新羅古墳의 編年」, 『韓國考古學報』 80輯, 韓國考古學會.

64 황남대총 남분에서 출토된 바둑알 합에 표기된 '馬朗'명을 분석한 결과, 합의 제작 연대를 서기 3세기 말에서 4세기 초로 보았다.
   정일·이은석, 2018, 「황남대총 남분출토 '馬朗'명 칠기의 의미」, 『중앙고고연구』 27호.

고구려비의 비문이 재조명[65]되면서 남분이 눌지왕릉이라는 설은 힘을 잃고 있다. 결국, 남분의 연대를 서기 5세기 전반으로 볼 수 있어서 눌지보다는 실성일 가능성이 크며, 내물왕릉일 가능성도 배제할 수 없다.

④ 계층성 연구

왕릉비정에 대한 쟁점은 신라 사회의 계층과 계급에 대한 연구를 촉진시켰다. 신라 사회의 계층에 대한 쟁점은 위세품의 연구로 이어진다. 위세품 연구[66]는 장신구의 연구에서 시작되었다. 박보현은 대관[67], 관식[68], 대금구[69] 연구를 통해 신분과 관위에 대해 밝히고자 하였다. 특히 대금구는 관식과 특정 조합상을 이루는 것을 확인하였다. 특정 조합은 분여론과 부합되는 점과 공통형식이라는 점에 주목하여 적석목곽분시대의 지방통치 내지는 관등제와의 연관성을 언급하였다. 이를 바탕으로 그는 계층 및 중앙과 지방의 차이는 위세품 세트와 재질의 차이에서 확인할 수 있음을 밝히고, 고신라사회의 구조에 대해 정리하였다[70].

장신구에 대한 연구는 1980년대까지 단편적으로 이루어지다가 1990년대 이

---

65 중원고구려비는 고구려와 신라의 관계를 알 수 있는 금석문 자료이다. 여기에 고구려가 신라에 의복을 사여하였다는 기록은 당시 두 나라의 친분관계를 나타낸다. 그러나 연대를 알 수 있는 부분의 해석이 그동안 어려워 5세기 후반으로 비정되었다. 문제는 5세기 후반에는 고구려와 신라의 사이가 급격히 악화되고 있는 점이다. 새롭게 판독된 비의 연대는 '영락 7년'명을 기준으로 397년이며, 적어도 이 연대를 크게 벗어나지 않는다(고광희 2019: 68). 따라서 황남대총의 유물 일괄에 고구려와 관련된 것이 많은 점은 5세기 중엽 이전의 상황과 맞는 것이다.
고광희, 2019, 「충주 고구려비 판독문 재검토」, 『충주 고구려비 발견 40주년 기념학술회의 자료집』, 동북아역사재단·한국고대사학회: pp.36-68.
이용현, 2020, 「忠州 高句麗碑 '㫛'·'共'의 재해석」, 『한국사학보』80, 고려사학회: pp.7-56.
66 박보현, 1995, 『威勢品으로 본 古新羅社會의 構造』, 경북대학교 대학원 박사학위논문.
67 朴普鉉, 1987, 「樹枝形立華飾冠의 系統」, 『嶺南考古學』4.
68 朴普鉉, 1988, 「冠帽前立飾金具를 통해 본 積石木槨墳時代 사회조직」, 『古代研究』1.
69 朴普鉉, 1991, 「積石木槨墳文化地域의 帶金具-三葉文透彫帶金具를 中心으로-」, 『古文化』38.
70 박보현, 1995, 『威勢品으로 본 古新羅社會의 構造』, 경북대학교 대학원 박사학위논문.

후 최병현의 이식 편년[71]과 이한상의 연구[72]를 통해 체계적인 분류가 진행되었다. 2010년대에는 세분된 연구[73]를 통해 신라고분 연구의 중요한 부분으로 자리잡고 있다. 이러한 장신구와 위계에 대한 연구는 복식 정형에 대한 연구[74]로 발전된다. 하지만 최근의 연구는 성별과 위계에 집중되어 있어서 피장자의 신분과 관위에 대한 연구가 필요하다.

⑤ 중앙과 지방

중앙과 지방에 대한 쟁점은 경주를 중심으로 한 사로국의 범위, 사로국에서 신라로의 전환, 신라의 주변지역 영역화, 지방 소국의 범위와 존속기간, 지배방식 등과 관련되며, 신라의 성장과 궤를 같이 한다. 신라가 사로국단계의 경주에 국한

---

71 崔秉鉉, 1981b, 「古新羅 積石木槨墳의 變遷과 編年」, 『韓國考古學報』10 · 11, 韓國考古學會.
　崔秉鉉, 1992, 『新羅古墳硏究』, 一志社.
72 李漢祥, 1995, 「5~6世紀 新羅의 邊境支配方式 ―裝身具分析을 중심으로―」, 『韓國史論』33, 서울大學校國史學科: pp.1-78.
　李漢祥, 1996, 「6世紀代 新羅의 帶金具 ―'樓岩里型'帶金具의 設定―」, 『韓國考古學報』35, 韓國考古學會: pp.51-78.
　李漢祥, 1997a, 「裝飾大刀의 下賜에 반영된 5~6世紀 新羅의 地方支配」, 『軍事』35, 國防部軍史編纂委員會: pp.1-37.
　李漢祥, 1998, 「金工品을 통해 본 5~6世紀 新羅墳墓의 編年」, 『慶州文化硏究』1, 慶州大學校文化財硏究所: pp.1-31.
　李漢祥, 1999, 「7世紀 前半 新羅 帶金具에 대한 認識 ―'皇龍寺型 帶金具'의 설정―」, 『古代硏究』7, 國立公州博物館: pp.27-38.
　李漢祥, 2000, 「新羅館 硏究를 위한 一試論」, 『考古學誌』第11輯: pp.95-134.
73 金宇大, 2013, 「新羅 垂飾附耳飾의 系統과 變遷」, 『韓國考古學報』89: pp.48-93.
　김도영, 2018, 「신라 대장식구의 전개와 의미」, 『韓國考古學報』107집: pp.71-123.
74 이희준, 2002, 「4~5세기 신라 고분 피장자의 服飾品 着裝 定型」, 『韓國考古學報』47.
　하대룡, 2016, 「고총단계 신라 고분의 부장 정형과 그 함의 -착장 위세품과 무구, 마구를 중심으로-」, 『韓國考古學報』101.
　최병현, 2017, 「신라 전기 경주 월성북고분군의 계층성과 복식군」, 『韓國考古學報』104집: pp.78-123.

된 범위에서 점차 영역을 확대하며 주변 소국을 복속하고 이들을 지방으로 편입된다. 여기에서 쟁점이 되는 것은 주변 소국이 언제 신라의 지방으로 편입되었는지에 대한 시점이다.

이 문제는 중앙과 지방이라는 것 이외에 신라와 가야의 영역 또는 경계에 대한 문제도 포함한다. 낙동강 이동지역의 신라의 영역화는 신라식 목곽묘[75]와 조기 신라토기의 등장[76], 중장무기의 등장[77], 곡옥을 주체로 한 위세품의 등장[78]을 지표로 한다. 이와 같은 지표와 임당토성의 축조연대[79]를 통해 경산지역은 서기 4세기 전반경에 신라에 편입되었다[80]. 그러나 어떤 지역 양식 토기의 분포권이 해당 사회 단위의 지리적 범위 설정의 근거가 될 수 없다는 주장도 있다[81]. 하지만 그 단위는 경제적 단위였을 뿐 아니라 동시에 정치적 단위이기도 하였을 것으로 충분히 추론할 수 있다[82].

---

75 이성주, 1996, 「신라식 목곽묘의 전개와 의의」, 『신라고고학의 제문제』, 창립20주년 기념 제20회 한국고고학전국대회, 한국고고학회.

76 지역 양식 토기의 분포권을 보조 또는 검증 근거로 삼을 수 있다.
　이희준, 2007, 『신라 고고학연구』, 사회평론: p.43.

77 禹炳喆, 2019, 『新羅·加耶 武器 研究』, 慶北大學校 大學院 博士學位論文.

78 이희준, 2007, 『신라 고고학연구』, 사회평론.

79 장용석, 2016, 「임당토성 축조에 따른 취락공간의 재편」, 『한국고고학보』 101집.

80 이성주, 1996, 「신라식 목곽묘의 전개와 의의」, 『신라고고학의 제문제』, 창립20주년 기념 제20회 한국고고학전국대회, 한국고고학회.
　이희준, 1996, 「신라의 성립과 성장 과정에 대한 고찰-고고·역사·지리적 접근」, 『신라고고학의 제문제』.
　이희준, 2004, 「경산 지역 고대 정치체의 성립과 변천」, 『영남고고학』 34호.
　이희준, 2007, 『신라 고고학연구』, 사회평론.
　장용석, 2007, 「임당유적을 통해 본 경산지역 고대 정치체의 형성과 변천」, 『야외고고학』 3호.
　장용석, 2016, 「임당토성 축조에 따른 취락공간의 재편」, 『한국고고학보』 101집.
　장용석, 2018, 「압독국에서 신라 지방사회로의 전환」, 『최신 연구성과로 본 압독국』.

81 이성주, 1993, 「신라·가야사회 분립과 성장에 대한 고고학적 검토」, 『한국상고사학보』 13: pp.295-308.

82 박순발, 1993, 「『신라·가야사회 분립과 성장에 대한 고고학적 검토』에 대하여」, 『한국상고사학보』

더욱이 어떤 지역 양식의 토기가 때로 지리적 장애를 넘어서 이웃 지역의 다른 고분군에서 단발적이 아니라 지속적으로 출토된다면 그 고분군이 위치한 지구는 해당 지역 안의 단위 지구가 아닐 가능성까지도 고려해야 한다[83]. 이상으로 보아 4세기대 신라의 지표유물이 지속적으로 확인되는 경우는 신라의 영역으로 볼 수 있다.

5세기대의 논쟁은 낙동강 이동지역 중에서 창녕과 부산이 신라 혹은 가야인지의 문제이다. 창녕은 4세기 말이나 5세기 전엽에 신라에 복속되었다는 견해[84]와 5세기까지 가야에 속했다는 견해[85]가 있다. 부산은 4세기 중후엽에 신라에 복속되었다는 견해[86]와 6세기 중엽 이후에 복속되었다는 견해[87]로 양분된다. 일부에서는 5세기대 김해지역에서 고총고분이 없는 이유로 중심지가 부산지역으로 이동하였다고 주장한다. 하지만 역설적으로 김해에 고총고분이 없는 이유는 이 지역의 사회 진화 속도와 강도가 급격히 둔화 된 것이다[88].

13: p.311.

83 이희준, 2007, 『신라 고고학연구』, 사회평론: 43.

84 이희준, 1998b, 『4~5세기 신라의 고고학적연구』, 서울대학교 대학원 박사학위논문.
   이희준, 2005, 「4~5세기 창녕지역 정치체의 읍락 구성과 동향」, 『영남고고학』 37호.
   주보돈, 2009, 「문헌상으로 본 고대사회 창녕의 향방」, 『한국 고대사 속의 창녕』, 경북대 영남문화연구원.
   김용성, 2009, 「창녕지역 고총 묘제의 특성과 의의」, 『한국 고대사 속의 창녕』, 경북대 영남문화연구원.
   하승철, 2012, 「고고자료를 통해 본 창녕 계성고분군의 위상」, 『계성고분군의 역사적 의미와 활용방안』, 경남발전연구원 역사문화센터.

85 박천수, 1990, 「5-6세기대 창녕지역 도질토기의 연구」, 경북대학교 대학원 석사학위논문.
   박천수, 2010, 『가야토기-가야의 역사와 문화』, 진인진.
   박천수, 2018, 『가야문명사』, 진인진.
   박천수, 2019, 「고고학으로 본 비화가야의 새로운 접근」, 『창녕 영산고분군 학술심포지엄』 자료집.

86 이희준, 1998a, 「김해 예안리유적과 신라의 낙동강 서안진출」, 『한국고고학보』 39집.

87 신경철, 1988, 「부산연산동 8호분 발굴조사개요」, 『부산직할시립발물관연보』 제10집.
   신경철, 1989, 「삼한 · 삼국시대의 부산(고고학적 고찰)」, 『부산시사』 제1권, 부산직할시사편찬위원회.
   신경철, 1998, 「김해대성동 · 동래복천동고분군 점묘-금관가야 이해의 일단-」, 『부산사학』 제19집.

88 이희준, 2007, 『신라 고고학연구』, 사회평론: pp.101-167.

또한 주목해야 할 점은 5세기대 낙동강 이동 지방의 고총에는 반드시 지역 양식의 신라토기와 경주식 금공 위세품이 공반된다는 점이다. 복천동 고분군에서 출토된 부산식고배(수영강식)는 경주와 주변지역에서 확인되므로 신라의 지역토기일 가능성이 크다. 창녕과 부산지역은 앞서 거론한 신라의 영역 지표로 보면 서기 4세기 중엽경에 신라에 편입되었을 가능성이 높다. 이와 같은 쟁점이 지속되는 것은 신라 주변 고분군에 대한 연구에 비해 중심고분군의 연구가 빈약하기 때문이다. 따라서 중심고분군에 대한 연구가 필요하다.

⑥ 고분군에 대한 이해

고분군에 대해 이해하려는 연구도 있었다. 이성주[89]는 영남지역에서 정치체의 규모나 내부조직을 인식하고자 고분군의 분포패턴을 연구하였다. 특히, 서기전 1세기에서 서기 6세기까지의 고분군 변화상을 유형화하였다. 그는 입지와 매장시설, 부장양상, 존속기간, 분포지역 등 8가지의 속성으로 고분군을 분류하여 11가지의 유형을 설정하였다. 신라와 관련된 유형은 임당, 구암동, 복현동 유형이다. 각각 신라 주변지역 중심정치체, 하위정치체 내 중급고분군, 소형분집단으로 정의된다. 정치체의 등급이 올라갈수록 입지위계, 매장시설의 규모차, 부장양상의 위계에서 현저한 변화가 특징이다. 이러한 변화로 볼 때 중심고분군에서 탁월한 구분이 가능할 것으로 예상되지만 신라지역의 중심고분군에 대한 연구는 미약하다. 김옥순[90]은 고분군 내 분묘의 단위그룹 형성과 공간분화에 대한 연구를 하였다. 이 연구는 공동체 사회의 생산 활동과 관련하여 고분군 내 분묘단위를 설정하고 변화 및 친연성 등을 살폈다. 고분군 내에서 사회 조직의 분할단위 설정에 대한 가능성을 보여준 점에서 주목된다.

---

89 李盛周, 1998, 『新羅·伽倻社會의 起源과 成長』, 學研文化社.
90 김옥순, 2010, 「삼국시대 분묘의 시공간성과 공동체의 사회통합 유형 - 금호강 유역 5~6세기 고분군을 중심으로 -」, 『嶺南考古學』 52號: pp.67-98.

3) 문제제기

지금까지 신라고분연구에서 체계적으로 연구되지 못한 주제는 다음과 같다. 첫째, 중앙과 지방 관계의 구도에서 신라 영역 내의 고분연구는 했지만 정작 신라 중심 집단의 고분군들은 총체적으로 검토된 바 없다. 둘째, 피상적으로 파악된 무덤의 속성을 토대로 직관적으로 분류하여 목곽묘, 적석목곽묘, 적석목곽분, 위석목곽묘 등으로 이름 붙여 왔으나[91] 명확한 분류기준에 따라 고분의 구조와 형태를 분류한 것은 아니었다. 더구나 그러한 분류명은 당시 실제로 신라 사람이 축조를 제도화한 일정 무덤유형에 대입시켜 보기도 어렵다. 셋째, 기존 신라고분연구는 개별 고분의 구조와 부장품을 분류하고 비교하는 연구에 중점을 두어왔으나 고분군의 형성과정이나 공간배치에 관해서는 전체적으로 검토되지 않았다. 신라 중심고분군의 왕릉 비정과 축조 순서에 관해서는 논의가 있었지만, 다음과 같은 사항을 고려하여 고분군의 총체적인 형성과정과 공간조직은 연구된 바 없다. 이를테면 중소형분도 배치된 이후에는 대형분의 배치에 영향을 주지 않을 수 없다는 점, 고분군의 형성에서 후축묘는 선축묘 피장자와의 관계를 고려하여 배치될 것이라는 점 등을 고려해야 한다.

2. 研究目的과 方法

1) 연구목적

본 연구의 목적을 네 가지로 정리하면 다음과 같다. ① 월성북고분군을 토대로

---

91 적석목곽분과 적석목곽묘에 대한 개념이 재정리되어야 할 필요성은 과거에도 지적되었던 부분이지만 현재진행형으로 두 개념에 대한 정리는 필요하다.

李盛周, 2000, 「"皇南大塚의 構造와 新羅 積石木槨墳의 變遷 起源"에 대한 檢討」, 『皇南大塚의 諸照明』, 國立慶州文化財研究所.

金龍星, 2001, 「嶺南地方 積石木槨墓의 時空的 變遷」, 『嶺南考古學』29: pp. 73-75.

신라 고분의 특징을 정의하고 신라 고분의 묘제별 시간적 변화상을 제시한다. ②
고분의 공간적 분포양상을 파악하여 신라 고분의 묘제별 분포양상과 고분군의 형
성과정을 제시한다. ③ 공간적 분포양상의 특징을 살펴 고분군 내 위계와 집단의
공간적 분할 가능성을 제시한다. ④ 신라 고분의 특징을 기준으로 경주 분지 내
중심부와 외곽지역 고분군 간의 비교를 통해 신라의 성장과정을 제시한다.

이는 궁극적으로 신라가 성장하는 과정에서 중심고분군으로서 경주 월성북고
분군이 가지는 상징적 의미에 대해 밝히는 것에 있다. 이 고분군은 경주에서 신라
의 왕성 또는 왕궁으로 사용된 월성의 북편과 서편에 자리한다. 대형의 무덤이 왕
궁과 관청이 있는 지역과 거의 맞닿아 위치하는 점에서 신라의 최상위 위계의 고
분군이었음은 자명하다.

그러나 문제 제기에서도 언급하였듯이 선택적으로 고분 발굴이 이루어져 전체
적인 구조와 형성과정보다는 개별 고분의 구조와 규모 차이, 개별 고분 간 등급
차이 등에 대한 문제를 밝히는 연구에 집중되었다. 그 결과, 경주 월성북고분군에
는 신라의 최상위 계층 고분인 적석목곽분이 자리하고 있으며, 주변 고분군과 비
교하여 탁월한 차이를 갖추고 있음을 알게 되었다.

이제 경주 월성북고분군 내의 적석목곽분과 더불어 차하계층이 사용한 묘제와의
관계 및 전반적인 고분군의 형성과정을 통한 공간구성, 성장 패턴 등을 밝힐 필요가
있다. 따라서 경주 월성북고분군 내의 묘제 구성과 변화양상, 종합적인 형성과정에
대한 논의가 진행되어야 한다. 더불어 이러한 묘제의 구성 차이는 사회 계층, 위계,
신분 등을 내포하고 있으므로, 신라 중심고분군과 주변 고분군의 형성과정과 묘제
구성의 차이를 밝힌다면 신라의 사회구조에 대한 접근도 가능하리라 본다.

2) 연구방법

경주분지 내 신라 고분에 대한 연구는 신라의 중심에서 신라 사회를 살펴보는
것이다. 신라의 주변지역에 대한 연구가 심화될수록 중심지의 양상을 밝힐 필요

성은 짙어진다. 따라서 본 연구는 신라의 중심고분군인 경주 월성북고분군을 중심 대상으로 그 실체를 파악하고자 한다.

연구는 경주 월성북고분군 내 묘제 구성에 대하여 살펴보고, 묘제별 특징을 정리한다. 신라 고분은 대표적으로 적석목곽분이 알려져 있지만, 적석목곽분은 신라의 최상위 계층의 무덤일 뿐 신라의 모든 사람이 사용한 것은 아니다. 그러므로 신라 고분군 내에서 확인되는 묘제를 정리하고 그 구성을 살펴본다. 그 다음에는 묘제별로 나타나는 특징을 확인한다. 특징은 시간이나 공간적인 차이에 의해 나타났을 가능성이 있으므로 고분의 층서와 내부 출토유물을 비교하여 시공간적인 변화를 유추한다. 이를 통해 결과를 도출하는 귀납적인 방법으로 연구를 진행한다. 이 모든 것을 토대로 신라 고분의 시기를 구분하고 변화상을 확인하여 신라고분의 의의와 당시의 무엇을 반영하고 있는지 살펴본다. 특히 이 부분에서 월성북고분군 내 묘제의 공간 배치를 비교하여 신라고분의 공간 분포양상과 신라 고분군의 모델을 설정한다. 여기에서는 양적연구를 통한 연역법적 방법론을 이용할 것이다. 이 방법은 일정한 규칙 확인을 통해 법칙을 설정할 수 있다. 따라서 신라 고분 분포양상의 특징에서 어떤 규칙성이 보이는 가와 개개의 묘제 특징이 어떤 의미를 가지는 가에 초점을 맞추어 연구를 진행할 것이다.

연구방법의 큰 범주는 위와 같다. 그 중에서 Ⅱ장에서 Ⅴ장까지는 묘제 구성, 묘제별 특징, 시간적인 변화, 공간적인 구역 구분과 형성과정에 대한 순으로 연구를 진행할 것이다. Ⅵ장에서는 논의된 내용을 정리하여 신라 사회구조의 실체에 접근해 보고자 한다. 세부내용은 다음과 같다.

Ⅱ章 新羅 中心古墳群의 墓制 構成과 特徵은 1절 신라 묘제의 기준과 분류, 2절 각 묘제의 정의, 3절 각 묘제의 구성요소와 특징으로 구분한다. 1절에서는 신라 묘제의 분류기준을 설정하고 분류한다. 2절에서는 각 묘제의 개념과 범주에 대해 정의한다. 3절에서는 고분의 묘제를 살펴보고 묘제별 구성요소와 그 특징을 확인한다.

Ⅲ章 新羅 中心古墳群의 墓槨 分類와 編年은 1절 묘곽의 구조와 축조공정, 2절 묘곽의 분류, 3절 배열의 기준, 4절 편년으로 구성한다. 1절은 신라 묘제별 형식을 분류하고 그 상대서열에 대해 살펴본다. 2절에서는 묘곽을 분류하여 변화양상을 살피고, 3절에서는 신라 고분의 배열 기준과 층서학적인 배치양상의 특징을 정리하고자 한다. 4절에서는 시간적인 위치에 대해 살펴보고 각 고분의 순서를 상정한다.

Ⅳ章 新羅 中心古墳群의 配置와 形成過程은 1절 지형적 특징, 2절 시기별 분포, 3절 군집의 양상, 4절 주변고분군과의 비교로 구성한다. 1절에서는 경주 중심고분군의 위치와 지형적인 특징을 살펴보고, 2절에서는 시기별 중심고분군에서 각 분묘의 분포양상을 확인한다. 3절에서는 시기별로 분묘의 군집이 나타나는 경향성을 정리한다. 4절에서는 중심고분군의 주변에 자리한 경주 황성동고분군과 탑동고분군, 황성동고분군, 월산리고분군 등의 형성과정과 특징에 대하여 살펴본다. 이를 통해 신라 고분군의 변천양상을 정리하고 시기별 시간적인 변화를 살펴본다.

Ⅴ章 新羅 古墳群의 變遷 樣相과 相互關係는 1절 신라 중심고분군의 변천 양상과 2절 신라 고분군의 상호 관계로 구성한다. 여기에서는 고분군의 형성과정에 대한 성장모델을 제시하고 신라 중심고분군의 변천상에 대해 정리한다. 그리고 고분군의 변화과정에서 나타나는 특징이 중심과 주변의 고분군에서 어떤 공통점과 차이점이 확인되는지 비교를 통해 두 지역의 신분에 따른 위계적 상호관계를 확인한다.

하지만 신라 고분 연구에서 먼저 해결되어야 하는 문제가 경주지역 고분의 양상을 파악하는 것이다. 따라서 경주의 중심고분군에 대하여 먼저 살핀 다음 경주 주변 지역권의 고분 양상을 비교하여 신라 고분의 변화와 확산을 논하고자 한다. 이러한 연구과정을 통해 경주 내 신라 고분의 특징과 전반적인 변화상을 제시하고 지역적 통합과정을 살펴봄으로써 신라가 국가로 성장하는 단계의 물질문화 및 사회상에 좀 더 접근할 수 있는 자료를 제공할 것으로 기대한다.

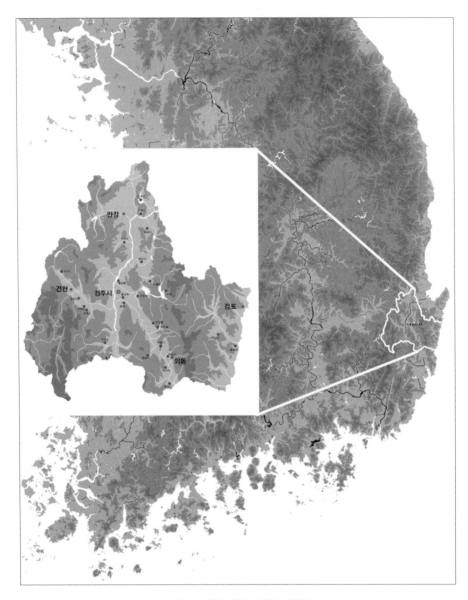

그림 1-1. 경주지역 고분군 위치도

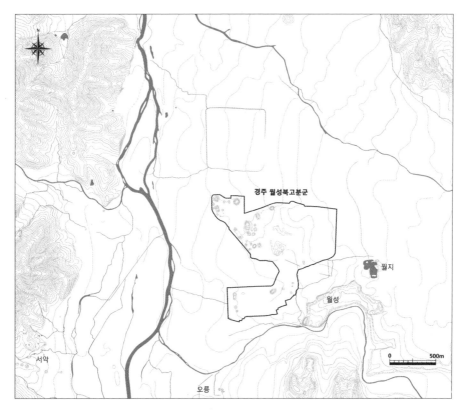

그림 1-2. 경주 월성북고분군 위치도 (1933년 경주유적지도 필자 재작도)

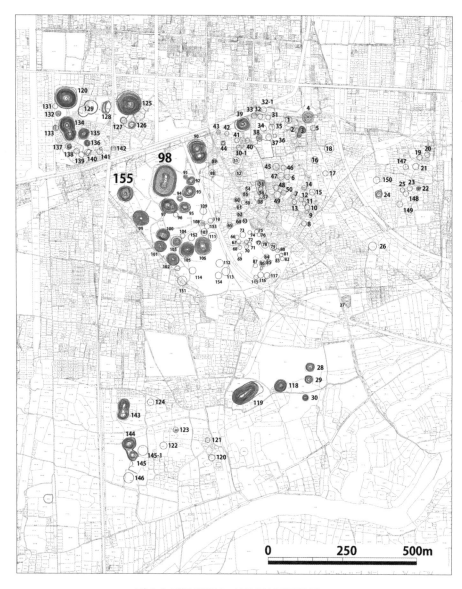

그림 1-3. 경주 월성북고분군 적석목곽분 분포도

그림 1-4. 경주 월성북고분군 유구배치도

Ⅱ章 新羅 中心古墳群의 墓制 構成과 特徵

1. 新羅 墓制의 基準과 定義

1) 분류 기준

경주 월성북고분군에는 다양한 묘제가 공존한다. 목관묘, 목곽묘, 적석목곽묘, 적석목곽분, 석곽분, 석실분 등이다. 이들 묘제는 연구자마다 서로 다른 기준안을 설정하여 구분하였다. 묘제는 피장자의 신분에 따른 위계 차이와 시간적인 변화 양상을 내포하고 있기 때문에 묘제의 분류는 중요하다. 묘제에 대한 지금까지의 연구를 정리하면, 매장시설의 관·곽·실에 대한 분류가 선행된다. 이 중에서 월성북고분군은 곽의 개념을 세분할 필요가 있다. 곽의 개념을 분류하면 여섯 가지이다. 첫째 축조 재료의 재질에 따른 구분, 둘째 묘와 분의 구분, 셋째 분구의 크기에 따른 구분, 넷째 지상식과 지하식 적석목곽분의 분류, 다섯째 시상석의 유무, 여섯째 매장시설의 구조와 배치이다. 이상의 묘제 구분은 매장시설을 만드는 재료와 공간적인 특징으로 구분하였다. 각각의 내용은 다음과 같다.

(1) 축조 재료의 재질에 따른 구분

흔히 묘제를 분류할 때 제2의 기준은 매장시설을 축조할 때 사용한 재료이다. 특히 같은 곽묘라 하더라도 나무와 석재를 동시에 사용한 적석목곽묘, 나무만을 사용한 목곽묘로 분류한다. 적석목곽묘가 묘광과 목곽 사이에 막연히 돌을 채운 것으로 보기에는 석재가 충전된 목곽의 지속성이 길다는 점에서 해석은 단순하지 않다. 즉 의도성을 가지고 일부러 석재를 충전한 것으로 이해해야 하며, 목곽묘와는 다른 묘제를 축조하기 위해 구분한 것이다. 이와 같이 각각의 묘제에 사용된 축조 재료에 따라 묘제는 구분되어야 한다.

(2) 묘와 분의 구분

고분의 분이 곧 묘로 통하기도 하지만 둘을 구분하는 경우 지면 위로 높이 솟은 것을 분이라 하고 평평한 것은 묘라 하며 고총이라 할 때의 총이 『설문해자』에 나오듯이 고분을 의미한다[92]. 이를 바탕으로 묘와 분을 다른 개념으로 인식한 논의에 따르면, 이희준[93]은 묘→분→총, 김용성[94]은 분묘→고분→고총으로 삼국시대 신라의 묘제가 단계화 된다고 정의하였다. 이는 성토 분구의 평면형이 호석이나 주구 등에 의해 원형 혹은 타원형으로 나타나므로, 분명한 분묘 단위를 이루는 고분을 가리킨다고 본 것이다. 나아가 박형열[95]은 묘와 분의 개념을 봉분이 존재하는 것과 없는 것으로 구분하고, 적석목곽분과 적석목곽묘를 정의하면서 묘와 분의 개념을 정리하였다. 봉분이 남아있지 않을 경우에 봉분의 유무를 판단하는 기준으로 호석의 존재 유무를 가장 큰 요소로 보았다.

이상을 정리하면, 월성북고분군에 있는 묘제는 호석의 유무에 따라 묘와 분을 분류할 수 있으며 적석목곽분과 적석목곽묘, 목곽묘, 석곽묘, 옹관묘 등으로 구분된다.

(3) 분구의 크기에 따른 구분

분구는 그 크기에 따라 위계의 성격을 띤다. 본 연구에서는 히스토그램을 사용

---

92 이희준, 2007, 『신라 고고학연구』, 사회평론, p.81.
93 이희준, 2007, 『신라 고고학연구』, 사회평론, pp.81-91.
94 김용성, 1998, 『신라의 고총과 지역집단 - 대구·경산의 예』, 춘추각.
　김용성, 2015, 『신라 고분고고학의 탐색』, 진인진.
95 박형열, 2016, 「신라 지상식 적석목곽분의 발생에 대한 일고찰」, 『영남고고학』75호.

하여 분구의 크기를 구분하였다. 경주 월성북고분군에서 분구의 크기를 알 수 있는 43기의 고분을 대상으로 하였으며 크기 비교는 고분의 장축 길이를 대상으로 하였다. 그 이유는 적석목곽분의 특징 중 하나로 볼 수 있는 연접이 단축 방향으로 이루어지기 때문이다. 단축 방향으로 고분이 연접되면 단축 너비는 부정확한 값을 가진다. 이 때문에 전체 길이를 알 수 있는 장축방향을 선택하여 크기를 비교할 수밖에 없다. 장축 길이로 크기를 분류하면 크게 네 가지로 구분된다.

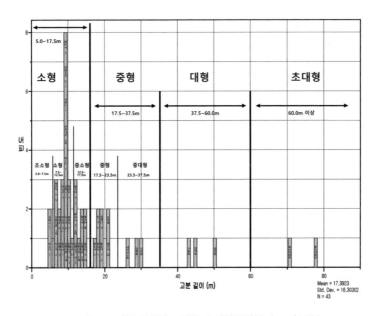

그림 2-1. 경주 월성북 고분군의 적석목곽분의 크기 구분

크기는 소형(5.0~17.5m), 중형(17.5m~37.5m), 대형(37.5~60.0m), 초대형(60.0m 이상)으로 구분한다. 그리고 소형과 중형은 각각 3개와 2개로 세분된다. 소형은 초소형(5.0~7.0m), 소형(7.0~12.5m), 중소형(12.5~17.5m)으로, 중형은 중형(17.5~23.5m)과 중대형(23.5~37.5m)으로 구분한다. 기존 적석목곽분의 크기 분류

안[96]과 비교하면 대부분의 고분이 소형에 속하는 것을 보다 객관적인 지표로 확인할 수 있다.

(4) 지상식과 지하식 적석목곽분의 분류

적석목곽분은 매장시설의 위치에 따라 지상식과 지하식으로 구분된다[97]. 지상식과 지하식의 가장 큰 구조 차이는 목곽부의 수직적 위치와 적석부의 규모차이이다. 두 구조는 적석부의 범위에서 그 특징이 구별된다. 지상식은 목곽이 지상에 설치되면서 목곽을 지탱하는 적석부의 밑변이 넓게 축조된 것이다. 반면, 지하식은 목곽이 지하에 구축되면서, 묘광과 목곽사이에 돌을 채워 충전하며 적석부의 범위가 묘광에서 크게 벗어나지 않는 것이다.

지상식과 지하식 적석목곽분의 구조는 명확하게 확인된다. 적석목곽분의 구조는 적석의 방법과 범위에 따라서 사주적석 혹은 사방적석, 상부적석 등으로 분류하기도 하고, 목곽과 적석부의 위치에 따라 지하식과 지상식으로 분류하기도 한다. 전자에서는 시간적인 의미가 반영되어 있을 가능성이 높으며, 후자는 공간 혹은 계통적으로 분리되어 있었을 가능성이 있다.

---

96 각 연구자의 적석목곽분 크기 분류 안 비교

함순섭(2010)	초대형급: 80m 전후 / 대형급: 48 ~61m 이내 / 중상형급: 40m 전후 / 중하형급: 16~30m
심현철(2012)	대형: 35m이상 / 중형: 15m 이상 ~35m 미만 / 소형: 15m 미만
윤상덕(2016)	1: 65m이상 / 2: 47.5m이상 ~ 65m미만 / 3: 32.5m이상 ~ 47.5m미만 / 4: 22.5m이상 ~ 32.5m미만 / 5: 12.5m이상 ~ 22.5m미만 / 6: 12.5m미만
최병현(2016)	대형: 35m이상 / 중형: 15m 이상 ~35m 미만 / 소형: 15m 미만

함순섭, 2010, 「皇南大冢을 둘러싼 論爭, 또 하나의 可能性」, 『황금의 나라 신라의 왕릉 황남대총』, pp. 226-247.

심현철, 2012, 「신라 적석목곽묘의 구조 연구」, 부산대학교 대학원 석사학위논문.

윤상덕, 2016, 「金冠塚 被葬者의 性格 再考」, 『마립간의 기념물: 적석목곽분』 금관총·서봉총 재발굴 기념 학술심포지엄, 국립중앙박물관, pp. 5.

최병현, 2016, 「신라 전기 적석목곽분의 출현과 경주 월성북고분군의 묘제 전개」, 『문화재』 40호, p.170.

97 박형열, 2016, 「신라 지상식 적석목곽분의 발생에 대한 일고찰」, 『영남고고학』 75호.

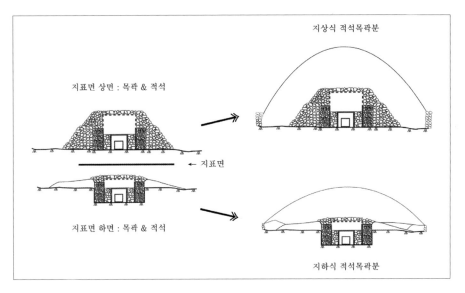

그림 2-2. 지상식과 지하식 적석목곽분의 개념 모식도

경주 쪽샘유적에서는 지상식과 지하식의 대표적인 예가 확인되어서 주목된다. 지상식과 지하식 적석목곽분은 매장시설인 목곽부가 구지표면의 상하 중 어디에 위치하느냐가 중요하다. 하지만 반지하식 혹은 반지상식으로 구분할 수 있는 구조는 분류가 모호해진다. 이때 지표면 상부에 적석시설이 있는 것을 적석봉토분[98]으로 하여 봉토의 한 개념으로 분류한 예와 같이 적석부의 위치도 매우 중요하다.

따라서 목곽부와 적석부가 지표면 상부에 위치한 것을 지상식 적석목곽분, 그 하부에 위치한 것을 지하식 적석목곽분으로 구분할 수 있다. 쪽샘유적에서는 지하식 적석목곽분으로 41호분, 지상식 적석목곽분으로 44호분이 확인된다. 두 종류의 특징을 비교하면 두 가지로 요약해서 살펴볼 수 있다. 첫째 봉분의 높이와 크기의 차이, 둘째 적석부의 범위 차이이다. 봉분의 높이와 크기 차이는 목곽과 적석부가 지표면의 상면에 있느냐, 하면에 있느냐 때문에 규모와 적석부의 범위

---

98 김용성, 2015,『신라 고분고고학의 탐색』, 진인진.

차이가 발생한다. 지상식의 경우 44호분에서는 적석부 하단이 넓은 형태를 띠는 반면 41호분과 같은 지하식은 묘광에서 크게 벗어나지 않는 범위에서 적석부의 크기가 확인된다[99].

(5) 시상석의 유무

신라 묘제는 바닥시설로 시상석이 있는 것과 없는 것으로 구분된다. 시상석은 기존 연구에서 목곽의 한 속성으로 분류되어 전면시상, 부분시상, 무시상으로 구분되었다. 하지만 시상석은 시간에 따라 설치 면적의 변화를 보이지 않으며, 묘제에 따라 시상석이 있는 것과 없는 것이 공존한다. 이러한 점에서 역석시상을 적석목곽분의 특징으로 보는 견해도 있다[100]. 다시 말하면 적석목곽분에는 역석시상이 반드시 존재하며, 적석목곽묘에는 없는 경우도 있다.

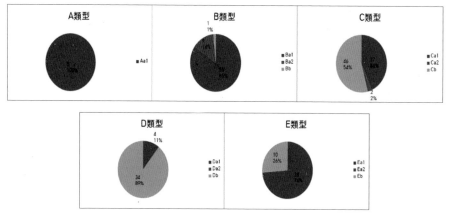

그림 2-3. 묘제별 시상석의 비율
(A:지상식 적석목곽분, B:지하식 적석목곽분, C:적석목곽묘, D:목곽묘, E:석곽묘)

---

99 박형열, 2017, 「경주 쪽샘유적 적석목곽분의 특징과 과제」, 『문화재』 50권 4호.
100 이희준, 2007, 『신라 고고학연구』, 사회평론.
　　이재홍, 2007, 「경주지역 적석목곽묘의 출현과정에 대한 일고찰」, 『영남고고학』 43호: pp.33-57.

적석목곽분(A와 B유형-후술하는 묘제 종류)과 적석목곽묘(C유형), 목곽묘(D유형), 석곽묘(E유형)의 시상석 유무에 따른 양상을 정리하면 적석목곽분 대부분에서 시상석이 확인된다.

주부곽식의 경우 부곽에는 시상석이 없으며, 주곽에서만 나타난다. 따라서 피장자와 관련된 시설로 볼 수 있다. 또한 묘의 바닥에 설치된 방습과 관련된 시설이다. 시상석은 목곽의 사방 적석보다 이른 단계에 출현한 것으로 생각되며[101], 적석목곽분과 같은 분구(봉토)가 높은 묘제에는 반드시 확인된다. 하지만 적석목곽묘나 목곽묘는 시상석이 없는 구조가 많다. 이러한 현상으로 보아 시상석은 묘제의 위계와 관련된 요소일 가능성도 있다.

(6) 매장시설의 구조과 배치

매장시설은 피장자의 시신을 안치하는 主槨과 부장품을 매납하는 副槨으로 구성된다. 이 두 槨을 어떻게 배치하느냐에 따라 주부곽의 평면배치형태는 차이를 보인다. 그 차이는 묘광의 굴착수와 배치방식이다. 주곽과 부곽을 축조하기 위해 묘광을 따로 굴착하였을 경우 이혈 주부곽식으로, 묘광을 함께 굴착하였을 때는 동혈 주부곽식으로 구분된다. 피장자를 기준으로 부곽을 두부나 족부에 배치하면 직렬 주부곽식, 피장자를 기준으로 좌측이나 우측, 측부에 배치하면 병렬 주부곽식이다.

---

101 이재현(1994)은 목곽묘의 형식을 시상의 구조에 따라 시상석이 없는 것(Ⅰ류)과 시상석이 있는 것(Ⅱ류)으로 대별하고, 피장자의 배치와 부장공간의 형태를 기준으로 A~G의 7형식을 구분하였다. 그리고 목곽묘의 단계를 Ⅰ~Ⅳ 단계로 설정하고, 목곽묘의 등장, 세장방형 목곽의 출현, 부곽의 발생, Ⅱ류 목곽의 출현을 각 단계의 시작으로 보았다. 이 연구를 참고하면 목곽묘는 구조의 변화에 따른 시기적인 차이가 있을 것으로 생각된다. 또한 이재현은 김해·부산지역을 통해 Ⅱ류 목곽묘가 점차 소멸하는 것으로 이해하였지만 필자는 5세기 이후에도 시상석의 유무에 따라 묘제의 구분이 유지된 것으로 본다.

李在賢, 1994,「嶺南地域 木槨墓에 대한 연구」, 釜山大學校 大學院 文學碩士學位論文.

이러한 배치양상은 지상식 적석목곽분과, 지하식 적석목곽분, 적석목곽묘, 목곽묘 등에서 확인된다. 석곽묘에서 이혈 주부곽의 형태는 아직 확인되지 않는다. 이혈이나 동혈에 주곽과 부곽을 배치하는 것은 단곽식의 구조를 포함하여 시간적인 변화양상으로 보인다. 하지만 직렬이나 병렬로 주부곽을 위치에 따라 구분하는 것은 지하식 적석목곽분과 적석목곽묘에서 보이는 현상으로 특수한 구조적 차이로 보인다. 또한 병렬 주부곽의 경우, 이혈과 동혈구조가 직렬 주부곽과 함께 보이기 때문에 병렬 주부곽의 경우도 이혈에서 동혈 구조로 변화하는 것으로 추정된다. 따라서 신라 고분의 종류에서 직렬과 병렬구조의 차이를 계통적으로 구분하여 병렬구조를 하나의 고분 종류로 분리할 수 있다.

2) 묘제의 분류

이상 5가지의 기준에 따라 월성북고분군의 묘제를 구분하면 7가지로 분류된다. 시상석의 유무와 주부곽의 배열 형태 등 세부 요소로 세분하면 14가지의 묘제가 확인된다.

묘제를 구성하는 각각의 부분을 부위별로 나누어 살펴보면 묘제에 따라 구성하는 부분에서 차이가 나타난다. 그 차이는 묘제별 구성요소의 차이이고, 구성요소의 유무에 따라 묘제의 구분도 가능하다. 묘제별 구성요소는 고분을 조성하는데 필수 요소이며, 고분을 구분하는 기준이 된다.

옹관묘와 토광묘의 경우 1차 분류에서 차이가 있으므로 제외하고 나머지 5가지의 묘제별로 구성요소를 살펴보면, 적석목곽분은 목곽부, 적석부, 봉토부, 호석부로 구분된다. 적석목곽분의 목곽에서 보이는 중요한 특징은 부곽에 바닥시설이 없다는 점이다. 이것은 목곽부의 부곽이 점차 주곽 내부로 편입되는 현상으로 보인다. 호석부는 묘와 분을 구분짓는 중요한 부분으로, 적석목곽분에서 필수 요소이다.

적석목곽묘는 호석이 제외된 것으로, 목곽부와 적석부, 봉토부로 구성된다. 그러나 이중에서 봉토부는 실제 그 규모가 어느 정도였는지 알 수 없다. 따라서 저분구의 형태를 띠었을 가능성이 높다. 목곽묘는 목곽부를 가지는 묘제로 적석부가 없고 봉토의 유무도 알 수 없다. 석곽묘는 목곽부가 없는 구조로 봉토의 유무 또한 알 수 없다.

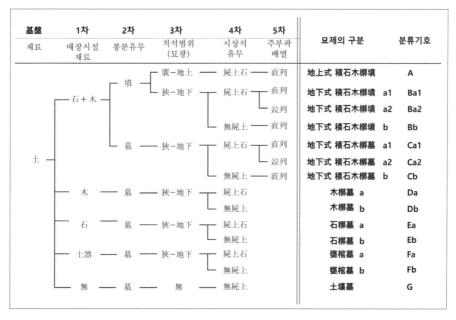

基盤	1차	2차	3차	4차	5차	묘제의 구분	분류기호
재료	매장시설 재료	봉분유무	적석범위 (묘광)	시상석 유무	주부곽 배열		
土	石＋木	墳	廣-地上	屍上石	直列	地上式 積石木槨墳	A
			狹-地下	屍上石	直列	地下式 積石木槨墳 a1	Ba1
					竝列	地下式 積石木槨墳 a2	Ba2
				無屍上	直列	地下式 積石木槨墳 b	Bb
		墓	狹-地下	屍上石	直列	地下式 積石木槨墓 a1	Ca1
					竝列	地下式 積石木槨墓 a2	Ca2
				無屍上	直列	地下式 積石木槨墓 b	Cb
	木	墓	狹-地下	屍上石		木槨墓 a	Da
				無屍上		木槨墓 b	Db
	石	墓	狹-地下	屍上石		石槨墓 a	Ea
				無屍上		石槨墓 b	Eb
	土器	墓	狹-地下	屍上石		甕棺墓 a	Fa
				無屍上		甕棺墓 b	Fb
	無	墓	無	無屍上		土壙墓	G

그림 2-4. 신라 묘제의 분류

2. 各 墓制의 定義

신라 고분은 매우 다양한 묘제들로 구성된다. 그 중에서도 대표적인 신라 묘제는 적석목곽분이다. 영남지방 고분의 변천상은 목관묘단계(기원전 2세기 무렵부터 기원후 2세기 중엽), 목곽묘 단계(기원후 2세기 중엽부터 4세기 중엽), 고총단계(4세기 중엽부터 6세기 전반), 석실묘단계 (6세기 전반 이후)로 나뉜다[102]. 그러나 신라의 중심지역인 경주지역을 대상으로 한다면 목관묘단계 → 목곽묘단계 → 적석목곽분단계 → 석실분단계로 구분해서 살펴 볼 수 있다. 여기서 적석목곽분단계는 대형의 봉분을 가진 고분이 군집되어 월성북고분군이 형성된 시기이다. 즉 목곽부를 내부 주체로 한 봉토분이나 적석봉토분이 축조되던 단계를 의미하며, 대체로 신라의 마립간기(麻立干期)에 해당되는 것으로 본다[103]. 적석목곽분이 본격적으로 등장하는 시기는 서기 5세기 이후로 볼 수 있으며, 이전에는 목곽묘와 적석목곽묘 등이 주요 매장시설로 사용되었다. 적석목곽분의 등장 이후에는 석곽묘가 축조되고, 나중에는 석실분이 등장한다. 이들 묘제의 구분은 사용된 재료를 기준으로 분류해야 하지만, 기존의 묘제 구분은 그렇지 않았다. 그래서 적석목곽묘와 목곽묘, 석곽묘의 구분은 모호했다. 그 이유는 적석목곽묘를 구분할 때 어떤 요소를 기준으로 할 것인지 연구자별로 다르게 보았기 때문이다. 목관묘, 적석목곽묘 그리고 석곽묘가 일정 시기 동안 같은 고분군에 공존했던 묘제였다는 점에서 시기와 집단에 따라 달리 사용되었다고 말할 수 없다. 이 세 묘제의 구분이 지니는 사회적 의미를 따져 볼 필요가 있다고 생각되지만, 그러한 질문에 앞서 이들의 구조적 형태적 차이를 명확히 해 두는 것이 중요하다고 생각된다. 특히, 신라 왕릉이 밀집된 고분군으로 볼 수 있는 경주 월성북고분군에서도 다양한 묘제가 존재하는 점에서 묘제의 종류와 특징을 구분하는 것이 선행되어야 한다.

1) 목곽묘

목곽묘는 매장시설인 槨을 목재로 짠 무덤이다. 주곽과 부곽이 각각의 묘광

---

102 김용성, 1998, 『신라의 고총과 지역집단 - 대구·경산의 예』, 춘추각.
103 최병현, 1992, 『신라고분연구』, 일지사.
　　 김용성, 2006, 「호우총의 구조 복원과 피장자 검토」, 『선사와 고대』 24, p.456.

을 가지는 분리형인지 하나의 묘광을 가지는 일체형인지의 구성에 따라 이혈주부곽식과 동혈주부곽식으로 구분된다. 목곽묘는 이전 시기 목관묘에서 발전한 것으로 전대의 묘제인 목관묘에 비해 매장시설의 대형화, 부장품의 대량 매납에 의한 소유의 차별화, 피장자 신분에 따른 차이가 확연하게 나타난다[104]. 목곽묘는 묘광의 평면형에 따라 방형→장방형→세장방형→장방형으로 변천한다[105]. 경주 주변부에서는 4세기 중엽에서 5세기 전반에 최대로 세장화되어 타지역의 목곽묘와는 뚜렷한 차이를 보인다. 하지만 경주분지를 중심으로 한 지역에서 만큼 세장화되는 과정을 밟지 않는다. 경주분지의 중심에서 구정동 2호와 3호[106] 같이 극단적으로 세장화되는 묘광의 형태가 신라중심지의 특성이라고 할 수 있다[107]. 세장방형의 신라식목곽묘[108]는 3세기 후엽에 경주지역에 나타난다[109]. 신라식 목곽묘는 동혈주부곽식으로 인식되었지만 구어리 Ⅱ-1호[110]와 같은 이혈주부곽식이 경주지역에서 확인되면서 동혈과 이혈주부곽식을 모두 경주식 목곽묘로 인

104 車順喆, 1999, 「同穴主副槨式 木槨墓 研究」, 慶星大學校 大學院 碩士學位論文, p.18.

105 李盛周, 1996, 「新羅式 木槨墓의 展開와 意義」, 『한국고고학전국대회 발표문 - 제20회 신라고고학의 제문제』한국고고학회: p.52.

106 國立慶州博物館, 2006, 『慶州 九政洞 古墳』.

107 李盛周, 1996, 「新羅式 木槨墓의 展開와 意義」, 『한국고고학전국대회 발표문 - 제20회 신라고고학의 제문제』한국고고학회: p.52.

108 세장방형 목곽묘는 구정동-중산리식(이재현 1994), 경주형목곽묘(신경철 1995), 신라식목곽묘(이성주 1996, 김형곤 1996), 사로식목곽묘(윤형원 1998) 등으로 구분하였다.
　　李在賢, 1994, 「嶺南地域木槨墓에대한연구」釜山大學校大學院史學科碩士學位論文: pp.44~58.
　　申敬澈, 1995, 「三韓‧三國時代의東萊」『東萊區誌』, 東萊區誌編纂委員會: pp.210~215.
　　李盛周, 1996, 「新羅式 木槨墓의 展開와 意義」, 『한국고고학전국대회 발표문 - 제20회 신라고고학의 제문제』한국고고학회: pp.39-64.
　　金亨坤, 1996, 「新羅 前期古墳의 一考察」東義大學校 大學院 史學科碩士學位論文.
　　尹炯元, 1998, 「Ⅳ. 考察」, 『慶州竹東里古墳群』, 國立慶州博物館: pp.62~66.

109 李盛周, 1996, 「新羅式 木槨墓의 展開와 意義」, 『한국고고학전국대회 발표문 - 제20회 신라고고학의 제문제』한국고고학회: p.41.

110 嶺南文化財研究院, 2011, 『慶州 九於里 古墳群Ⅱ-木槨墓-』.

식한다[111]. 두 형태의 경우 위계에 따라 이혈주부곽식이 상위, 동혈주부곽식이 하위 등급에서 사용된 묘제로 구분할 수 있다[112].

목곽묘는 시기에 따라 목곽의 크기가 다르다. 차순철의 분류안[113]을 참고하면 동혈 주부곽식 목곽묘는 적석목곽분단계에서 장단비가 3.0:1이고, 그 이전 목곽묘단계에는 3.3:1의 비율을 보이는 것이 특징이다. 적석목곽묘와 구분하기 위하여 순수목곽묘라는 명칭을 사용하는 경우도 있지만 목곽과 묘광사이를 돌로 뒷채움하지 않은 구조의 무덤은 목곽묘이다. 목곽은 목개로 덮는 것이 일반적이다.

2) 적석목곽묘

적석목곽묘는 봉분을 가지지 않거나 낮은 봉분을 가지는 묘제이다. 본고에서는 이성주의 목곽위석묘[114]와 이희준의 사방적석식 적석목곽묘, 박광열의 위석목곽묘[115]와 최병현의 석재충전 목곽묘[116]를 포함하는 것으로 사용한다. 김대환[117]은 영남지역의 신라고분을 정의하면서 적석목곽묘라는 용어를 사용하였다. 여기에서 적석목곽묘는 본고에서 분류하는 지하식 적석목곽분이다. 이것은 신라의 중심 묘제인 적석목곽분이 경주에 국한되지 않고 주변으로 확산되는 모습을 지적한 것으로 의미가 있다.

---

111 李在興, 2006,「慶州地域 木槨墓 研究」, 慶北大學校 碩士學位論文.

112 車順喆, 1999,「同穴主副槨式 木槨墓 研究」, 慶星大學校 大學院 碩士學位論文.

113 車順喆, 1999,「同穴主副槨式 木槨墓 研究」, 慶星大學校 大學院 碩士學位論文, p.19 각주 59.

114 李盛周, 1996,「新羅式 木槨墓의 展開와 意義」,『한국고고학전국대회 발표문 - 제20회 신라고고학의 제문제』한국고고학회.

115 박광열, 2001,「新羅 積石木槨墓의 開始에 對한 檢討」,『경주사학』제20권, 경주사학회.

116 최병현, 2016,「신라 전기 적석목곽분의 출현과 경주 월성북고분군의 묘제 전개」,『문화재』40호: pp.154-201.

117 김대환, 2001,「嶺南地方 積石木槨墓의 時空的 變遷」,『嶺南考古學』29號: pp.71-105.

하지만 그는 동일한 구조의 사방적석식 적석목곽묘를 시기에 따라 석재충전목곽묘와 적석목곽묘로 구분한다. 이 두 용어는 구조적으로 묘광을 굴착하고 목곽을 설치한 후 묘광과 목곽 사이에 석재를 충전하는 동일한 묘제이기 때문에 용어를 분리하는 것은 의미가 없다. 그렇기에 하나로 통일하여 적석목곽묘라 부를 수 있다. 적석목곽묘는 경주를 비롯한 울산 중산리, 포항 옥성리 등에서 서기 4세기나 이르면 3세기 후엽부터 나타나기 시작한다. 이러한 묘제를 기존의 목곽묘와 분리하여 목곽위석묘, 위석목곽묘, 석재충전 목곽묘, 충전석 목곽묘 등으로 구분하기도 하지만 의미는 모두 동일하다.

일부 적석목곽분 연구자들은 고총의 적석목곽분만을 적석목곽묘로 부르고 있다. 하지만 목곽 주변에 석재가 충전되고 있는 것은 엄연히 목곽묘와 다른 점으로 이들 모두를 목곽묘로 부르기에는 개념상의 오류가 있다. 최근 연구에서 고총이 아닌 경주 쪽샘 C16호와 같은 적석목곽묘를 목곽묘로 분류하기도 한다. 그러나 이러한 연구자의 용어사용은 현장 발굴자가 유구를 이해하는데 혼동을 일으킬 우려가 있다.

따라서 적석목곽묘는 호석이 없고 묘광과 목곽 사이에 사방으로 석재를 충전한 묘제이다. 단, 주부곽식의 경우 부곽에는 석재를 충전하지 않거나 석재의 양이 적을 수 있다. 따라서 호석과 분구는 적석목곽분과 적석목곽묘를 구분하는 명확한 지표이다. 호석과 분구의 출현은 고대봉분의 시발점이며, 고총고분으로 발전한다는 점에서 적석목곽분과 적석목곽묘를 구분하는 기준이다.

3) 적석목곽분

적석목곽분은 매장시설을 목곽으로 만들고 그 주변과 위에 적석을 한 후 봉토로 마감한 고분이다. 하지만 현재 발굴 조사된 적석목곽분은 모두 동일한 구조를 띠지 않기 때문에 적석목곽분을 구분하는 특징은 연구자별로 다양하게 제시하고 있다. 그래서 개념을 살펴보기 전 용어의 정리가 필요하다. 1940년대에서 1970년대까지 적석목곽분은 단곽묘와 다곽묘로 분류되었다[118]. 이후 대릉원 일원에서 다수의 중소형고분이 확인되면서 적석목곽분의 묘형을 세분하는 연구가 진행되었다. 연구자별로 제시하는 적석목곽분의 특징을 정리하면 다음과 같다.

최병현[119]은 목곽과 적석, 외호석, 원형봉토를 특징으로 보았으며, 이성주[120]는 목곽+적석봉분+고대봉토를 적석목곽분의 요소라고 하였다. 그리고 이희준은 사방적석식, 상부적석식, 지상적석식의 시상이 역상식인 점에서 공통점을 가진다고 보고 사방적석식을 적석목곽묘의 범주에 포함하였다. 이재홍[121]은 목곽 주위의 적석, 이중곽, 역석시상, 석단시설을 특징으로 보았다. 더불어 김두철[122]은 최병현의 의견에 상부적석과 호석을 새로 등장한 독특한 특징으로 적석목곽묘의 중요 요소로 포함된다고 하였으며, 심현철[123]은 김두철의 의견에 상부밀봉이 있는 것을 특징으로 보았다. 박광열[124]은 광과 목곽사이에 적석이 있을 것, 함몰양상(2~3겹의 적석함몰 포함), 매장시설(초기 동혈 또는 이혈 주부곽식, 후기 단독주부곽식), 원형 호석이 있는 것을 적석목곽분으로 볼 수 있다고 하였다.

적석목곽분의 구조적 특징에 공통적으로 확인되는 속성은 목곽, 적석, 봉토, 호석이다. 따라서 적석목곽분은 목곽부, 적석부, 봉토부, 호석부를 가진 고분이다.

---

118 梅原末治, 1947, 『朝鮮古代の墓制』: P.98.
　　박진욱, 1964, 「신라 무덤의 편년에 대하여」, 『고고민속』4, 사회과학원출판사.
　　金基雄, 1970, 「新羅古墳의 編年에 대하여」, 『漢坡李相玉博士回甲紀念論集』: PP.97-108.
　　金基雄, 1976, 『新羅の古墳』: P.178.
119 최병현, 2000, 「황남대총의 구조와 신라 적석목곽분의 변천·기원」, 『皇南大塚의 諸照明』(국립경주문화재연구소).
120 李盛周, 1996, 「新羅式 木槨墓의 展開와 意義」, 『한국고고학전국대회 발표문 - 제20회 신라고고학의 제문제』, 한국고고학회.
121 이재홍, 2007, 「경주지역 적석목곽묘의 출현과정에 대한 일고찰」, 『영남고고학』43호: pp.33-57.
122 김두철, 2009, 「적석목곽분의 구조에 대한 비판적 검토」, 『고문화』73호, 한국대학박물관협회.
123 심현철, 2012, 「신라 적석목곽묘의 구조 연구」, 부산대학교 대학원 석사학위논문.
124 박광열, 2001, 「新羅 積石木槨墓의 開始에 對한 檢討」, 『경주사학』제20권, 경주사학회: p.45.

더불어 목곽부에 이중곽과 역석시상, 적석부에 목가구, 적석외면의 전면 밀봉, 상부적석, 상부밀봉 등 세부적인 특징이 확인되는 경우가 있다. 추가적으로 경주 쪽 샘유적 F지구[125]의 양상을 보면 호석 밖에 너비 약100~150cm정도의 잔자갈 층이 있는 것도 하나의 특징이라 할 수 있다.

표 2-1. 연구자별 적석목곽분의 필수 요소와 분묘 인식 차이

연구자	적석목곽분(적석목곽묘) 필수요소	분묘 인식의 특징
최병현(1992, 2000)	목곽+적석+원형봉토+**외호석**(4요소)	분과 묘 분리 (묘는 모두 (석재충전)목곽 인식)
이성주(1992, 1996)	목곽+적석봉분+**고대봉토**(3요소)	분과 묘 포괄 (모두 목곽위석묘)
이희준(1996)	4요소+**역석시상**	분과 묘 포괄 (모두 적석목곽묘)
김대환(2001)	**사방적석**	분과 묘 분리 (모두 적석목곽묘로 인식)
박광열(2002: 45)	목곽+사방적석+**함몰양상**+원형호석	분 (묘는 모두 목곽묘 인식)
이재흥(2007)	4요소+사방적석+**이중곽**+**역석시상**+**석단시설**	분과 묘 포괄 (모두 적석목곽묘)
김두철(2009)	4요소+**상부적석**	묘 (무상부적석은 모두 목곽묘 인식)
김동윤(2009)	4요소+**함몰된 적석부**(상부적석)	묘 (무상부적석은 모두 목곽묘 인식)
심현철(2012)	4요소+상부적석+**상부밀봉**	묘 (무상부적석은 모두 목곽묘 인식)
박형열(2016)	목곽+적석+고대봉토+**호석**(적석목곽분), 목곽+적석+저봉토(적석목곽묘)	분과 묘 분리 (분은 지상식과 지하식 분리)

용어를 정의할 때 어떤 속성을 기준으로 하는가의 차이는 개념을 이해하는데 결정적인 영향을 미친다. '적석목곽묘'와 '적석목곽분'이 그러하다. 이 중에는 봉토의 유무를 알 수 없기 때문에 모두 묘로 지칭해야 한다는 견해[126]가 제기되었다. 그러나 현재 봉분이 남아 있는 고분과 남아 있지 않은 고분 간에 유사성이 보이더라도 다른 명칭을 사용해야 한다는 점과 현재의 현상만으로 용어를 구분하려는

125 국립경주문화재연구소 · 경주시, 2014,『慶州 쪽샘地區 新羅古墳遺蹟 IV-A · C~F地區 分布調査報告書-』.

126 김두철, 2009,「적석목곽분의 구조에 대한 비판적 검토」,『고문화』73호, 한국대학박물관협회.

126 金東潤, 2009,「新羅 積石木槨墓의 變遷過程 硏究」,『考古廣場』: pp.99-138.

126 심현철, 2012,「신라 적석목곽묘의 구조 연구」, 부산대학교 대학원 석사학위논문.

점에서 이러한 견해는 문제가 된다. 결국엔 묘제의 전파나 상관관계를 파악하는데 선후관계나 전파방향을 잘못 파악하는 오류에 빠질 수 있다.

본 연구에서는 고대봉분이 있는 것을 '분'으로, 봉분이 없거나, 미미한 것을 '묘'로 구분한다. 다시 말해 매장시설을 목곽으로 만들고 그 주변과 위에 적석을 한 후 고대 봉토로 마감한 묘제는 적석목곽분이다. 그렇다면 현재 봉분이 남아 있지 않을 경우 봉분의 유무를 어떻게 구분할까. 이는 적석목곽분의 특징 중 호석의 유무에 따라 구분이 가능하다. 호석은 묘역구분과 장식적인 효과, 봉토를 보호하고 지탱하는 역할을 하기 때문에 호석이 있다는 것은 봉토가 있었다는 것을 의미한다[127]. 정리하면 매장시설 상부 봉토의 유무는 봉토가 현재 남아있지 않더라도 호석이 존재하면 봉토가 있었다고 추정할 수 있다.

4) 석곽묘

석곽묘는 돌을 주재료로 하여 축조한 무덤이다. 석곽묘의 경우 경주지역에서는 타묘제에 비해 수량이 적고, 비교적 늦게 축조되기 시작한 것으로 알려져 있다. 따라서 타지역의 석곽묘와 달리 전형적인 형태를 띠지 않는 것이 특징이다. 이것은 경주지역의 특수성이 반영된 결과라고 생각된다. 크기는 다양하게 확인되지만 목곽묘에 비해 폭이 좁다. 특히 길이가 비슷한 목곽묘와 석곽묘는 너비에서 차이를 보인다. 그리고 단벽에 판석 혹은 돌을 수직으로 세워 쌓고 있어서 적석목곽묘의 단벽과 달리 석재의 매수가 적게 확인된다. 석곽묘는 너비가 좁고 모서리가 직각에 가까운 점, 석재 사이에 보강석이 있고, 판석이 사용된 점으로 보아 타묘제와 구분이 된다. 석곽은 개석을 이용하여 덮었으며, 개석 사이에는 잔자갈과

---

127 본고에서 말하는 '분'은 高大 봉토를 의미하는 것으로 현재 확인되지 않는 상황에서 봉토가 있었을 가능성을 추정할 수 있는 대안으로 호석을 제시하는 것이다. 따라서 호석이 없더라도 高大 봉토가 있거나 있었을 가능성이 있다면 '분'으로 봐야 할 것이다. 반면 '묘'는 없거나 낮은 봉토를 의미한다.

점토로 밀봉하였다.

5) 옹관묘와 토광묘

옹관묘와 토광묘의 경우 다른 묘제와 확연히 차이를 보이기 때문에 개념에 대하여 소략한다. 옹관묘는 토기를 횡치하여 사용한 매장시설이다. 정치나 도치하여 사용한 제의용이나 매납용 등과 차이가 있다. 토광묘는 목곽을 사용하지 않은 묘제이다.

3. 各 墓制의 構成要素와 特徵

표 2-2. 묘제별 구성요소

구성요소 \ 묘제		지상식적석목곽분	지하식적석목곽분	적석목곽묘	목곽묘	석곽묘
목곽부		●	●	●	●	×
적석부		●	●	●	×	●
봉토부		●	●	▲	▲	▲
호석부		●	●	×	×	×
바닥시설	주곽	●	●	●	×	×
	부곽	×	×	×	×	×
목가구		●	×	×	×	×

〈표 2-2〉에서 보듯이 묘제별 구성요소에 따라 종류별로 차이가 있으며, 묘제의 구분이 가능하다. 이상의 내용으로 경주 월성북고분군 내 신라 고분의 종류를 분류하면 다음과 같다.

A형은 지상식 적석목곽분(Aa1형)으로 대상고분 전체 281기 중 5기로 1.78%를 차지한다. 황남대총 남분, 황남대총 북분, 금관총, 서봉총, 천마총 등이 해당한다.

최근 발굴 중에 있는 경주 쪽샘 44호분(황오동 44호분)도 지상식 적석목곽분으로 분류된다. 추후 확인될 가능성이 있지만, 현재까지 지상식 적석목곽분에서 시상석이 없거나 병렬 주부곽인 구조는 확인되지 않아서 a2형이나 Ab형은 없다.

Ba1형은 지하식 적석목곽분으로 55기가 확인되고, 전체의 19.57%를 차지한다. 대표적으로 식리총, 은령총, 호우총, 노서동 215번지고분, 142호분, 데이비드총, 쪽샘 B1호, B2호, B3호, B6호, 쪽샘 41호분, 황오 16호 1곽, 2·3곽, 6·7곽, 8·10곽, 황남 82호분 동총, 황남 83호분, 황오 98-3 남총, 북총, 황오 14호분 1호, 2호, 황남 110호분, 미추 5지구 2호, 8호, 미추 7지구 5호, 미추 9지구 1곽, 2곽, 미추 전 A지구 3호 1곽, 2곽, 미추 전 C지구 1호, 2호, 3호, 7호, 황오 1호분, 황오 4호분, 황오 5호분, 황오 32호분 1곽, 인왕 149호분 등이 해당한다.

Ba2형은 병렬 지하식 적석목곽분으로 전체의 3.2%에 해당하여 9기가 확인된다. 대표적으로 황오리 16호 4·5곽, 황오리 16호분 11·12곽, 황남리 82호 서총 등이다. Bb형은 무시상 지하식 적석목곽분으로 1기가 있다.

Ca1형은 시상석 지하식 적석목곽묘로 37가 확인된다. 전체의 13.17%를 차지하고 대표적으로 인왕(경) 10호, 인왕(경) 7호 등이 해당한다. Ca2형은 병렬 지하식 적석목곽묘로 인왕(경) 1호, 월성로 나 6호 등 2기가 확인되고, 전체의 0.71%를 차지한다. Cb형은 무시상 지하식 적석목곽묘로 인왕(경) 2호, 3-A호, 3-B호, 8호, 9호, 인왕(협) 1호, 3호, 10호, 11호, 12-2호, 21호, 23호, 쪽샘 A1호, A2호, C1호, C16호, C4호, C5호, C7호, C9호, C11호, B5호, B9호, B15호, B22호, 황남 95-4 1호, 황남 95-6 1호, 황남 106-3 4호, 5호, 6호 등 46기가 해당되며 전체의 16.37%이다.

Da형은 시상석 목곽묘로 4기가 확인되고, 전체의 1.42%를 차지한다. Db형 무시상 목곽묘는 34기가 확인되고, 전체의 12.1%를 차지한다. 인왕(경) 목곽 1호, 2호, 4호, 5-A호, 5-B호, 9호, 13-A호, 13-B호, 14호, 15호, 17호, 인왕(협) 19-1호, 쪽샘 C2호, 쪽샘 B 21호, 43호, 인왕 750-13 목곽, 황남 95-4 1호, 2호, 8호, 10호, 황남 95-6 1호, 2호, 3호, 4호, 5호, 7호, 8호, 9호, 11호, 12호, 13호, 황남 106-3 1

호, 2호 등이다.

Ea형은 시상석 석곽묘로 28기가 있으며, 전체의 9.96%를 차지한다. 인왕(경) 석곽 1호, 2호, 3호, 4호, 인왕(협) 5호, 9호, 14-1호, 19호, 20호, 쪽샘 A4호, A5호, A16호, B18호, B24호, B25호 등이다. Eb형은 무시상 석곽묘로 10기가 확인되고 전체의 3.56%를 차지한다. 대표적으로 인왕(경) 5호, 인왕(협) 8호, 인왕(협) 12-1 호, 쪽샘 A6호, C3호, C6호, C8호 등이 있다.

옹관묘는 Fa형 시상석 옹관묘와 Fb형 무시상 옹관묘로 구분되고 G형은 토광묘 이다. G형은 묘광의 모서리가 각이 진 형태로 미루어 목관묘일 가능성이 있다.

1) 지상식 적석목곽분 (A)

(1) 주요고분

지상식 적석목곽분(A)의 구조는 황남대총 남분[128]과 북분[129], 천마총[130], 금관총 의 구조를 통해 살펴볼 수 있다. 황남대총 남·북분과 천마총에 대하여 살펴보면 다음과 같다.

황남대총 남분(98호 남분)[131]은 1973년 8월 6일부터 1975년 10월 8일까지 발굴조사 되었다. 월성북고분군의 중앙 평지의 서쪽에 북분과 연접되어 표형분으로 위치한다. 평면형태는 난형이다. 전체 봉토의 규모는 동서 직경 80m, 북분을 포함하여 120m이고 남분의 호석 범위로 추정하면 남북너비는 77.2m이다. 잔존 높이는 22.2m이다. 목조가구의 범위로 추정할 때 적석부의 규모는 동서직경 29.2m, 남북직경 19.9m, 높이 5.4m로 추정된다. 적석부의 평면형태는 장방형으로 목조가구는 4열씩 격자구조(동서 23개×남북 14개)로 확인된다. 적석부 내부에

128 文化財管理局 文化財研究所, 1994,『皇南大塚 慶州市 皇南洞 第98號古墳 南墳發掘調查報告書』.
129 文化財管理局 文化財研究所, 1985,『皇南大塚 慶州市 皇南洞 第98號古墳 北墳發掘調查報告書』.
130 文化公報部 文化財管理局, 1974,『天馬塚 發掘調查報告書』.
131 文化財管理局 文化財研究所, 1994,『皇南大塚 慶州市 皇南洞 第98號古墳 南墳發掘調查報告書』.

는 목곽이 주곽과 부곽으로 나뉘어 동서에 위치한다. 주곽에는 4곳에서 매장시설의 흔적이 있다. 적석부의 내연과 적석부 내연과 중앙의 바닥석 사이의 석단 내외연, 바닥석 중앙 등이다. 적석부 내연의 크기는 동서길이 6.5m, 남북너비 4.1m, 높이 3.5m이다. 내연과 바닥석 사이의 석단 외연은 동서길이 4.7m, 남북너비 2.3m, 높이 1.8m이고 석단 내연은 동서길이 3.6m, 남북너비 1.0m, 높이 0.8m의 크기이다. 바닥석의 중앙에는 길이 2.2m, 너비 0.7m이다. 이들 매장시설의 흔적은 2중곽+2중관 혹은 3중곽의 구조로 알려져 있다[132]. 하지만 보고서의 외곽(적석부 내연)과 중곽(석단 외연)의 사이에는 중곽의 천정 높이까지 잔자갈을 채우고, 내곽(석단 내연)과 중곽(석단 외연) 사이에는 잔자갈로 쌓은 석단이 설치되고 외곽의 바깥에는 적석을 쌓았다는 기록이 있다. 이 기록을 참고하면 석단 외연의 시설이 외곽이고, 석단 내연 시설이 내곽, 바닥석 중앙의 시설이 목관으로 볼 수 있다. 또한 적석부 내연 시설은 목조가구의 내연 목주일 가능성이 높다. 목관은 동쪽에 부장공간과 서쪽에 안치공간을 목판으로 구분한 것으로 추정된다. 목곽 바닥은 지반을 약 45cm 파고 냇돌과 자갈을 깔아 만들었으며, 목곽과 적석이 지상에 있는 지상식구조이다.

　부곽은 돌을 깔지 않은 지반 위에 남북 길이 5.2m, 동서 너비 3.8m, 높이 약 1.3m로 설치되었다. 부곽은 주곽의 서쪽에 3m 두께의 석벽을 사이에 두고 위치한다. 부곽은 넓고 낮은 천정을 받치기 위한 4개의 기둥을 설치하였다. 그리고

---

132 황남대총 남분의 목곽구조는 보고서에서 외곽, 내곽, 외관, 내관으로 구분하였고, 최병현(1992: 159-163)은 이중곽으로 보고서의 내용을 따르고 있다. 반면 김용성(2007: 123)은 외관이 부장칸을 포함하여 일반적인 신라묘의 곽구조에 해당한다고 보고 외곽, 중곽, 내곽의 3중곽 구조와 목관을 언급하였다. 그리고 북분의 경우에도 최병현(1992: 163-164)은 단곽구조에 내외관이 있는 것으로 보고 김용성(2007: 126)은 남분과 동일한 사정으로 외곽, 내곽, 목관으로 구성된 이중곽으로 본다. 김용성, 2007, 「신라 적석봉토분의 지상식 매장주체시설 검토」, 『韓國上古史學報』56號: pp.115-141.
　최병현, 1992, 『신라고분연구』, 일지사.

지반 바로 위에 유물을 부장하였다. 유물의 출토상태를 정리하면 크게 목곽의
외부에 부장된 유물과 내부에 부장된 유물, 그리고 부곽에 부장된 유물로 나눌
수 있다.

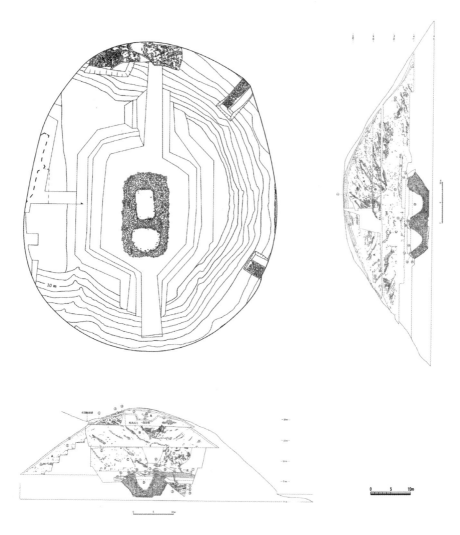

그림 2-5. 황남대총 남분의 평면도와 토층도 (필자 재작도)

표 2-3. 황남대총 남분 출토유물 현황

출토 위치				부장품
봉분	정상			마구류 - 금동제운주13점, 금동제편원어미형행엽23점, 방형연결금구 16점 (은판장식 나무줄기 바구니에서 출토)
	사면 피복토			대호 4점, 기타 토기, 동물뼈, 패각, 발형기대개대호, 토관형토제품4점
	봉토 중			각종 토기편, 동물뼈 조각, 숯 조각 등
	하부 (적석부 위)			발형기대
적석부 피복층				대각편 (고배, 장경호 등)
적석부				유개고배 150여점 등 토기류 (대각부를 떼어냄), 철제교구
목곽 상부	외곽측벽선의 따라			각종 토기가 배치 됨
	서남우	모서리		금제태환이식 1쌍, 금제수하식, 금제세환이식 1쌍, 백화수피, 대부장경호 2점
		남측벽		대도편 4점, 대부장경호 2점, 개배, 고배, 개
	동남우	남측벽		연질소합2점, 대부장경호2점
		동측벽		금제지환, 수정곡옥, 경옥제곡옥, 대소유리구슬, 금제공옥, 금제태환수식1쌍, 유개원저장경호, 철모, 고배6점, 개배4점, 칠기편
	서북우	북측벽		금제지환, 금제태환수식1쌍, 경식, 청동제다리미2점, 철모10점, 연질토기
외곽 서측벽 중앙				금제태환수식, 장경호, 파수대부완, 고배, 개배 등의 대소 토기 20여 점
목곽의 외곽 각 모서리				꺾쇠 (군집으로 출토)
목곽의 내부 석단 상면	목관의 남편 석단	서부		철제대도, 은제과대 및 요패, 금동마구류
		동부		철모와 철제대도, 금동제편원어미형행엽, 띠고리, 운주 등 마구류, 금동제과대, 금동장식(마구), 백화수피관모, 인골1구
	목관의 동편 석단	중앙		금제영락, 개배4점, 대부장경호
		동북우		은제과대 및 요패4벌, 백화수피관모
	목관의 북편 석단	동부		대부호, 개배4점, 절구와 절구공이, 원저장경호
		중앙		철촉군, 금동제띠장식, 은제품
		서부		은제띠장식과 교구, 유리구슬
	석단상부			꺾쇠 (곳곳에서 출토)
	석단 위			정첩용축급구 4조 (목곽의 상면에 개구부가 있음을 암시)
목관	내부			금동관, 금제경식, 경흥식, 금제과대 및 요패, 금동제삼환식환두대도
	저판 하부			은장환두대도
내곽의 부장품칸의 상면				금동제과대, 금제영락, 금동판편, 은제조익형관식, 금동제경갑, 금제영락부은제품
목곽과 간벽 사이				금제수식 2점, 운모
내곽 서단				금제태환수식1쌍, 유리구슬 (내곽의 위에 부장했던 것으로 추정)
내곽의 부장품칸 내부				은제요패, 경흥식, 금제태환수식, 금은장환두대도9점(삼엽식, 삼환식),은제경갑, 장방형은판구, 금동식리, 은제관모, 수식부은제삼각형장식, 금령7점, 금제투조구형장식, 은제지환6점, 금제조익형관식, 금제지환3점, 은제단금구, 은제관, 금동관, 철정, 청동반, 청동정2점, 은제소합10점, 금동제삼엽장식2점(철기뚜껑), 은제파수부용기, 금동관, 금제세환2쌍, 토기장경호, 청동개부호2점, 청동제초두, 은제대합, 금환, 금제완, 은제완, 청동소완, 은제파수부용기, 금제완과 그속에서 금제지환2점, 은제지환6점, 금제수식, 청동시루, 잔 등의 각종 칠기, 유리용청동대합, 금동제대합, 청동정, 기4점, 은제국자3점, 유리배, 은제파수부용기, 연질소합7점, 개배8점, 적색합
부곽의 목곽 상부				대형철모

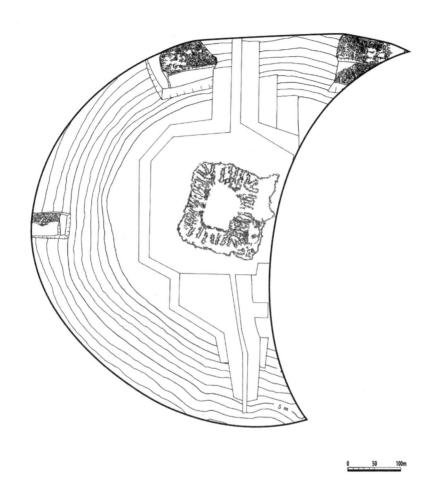

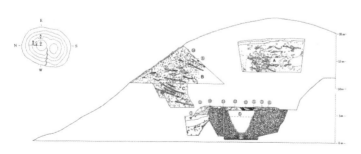

그림 2-6. 황남대총 북분 평면도 및 토층도 (필자 재작도)

황남대총 북분(98호 북분)[133]은 1973년 7월 6일부터 1974년 12월 20일까지 발굴 조사 되었다. 월성북고분군의 중앙 평지의 서쪽에 남분과 연접되어 표형분으로 위치한다. 평면형태는 원형에 가깝다. 전체 봉토의 규모는 동서 직경 80m, 남북을 포함하여 120m이고 북분의 호석 범위로 추정하면 남북너비는 76m이다. 잔존 높이는 23m이다. 호석은 남분의 호석보다 조금 높게 설치되었다.

표 2-4. 황남대총 북분 출토유물 현황

출토위치			부장품
봉분	정상부		마구류- 금동운주, 금동관구, 금동편원어미형행엽 (마직의 천과 같은 것으로 싸서 버들고리 같은 상자에 담아 매납) 철부, 철도자, 연질소호, 고배 등
	봉토 중		대형토기와 발형기대 등
적석부			방추차형석기 4점, 운모3매.
목곽의 상부	동북우		대부장경호 2점, 방주형철봉 5점, 철도자 2점, 파수부직구호, 금제세환 1쌍
	동남우		유개대부단경호, 금제태환이식 1쌍, 경옥제곡옥, 유리구슬, 금구슬, 틸무더기 등
	동측벽		은제과판편들, 금반지 3점, 유리제곡옥, 유리다면옥, 유리감주대추옥, 금반지 2점
	남측벽	동남부	대부장경호, 금제세환이식 1쌍, 금제세환 1쌍
		중앙부	대부장경호, 목심칠기편
		서단부	개배 3점, 유개대부장경호 2점, 파수부직구호, 원저단경호, 백화수피편 및 운모편
	서측벽	중앙부	유개대부직구호, 대부장경호, 무개고배, 철제도자, 금제태환이식 1쌍
		서북우	파수부직구호, 단경소호, 금제태환이식 1쌍
	북측벽		금제태환이식 2쌍, 경옥제곡옥, 코발트색색유리옥, 금구슬
	전체에 걸쳐		청동제마탁(소) 5점, 금동제운주, 철구, 재갈편, 청동제마탁(대), 대구, 편원어미형행엽, 금동제안륜, 등자편, 금동제재갈 등의 마구류와 철촉 12점, 철도자 30여개, 원형은관 등
석단	남편 석단	동 단	삼지모 2점 (자루구멍 동측향)
		중앙부	삼지모 2점 (자루구멍 서측향)
		서 단	직구소호, 철모
목관과 칸막이 사이			경흥식, 태환이식
목관의 서측내곽 사이			경흥식, 태환이식
내곽과 목곽 사이			은제과대
목관	내부		금관, 금제태환이식, 경흥식, 금목걸이, 어깨부위 이형옥류, 추형수식이 달린 금제이식1쌍, 금제과대와 요패, 금제팔찌 6개(좌), 5개(우), 양소매 부분에서 곡옥과 유리구슬, 금제곡옥과 유리구슬, 금반지 6점(좌), 6점(우), 또 다른 금반지 2점, 발목장식유리구슬200점
	저판 하부		은제과판, 곡옥경식

---

133 文化財管理局 文化財研究所, 1985, 『皇南大塚 慶州市 皇南洞 第98號古墳 北墳發掘調査報告書』.

부장품칸	대형철정2점, 청동제장경호, 토기장경호, 백화수피모2점, 금제수식, 은제조익형관식, 은제대형요패, 투조금동제관식, 은제과식5벌, 금동장삼엽염두대도3점, 환두대도3점, 은제곽식2점, 은제고배8점, 은제소합8점, 은제완4점, 타출문은배, 금제고배8점, 금제완4점, 금동제소합4점, 금동제고배들, 금동장패기, 흑갈류소병, 유리배3점, 청동제초두, 금동제반, 청동정3점, 청동제다리미 3점, 방추차형석기7점, 금동제상이부대형고배, 금동제대합, 고배, 개배, 적색소합, 대부장경호2점
내곽의 동측부	대형철정, 유물받침철봉, 이배를 비롯한 칠기, 금제영락 다수, 방형철판2점, 철부4점, 철정20점, 철부3점, 토기기반과 유개고배7점, 철경, 수정원석덩어리, 적색소합7점, 고배와 개배16조

목조가구의 범위로 추정할 때 적석부의 규모는 동서직경 17.2m, 남북직경 18.4m, 높이 5.7m로 추정된다. 적석부의 평면형태는 장방형으로 목조가구는 4열씩 격자구조(동서 15개×남북 11개)로 확인된다.

적석부 내부에는 매장시설이 세 곳에서 확인된다. 적석부 내연과 'ㄷ'자형태 석단 내연 그리고 바닥석 상부이다. 적석부 내연의 크기는 동서길이 6.8m, 남북너비 4.6m, 높이 4m이다. 석단 내연은 동서길이 3.3m, 남북너비 0.8m, 높이 0.8m이고, 바닥석의 중앙에는 길이 2.2m, 너비 0.7m의 크기의 매장시설 흔적이 있다. 이들 매장시설의 흔적은 외곽과 내곽, 목관으로 보고되었다.

그러나 석단과 적석부 내연 사이의 빈공간이 있는 점에서 하나의 목곽이 더 존재했을 가능성이 있다. 이 부분은 석단의 외연에 해당되며, 동서길이 4.7m, 남북너비 2.3m, 높이 1.8m이다. 그 이유는 황남대총 남분의 구조에서 찾을 수 있다. 목곽 내부에는 곽과 곽 사이에 석단과 같은 돌을 쌓아 구분하였다. 석단의 높이를 비교하면 남분은 목조가구와 외곽사이에 외곽 높이만큼, 외곽과 내곽 사이에 내곽 높이 만큼이 적석을 하였다. 이 부분을 참고하면 북분에서 나타나는 양상과 같다. 북분에서도 개부적석은 없고[134] 목곽과 거의 같은 높이로 쌓았다는 기록을 확

---

134 보고서에도 언급이 있지만 최병현(1992: 163)은 개부적석이 없었다고 보았고, 김용성(2007: 127 각주5)은 목곽 위 적석벽 사이가 공간으로 남아 있었고 이 채워진 돌들이 개부적석일 가능성이 있다고 한다. 여기에서는 보고서의 내용을 참고하였지만 개부적석이 있었을 가능성이 높다고 생각한다.

인할 수 있다. 즉 석단의 외연에 외곽이 있었을 가능성이 있는 것이다. 적석은 특징적으로 단칠이 된 냇돌이 목곽 가까이에 많은 편이며, 목곽의 바닥돌도 단칠된 것을 사용하였다. 목곽 바닥은 지반을 약간 파고 냇돌과 자갈을 깔아 만들었으며, 목곽과 적석이 지상에 있는 지상식구조이다.

천마총(155호분)[135]은 1973년 4월 6일부터 8월 26일까지 발굴조사 되었다. 월성 북고분군의 중앙 평지의 서단에 단독으로 위치한다. 평면형태는 난형에 가까운 원형이다. 발굴 조사된 자료로 보면 전체 봉토의 규모는 동서직경 47m, 남북직경 43.6m, 높이 12.7m이며, 호석은 두께 1.2m, 직경 47m이다. 적석부는 기저부를 기준으로 동서직경 23.6m, 남북직경 19.2m(추정), 높이 6m의 크기이다. 보고서에서는 목조가구가 없다고 하였지만, 평면 방사형의 목조가구가 있었을 가능성이 있다.

적석의 상부에는 상부적석을 동서 15.5m, 남북 13m 크기의 말각방형으로 설치하였다. 적석내부에는 목곽 가까이에 집중적으로 단칠된 냇돌이 많다. 목곽과 목관으로 추정되는 시설의 흔적은 외부 석단 상부와 목판 상부 외연과 중앙에서 확인된다. 외부 석단 상부에 있는 시설의 크기는 동서길이 6.6m, 남북너비 4.2m, 높이 2.1m이다. 목판의 크기는 동서길이 3.5m, 남북너비 1.8m이고, 목판 중앙의 크기는 동서길이 2.15m, 남북너비 0.8m이다. 목판 중앙에는 내면에 주칠하고 금박으로 문양을 한 흔적이 있어서 목관으로 추정된다. 목관과 목관의 사이에는 냇돌과 자갈로 쌓은 높이 40cm, 너비 50cm의 석단을 사방에 돌렸다. 보고서에서는 내부 석단 외연에 목곽을 표현하지 않았다. 하지만 동쪽의 부장궤를 포함하여 목곽이 있었을 가능성이 있고, 목판과 목관은 중앙에서 서쪽으로 약간 치우쳐 있다. 외부 석단과의 사이에도 일정 간격이 있어서 외부 석단 내연을 따라 동서길이 4.72m, 남북너비 2.3m 크기의 곽과 같은 시설이 있었을 가능성도 존재한다. 이 시설의 높이는 적석부의 크기를 감안하면 기존 외곽의 높이인 2.1m일 가능성

---

135 文化公報部 文化財管理局, 1974, 『天馬塚 發掘調査報告書』.

이 있으며, 기존 외곽은 적석부 내연 목주로 적석부와 같은 약 3.8m의 높이일 가능성이 있다. 목곽을 설치하기 전에는 먼저 원지반을 동서 길이 7.6m, 남북 너비 5.6m, 깊이 40cm로 얕게 파고, 거기에 냇돌과 자갈을 깔아 곽 바닥을 형성했다. 곽 바닥에는 석단을 만들고 그 위에 목곽을 설치하였다.

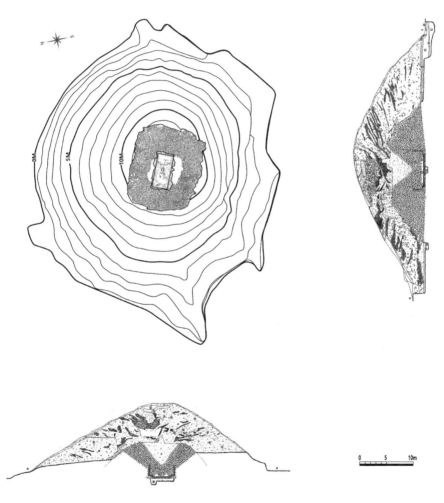

그림 2-7. 천마총 평면도 및 토층도 (필자 재작도)

표 2-5. 천마총 출토유물 현황

출토 위치			부장품
봉분 정상			마구류, 금동판, 유자이기, 철겸, 철모, 유리옥 등(마대상자에 매납)
개부적석 기저부			대호편 2개체분, 적색토기 등
목곽 상부		서측벽	철부 1점
		동측벽	무개고배, 소형장경호 2점
	남측벽	동남우	파수소호, 유개장경소호
		중앙부	단경호 2점, 서쪽으로 2m 지점에서 단경호 1점
		서북우	유개고배, 단경호 2점
		중앙근처	금제태환이식 1쌍
		중앙근처에서 북으로 1m	금제태환이식 1쌍
		중앙근처에서 북으로 1.9m	금제세환이식 1쌍, 유리소옥 25점, 운모편 다수 등
		측벽 안쪽 중앙	단경호, 개배3점, 금제세환이식 1점, 환형철봉 및 철환
		북벽의 상단 북반부	대형 철정, 꺾쇠 (목곽에 사용된 것으로 보임)
목곽의 내부 석단 (마구류는 목관의 상부에 올려진 것으로 추정)		동 단	백화수피관모 6개체분, 은제과대 및 요패, 경식, 소형철정3점, 대형철정, 방주형철봉, 철부, 꺾쇠3점
		북 단	소형철정4점, 은장대도, 은장도, 철구편, 삼지모, 철촉16점, 방주형철봉, 대형철정, 철부2점
		서 단	금동제식리, 담부철모2점, 철모3점, 공부2점, 파수소호2점, 철촉7점, 적색유개소합1점
		남 단	방주형철봉, 대형철정, 철부2점, 철촉25점, 금은장삼환도, 철도2점, 금은장삼환대도
		남동우	방주형철봉, 철정, 철부 등
목관의 내부			금관, 금제세환이식, 경흉식, 금제과대와 요패, 금제팔찌4쌍, 은제팔찌4쌍, 금제지환10점, 금동봉황환두대도 등
부장품수장궤 상면			은제조익형관식, 금제접형관식, 금동관, 금동제관모, 금제경갑
부장품수장궤 내부			은장복륜, 청동제마탁, 투조금동판식죽제장니, 백화수피천마도장니, 안욕, 은장복륜, 금동판피안교, 칠판장니, 목심금동판피등자. 금동제쌍령구2점, 금동제심엽형행엽, 십자형좌금구, 금동제교구, 금동제운주, 철제등자, 금은장경판재갈, 옥개형금동구 등의 4조의 마구, 금동제삼지형입식투구, 청동제삼족정, 청동제초두, 은제대합, 금동제대합, 금동제소합4점, 금동제소합6점, 금동제유개고배4점, 금동제소합7점, 금동제대합, 금동제대형유개고배, 청동제다리미, 토제속, 159점, 우각형소형금동기2점, 유리배2점, 유개표자형칠기, 조형배, 압형배, 각배, 고배, 잔 등 소형칠기 40여점, 찬합칠기, 금구표자형칠기, 은장식칠기반, 금제관모장식구, 은제소합4점, 고배, 잔, 나무빗5점, 미상목각구2점, 철반, 바둑돌360점, 백화수피제벽형채화판, 우각20여개, 철부4점, 장경호2점, 대형장경호4점, 단경호9점, 장군형토기10점

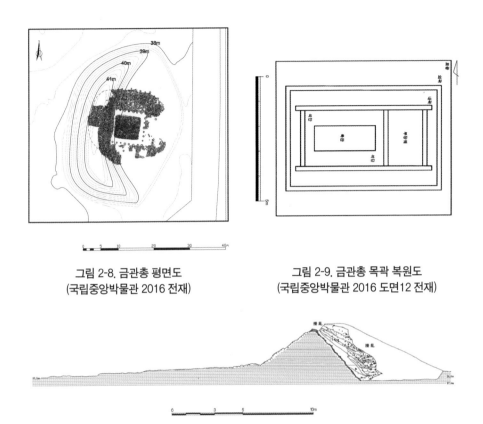

그림 2-8. 금관총 평면도
(국립중앙박물관 2016 전재)

그림 2-9. 금관총 목곽 복원도
(국립중앙박물관 2016 도면12 전재)

그림 2-10. 금관총 동서 토층도 (국립중앙박물관 2016 : 72 도면21 전재)

금관총은 국립중앙박물관에서 2015년 2월 23일부터 2015년 7월 24일까지 재발굴조사를 실시 하였다[136]. 조사자료를 통해서 금관총의 현황을 살펴보면 다음과 같다. 봉토부는 일제강점기에 보고되었던 직경 42.42m 보다 넓은 44.4m로 추정하였다. 적석부는 장경 36.36m, 단경 27.27m의 타원형으로 추정한 것보다 작은 남북 20.4m, 동서 22.2m(목조가구를 바탕으로 추정)[137]의 말각방형으로 확인하였다.

---

136 국립중앙박물관, 2016, 『慶州 金冠塚(遺構篇)』.
137 국립중앙박물관, 2016, 『慶州 金冠塚(遺構篇)』, p.70.

또한 보고자는 조사 결과를 토대로 금관총의 매장시설 구조를 추정하였다. 먼저 적갈색 정지토와 황갈색 기반층을 굴착해 동-서 720cm, 남-북 620cm의 묘광을 조성하고, 바닥이 고르지 못한 곳에 10cm 전후의 자갈을 깐 후, 북쪽과 남쪽에 냇돌로 석단을 마련하고, 그 내부에는 자갈을 20cm 정도 채웠다. 이후 석단 위에 640×420cm 크기의 외곽을, 자갈 위에는 520×236cm 크기의 내곽을 설치한 후 내곽 안에 목관을 안치한 것으로 추정하였다. 이외에 1921년 부장품 수습 당시 목곽과 내곽 사이에 있던 이형철기(철정)를 석단과 같은 모양으로 놓였다고 판단하였다[138].

표 2-6. 신라 적석목곽분 주요 고분의 특성 현황표 (★: 추정, 단위: m)

		황남대총 남분[139]			황남대총 북분[140]			천마총[141]			금관총[142]		
		동서	남북	높이	동서	남북	높이	동서	남북	높이	동서	남북	높이
봉토	크기	80	77.2	22.2	80	76	23	47	43.6	12.7	44.4	40.8	?
	형태	타원형(난형)			원형			원형			원형		
적석	크기	★29.2	★19.9	5.4	★17.2	★18.4	5.7	23.6	★19.2	6.0	22.2	20.4	★4.75
	형태	장방형			장방형			?			말각방형		
	단수	4단			4단			4단			4단		
	주혈수	23(동서)×14(남북)			15(동서)×11(남북)			?			9×6열 (남북 2) 8×6열 (동서 2) 5×1열 (모서리4) 4×4열 (모서리8)		
	주혈배치	4열씩			4열씩			?			6열씩		
	평면구조	격자			격자			? (방사)			방사		
목곽	시설1(목가)	6.5	4.1	3.5	6.8	4.6	4.0	6.6	4.2	★3.8	6.4	4.2	?
	시설2(외곽)	4.7	2.3	1.8	★4.0	★2.3	★1.8	★4.72	★2.3	★2.1	5.15	2.36	?
	시설3(내곽)	3.6	1.0	0.8	3.3	0.8	0.8	3.5	1.8	?	★3.26	★1.0	?
	시설4(목관)	2.2	0.7	?	2.2	0.7	?	2.15	0.8	?	2.51	1.0	?
	부곽	3.8	5.2	1.3									
묘광	크기			0.45				7.6	5.6	0.4	7.2	6.2	0.4

---

138 국립중앙박물관, 2016, 『慶州 金冠塚(遺構篇)』: p.103.
139 文化財管理局 文化財研究所, 1994, 『皇南大塚 慶州市 皇南洞 第98號古墳 南墳發掘調査報告書』.
140 文化財管理局 文化財研究所, 1985, 『皇南大塚 慶州市 皇南洞 第98號古墳 北墳發掘調査報告書』.
141 文化公報部 文化財管理局, 1974, 『天馬塚 發掘調査報告書』.
142 국립중앙박물관, 2016, 『慶州 金冠塚(遺構篇)』.

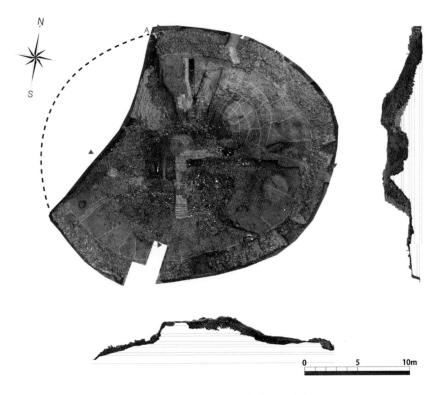

그림 2-11. 44호분 평면과 입단면 사진

44호분[143]은 지상식 적석목곽분이다. 평면형태는 난형에 가까운 타원형을 띠고 전체 규모는 동서 복원직경 28.20m (잔존 27.2m), 남북직경 23.34m, 추정높이는

---

143 44호분은 2007년 폐고분 조사에서 확인되었으며, 2008년에서 2009년 사이 1차 조사를 실시하여 고분의 범위와 지상식 적석목곽분임이 드러났다. 이후 2014년부터 2018년까지 5년 계획으로 2차 조사를 실시하였다. 따라서 현재 발굴조사 중에 있는 까닭에 2015년과 2016년 현장안내서에 記載 된 내용을 중심으로 구조적 특징과 축조양상에 대하여 언급하도록 하겠다.
국립경주문화재연구소, 2015년, 「쪽샘 44호분」(현장 안내서).
국립경주문화재연구소, 2016년, 「경주쪽샘유적」(현장 안내서).

6m이다. 매장시설인 목곽은 중앙에 위치하며 함몰부의 규모는 동서 5.83m, 남북 4.2m로 장단축비는 1:1.389이며 평면형태는 장방형이다. 이러한 함몰부 상부의 크기로 미루어 목곽은 이중곽식으로 추정된다.

고분은 거의 수평으로 정지한 후 축조되었으며 지형은 남동쪽(해발 41.0m)이 북서쪽(해발 39.8m) 보다 약 1.2m가 높다. 정지층 상면에는 고분의 외연을 따라 약 10cm 두께로 잔자갈(역석)층이 형성되어 있으며 그 상부에 호석이 있다.

호석은 2단 구조의 계단식이며 너비는 약150cm이다. 1단은 높이가 약 1m이며 직경 20~30cm 내외의 돌을 4~5층으로 쌓아서 만들었다. 2단은 북편에서 잔존하고 높이는 약 30cm 내외로 1~2층이 남아있다. 호석의 남쪽과 서쪽부분은 과거 민가에 의해 파괴되었지만 44호분의 둘레에 동일한 너비가 확인되고 2단 호석이 북쪽에서 남동쪽부분까지 잔존하며 그 흔적이 일부 남아있다. 이것으로 미루어 호석은 전체적으로 2단 구조라고 추정된다. 호석의 축조는 1단의 최하단 석을 두 줄로 고분의 외연에 두른 후 돌과 진흙을 섞어서 1단을 쌓고 봉토부 경사면 위에 돌과 진흙을 섞어 산적한 후 1단 호석의 상면 단부에서 약 50cm 정도 안쪽에 2단 호석부를 쌓았다. 1단 호석의 상면에는 직경 5~8cm 내외의 잔자갈 과 진흙을 섞어서 평평하게 마감하였다. 평면형태는 타원형에 가까운 난형이며, 봉토부의 분할성토 구획단위선과 연결되는 부분에 꺾인 면이 형성된다. 결국 다각형이다.

봉토부는 평면적으로 방사상의 구획을 한 후 성토하였으며, 단면 토층의 양상 으로 보아 3~4번의 공정으로 구분하여 축조 되었다. 먼저 적석부의 외면에 점토 를 층층이 쌓아 밀봉하였다. 점토밀봉의 두께는 잔존하는 양상으로 보아 전면이 동일하지 않다. 서남쪽 단면과 같이 목곽의 모서리부분은 넓게 잔존하는 반면 북쪽 단면에서는 적석부 외면에 약 5cm 두께로 남아있다. 이러한 현상은 봉토부 하부 너비(적석부에서 호석까지의 거리)의 차이로 보아 적석부의 하단부 평면 형태와 관련이 있을 것으로 추정된다. 또한 봉토부의 분할성토와 관련하여 각 구획단위의 성토재에서 차이가 있었을 가능성도 있다. 서남쪽 단면은 점토밀봉 외연에 역석과 사질점토를 섞어 반구형으로 작은 丘를 쌓고, 구와 점토밀봉 사이를 채우는 방식으로 성토하였다.

그리고 기반층에서 약 2m 높이(해발 41.9~42.1m)에 역석을 약 20~30cm 두께로 수평으로 쌓았다. 이상의 방식과 같이 봉토는 흙을 단면 반구형으로 쌓은 후 적석의 점토밀봉과 구 사이에 채우기를 반복한 후 일정 높이에서 역석을 수평 쌓기하여 한 번의 공정을 완료한 것으로 추정된다. 북쪽 단면에서는 적석부 외면에 경사쌓기로 봉토를 성토한 후 서남쪽 단면과 같이 약 2m 높이(해발 42.0m)에서 수평쌓기 한 역석층이 확인된다. 그리고 해발 43.0m와 43.8m에서 역석을 수평 쌓기하였다. 특징적인 것은 이상의 역석층이 적석부 각 단의 상면 높이에서 형성되고 있는 점이다.

적석부는 상부와 하부의 평면형태가 다르게 확인된다. 하부는 직경 약 20m이고 평면 형태는 현재 남쪽에 노출된 부분으로 보아 타원형에 가까운 다각형으로 추정된다.

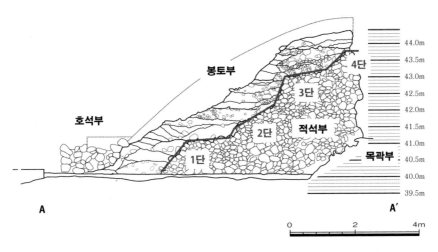

그림 2-12. 남북토층(A)

상부는 함몰부 외연에 노출된 적석으로 보아 장방형의 형태를 띤다. 단면 계단 상의 구조로 적석부를 축조할 때 높이가 올라가면서 들여쌓기를 한 것으로 볼 수 있는데, 현재까지의 조사에서는 4단이 확인된다. 평면상 하부의 1단(최하단)이 다각형을 띠고 상부의 3단과 4단(최상단)은 장방형이다. 2단은 평면형태를 아직 알 수 없지만 단면상 직각으로 단을 형성하지 않고 경사면을 이루는 것으로 보아 이 두 형태를 연결하는 부분으로 생각된다. 목가구의 흔적은 부분적으로 몇 개가 추정되지만 아직 적석부 노출조사가 진행 중에 있어서 추후 확인이 필요하다.

(2) 구조적 특징

지상식 적석목곽분은 크게 목곽부, 적석부, 봉토부, 호석부 네 개의 구조적 요소로 구성된다. 그 중 호석부는 봉토를 보호하고 장식적인 역할을 하며 고분 경계의 기능과 더불어 봉토부와 함께 축조된다. 따라서 호석을 봉토와 함께 살펴 구조적인 관계를 정리하면서 지상식 적석목곽분의 구조인 목곽부와 적석부, 봉토부로 나누어 살펴보도록 한다.

가. 봉토부

봉토부의 구조는 조사된 사례가 극히 드물기 때문에 그 양상을 파악하기가 쉽지 않다. 하지만 황남대총 남분과 북분, 천마총의 사례 및 최근 조사되고 있는 쪽샘 44호분의 양상을 중심으로 봉토부의 구조에 대해 살펴보고자 한다.

황남대총과 천마총은 발굴조사에서 계단상으로 굴착하여 봉토부 절개가 진행되었기 때문에 토층이 한 면을 이루지 않는 점을 勘案하여야 한다. 다행히 황남대총과 천마총의 토층도는 이런 점을 감안하여 제작되었다. 두 고분의 봉토부 토층 양상을 확인하면 총 6단계로 축조공정이 구분된다. ① 황색계통의 사질점토와 회색계통의 니질점토를 번갈아 쌓으며 적석부을 밀봉한다. ② 적석부 바깥으로 단면 반구형의 토층을 쌓고 적석부와 반구형 周堤 사이를 메운다. ③ 토층을 수평으로 쌓고 상부에는 잔자갈층을 전면에 깐다. ④ 상부적석을 덮는 층으로 토층을 내경하여 쌓고 상부에는 목곽부 위치에 잔자갈층을 쌓는다. ⑤ 사질점토층과 잔자갈층을 촘촘히 번갈아 가며 수평으로 쌓는다. ⑥ 봉토 외면 전체를 점토로 피복한다.

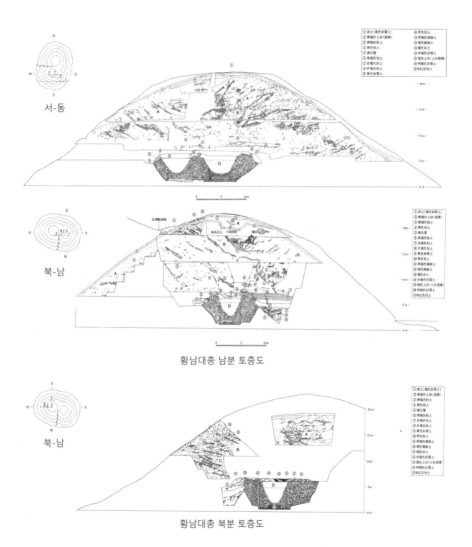

그림 2-13. 황남대총 남분과 북분의 봉토부 토층도
(문화공보부 문화재연구소 1994 필자 개변)

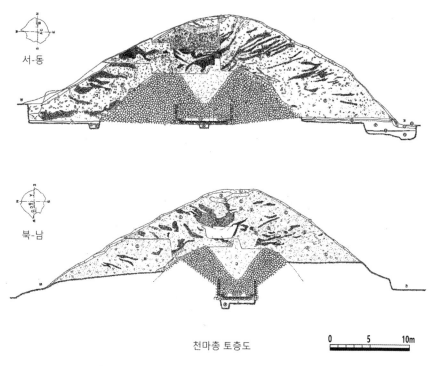

천마총 토층도

그림 2-14. 천마총 봉토 토층도 (문화공보부 1974 필자 개변)

①과 ⑥공정은 각각 적석부와 봉토부를 피복하는 공정으로 봉토부 축조의 시작과 끝이라고 할 수 있다. ②에서 ⑤공정은 일정 높이에서 공정이 수평으로 마무리되는 양상을 보인다. ②단계는 목곽의 높이에서 수평성토되고, ③단계는 적석부 높이에서 수평성토된다. ④단계는 상부적석 약 2.5m 상부에서 수평면이 확인된다. ⑤단계는 수평으로 성토한 층이다. 모든 공정에서 토층은 사질점토층과 잔자갈층을 순서대로 겹쳐 쌓는 방법으로 축조하였다.

황남대총 남북분과 천마총에서 확인되는 봉토부의 이 같은 특징은 현재 조사 중인 경주 쪽샘유적 E지구 44호분(황오리 44호분)에서도 확인된다. 44호분[144]의 단

---

144 박형열, 2017, 「경주 쪽샘유적 적석목곽분의 특징과 과제」, 『문화재』 50-4: pp.234-237.

그림 2-15. 쪽샘 44호분 서쪽 절단면 토층사진 (縮尺不同)

면사진(그림 2-15 A)은 수평성토층이 확인되며 한 공정이 마무리된 모습이다. 또한 적석부 외부를 점토로 밀봉한 부분(그림 2-15 B)도 보인다.

봉토부 토층의 성토단위는 목곽의 높이뿐만 아니라 적석부의 단위 높이와도 관련성이 있다. 따라서 봉토부는 한 번에 쌓은 것이 아니라 목곽부와 적석부 1단의 높이까지의 단위, 적석부의 목가구 높이까지의 단위, 상부적석을 덮는 단위, 최종 봉토를 완성하는 단위로 구분하여 순차적인 공정이 있는 것으로 볼 수 있다.

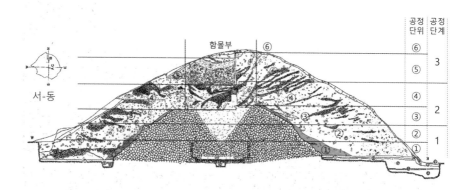

그림 2-16. 적석목곽분 봉토부 축조 공정의 단위와 단계 (天馬塚 東西 斷面圖 改變)

이상의 내용과 더불어 봉토의 축조공정 단위는 유물의 출토위치로 볼 때 장례절차와 관련된다. 장례과정은 목관묘단계부터 유교적 예제가 선을 보이고[145], 삼국시대 고분에 나타나는 현상으로 과정을 추출하면, 묘지선정-부장품준비-(후토제)-묘지정지-천광-(방상시)-목곽(석곽)설치-(영구임치)-하관-(폐백)-유물부장-복개(석개)-(성분제)-봉분조성-(평토제) 순이다[146].

후토제는 분묘의 축조 직전에 이루어지는 것이고, 방상시는 묘광을 판 후 시행

145 최종규, 2007, 「삼한 조기묘의 예제」, 『考古學探究』 創刊號, 考古學探究會.
146 김용성, 2009, 「8장 신라 고총의 장제 -경산 임당고총의 예-」, 『신라왕도의 고총과 그 주변』, 학연문화사: p.234.

되는 것, 영구임치는 하관하기 전에 하는 것, 폐백은 하관 후에 하는 것, 성분제는 봉분을 올리기 직전에 하는 것이다. 평토제는 봉분 축조가 완료된 후 시행하는 것이다[147]. 시간순으로 봉분 축조 전에 후토제가 있고, 축조 과정에서 방상시, 영구임치, 폐백, 성분제가 있으며, 축조 완료 후 평토제 순으로 제의가 진행된다. 그리고 추가하면 이후 분묘와 관련된 제의가 있다.

이 중에서 목곽과 관련된 방상시, 영구임치, 폐백을 제외하고, 후토제, 성분제, 평토제가 봉분과 연련된 것으로 생각된다. 유물의 출토 위치로 보면 봉토 및 적석부 아래는 후토제, 상부적석 하부는 성분제일 수 있다. 봉토부 중간과 봉토부 정상은 평토제일 가능성이 있지만, 토기류 위주의 중간지점 제의와 마구류 위주의 정상부 제의에서 차이가 있어서, 또 하나의 제의가 있었을 수도 있다. 이렇게 보면 상부적석을 쌓기 전까지와 상부적석에서 봉토부 중간지점까지, 중간제의 후 봉분 완성까지의 세 단계로 봉분 축조공정을 구분할 수 있으며, 봉분의 토층 양상에서 보이는 구분단위와 대응된다.

나. 적석부

적석부의 구조는 목조가구의 구조를 통해 추정할 수 있다. 지상식 적석목곽분의 경우 적석부를 지상에 설치하기 때문에 적석을 설치하기 전 목조가구를 짜고 그 내부에 적석을 하는 것이 확인된다. 목조가구는 적석부에 남아있는 홈과 적석 제거 후 바닥면의 주혈을 통해 그 양상을 추정한다. 황남대총 남분은 목곽의 사방으로 4열의 목조가구 기둥 흔적이 확인되며 이것을 통해 평면형태가 장방형인 목조가구의 복원안[148]이 제시되었다. 북분의 경우, 3열의 기둥을 가진 목조가구[149]로

---

147 김용성, 2009, 「8장 신라 고총의 장제 -경산 임당고총의 예-」, 『신라왕도의 고총과 그 주변』, 학연문화사: p.254.

148 文化財管理局 文化財研究所, 1994, 『皇南大塚 慶州市 皇南洞 第98號古墳 南墳發掘調查報告書』.

149 文化財管理局 文化財研究所, 1985, 『皇南大塚 慶州市 皇南洞 第98號古墳 北墳發掘調查報告書』.

추정되었지만, 남분과 같이 4열의 형태를 가진 목조가구[150]로 보기도 한다. 적석의 범위를 고려하면 북분도 4열의 형태를 가졌을 가능성이 더 높다.

최근 재조사된 금관총[151]의 경우 말각방형의 목조 주혈이 확인되었다. 이것으로 미루어 적석부의 평면형태도 말각방형이었을 가능성이 높다. 조사 중에 있는 경주 쪽샘 44호분은 적석부에 황남대총 남분과 같이 주혈흔적이 확인된다. 이 흔적을 통해 외연의 버팀목주혈을 제외하면 4열의 주혈이 있는 것으로 추정된다.

이와 같이 주혈은 4열의 형태를 보인다. 또한 적석부의 양상과 비교하면 3단의 형태를 띠는 것으로 상정된다. 목가구는 상부적석을 제외한 3단까지 형성되고 그

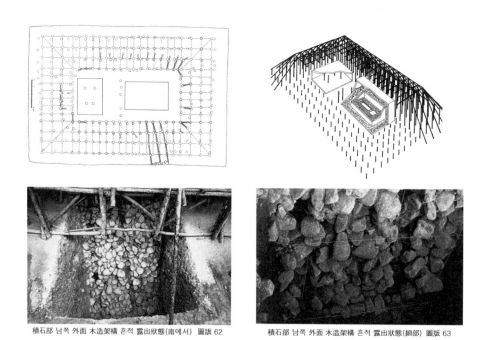

積石部 남쪽 外面 木造架構 흔적 露出狀態(南에서) 圖版 62   積石部 남쪽 外面 木造架構 흔적 露出狀態(細部) 圖版 63

그림 2-17. 황남대총 남분 적석부 모식도 및 적석부 목조가구 흔 사진 (當 報告書 轉載)

---

150 이은석, 1999, 「경주 황남대총 구조에 대한 일고찰」, 『고고역사학지』15호.
151 국립중앙박물관, 2016, 『慶州 金冠塚(遺構篇)』.

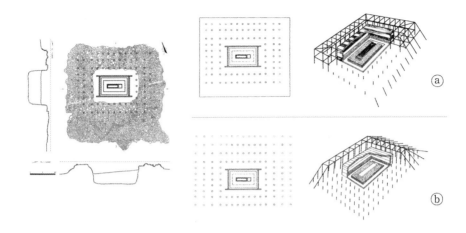

그림 2-18. 황남대총 북분 적석부 및 목조가구 모식도 (필자 가필 및 편집)
(ⓐ: 보고서, ⓑ: 이은석 1999)

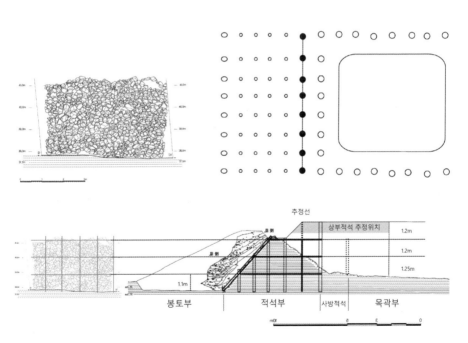

그림 2-19. 금관총 적석부 목조가구 구조도
(국립중앙박물관 2016: p.72, p.84 도면21 · 24 필자 가변)

부분에 목개(목곽부를 덮는 시설)를 설치한 후 상부적석이 있었을 가능성이 높다. 결국 상부적석에는 목조가구가 없는 것이다.

적석부의 목조가구는 장방형의 형태에서 말각방형으로 변화하고 구조도 격자 구조에서 방사형으로 변화한다. 황오동 44호분에서는 방사형의 구조로 평면 원형에 가까운 목조가구가 예상된다. 그렇기 때문에 격자구조에서 방사형 구조로 목조가구의 구조가 변화하고 형태도 장방형에서 말각방형, 그리고 원형으로 변화하는 것으로 상정된다. 이러한 변화 추이는 적석목곽분의 평면형태가 타원형에서 원형으로 변화하는 것과 유사한 현상으로 보인다. 더불어 봉토부 분할성토[152]와 관련된 일련의 연속성이 있다.

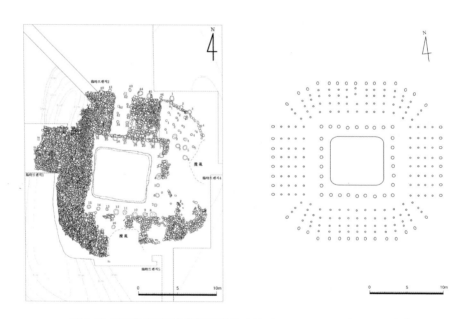

그림 2-20. 금관총 평면도 (국립중앙박물관 2016: p.84, p.91 도면24 · 26 전재)

---

152 박형열, 2017, 「경주 쪽샘유적 적석목곽분의 특징과 과제」, 『문화재』 50-4: p.229.

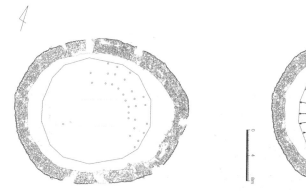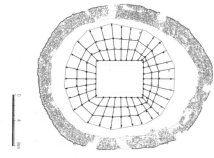

잔존 목가구 주혈흔   목가구 복원(안)

그림 2-21. 경주 황오동 44호분(쪽샘유적 E지구 44호분) 목조가구 주혈흔과 복원(안)
(국립경주문화재연구소 2019 보도자료 평면사진 필자 가변)

다. 목곽부(묘곽)

목곽부의 경우 목곽의 겹에 따라 삼중곽, 이중곽, 단일곽으로 구조를 구분하였다. 그러나 기존의 연구는 목곽의 구조를 파악하는 과정에서 목조가구의 안쪽 경계를 계산하지 못한 착오가 있었을 가능성이 있다. 즉 목곽의 가장 바깥쪽의 외곽을 목조가구로 볼 수 있기 때문에 목곽의 구조에서 제외하고 접근해야한다.

이와 유사한 것이 금관총의 재조사에서 확인되었다. 기존에 삼중곽으로 보았던 황남대총 남분의 목곽은 이중곽일 가능성이 높다. 또한 황남대총 북분과 천마총의 경우 목관 주위 석단과 외곽내부의 석단 사이의 공간이 비어 있는데, 이 부분에도 하나의 목곽이 있었을 가능성이 있어서 황남대총 북분과 천마총의 목곽은 이중곽으로 구성된 것으로 생각된다. 따라서 지상식 적석목곽분의 목곽은 이중곽을 기본으로 부곽이 점차 소멸하는 양상이다. 목곽 내부의 유물 부장양상으로 보

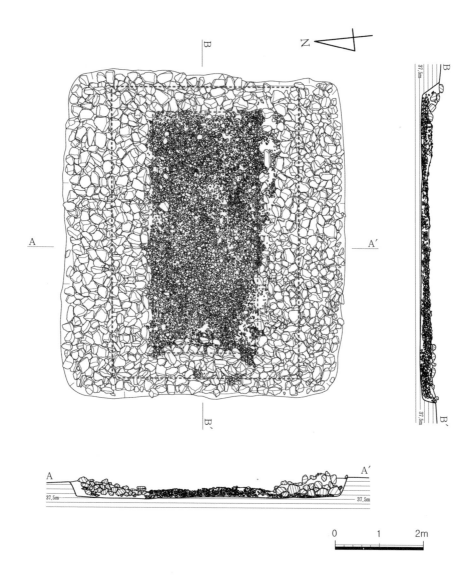

그림 2-22. 금관총 목곽부 (국립중앙박물관 2016: 100 도면 29 전재)

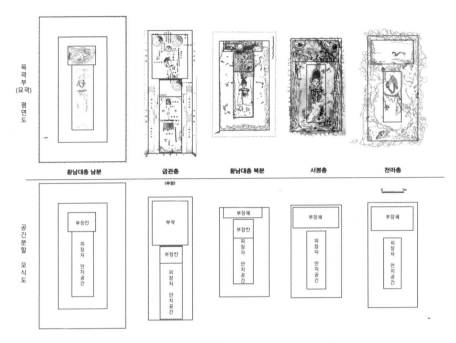

그림 2-23. 지상식 적석목곽분의 목곽부 구조 및 그 변화

면 장방형(금관총[153])에서 부곽이 부장궤[154]로 변화하고 점차 남북으로 세장해지는 (황남대총 북분) 결과, T자형의 구조(천마총)가 확인된다. 여기에서는 구조적 특징으로 이중곽일 가능성과 유물부장 공간의 변화에 대해 언급하고, 자세한 묘곽의

---

153 금관총 목곽부 평면도의 경우 내부 유물이 수습된 이후 傳言에 의해 도면이 작성되었다. 따라서 모든 내용을 신뢰할 수는 없지만 동편의 부장공간이 비정상적으로 세장하며, 중간에서는 동서의 폭에 차이가 있어서 부장공간이 분할되어 있었을 가능성이 있다. 본 연구에서는 부곽이 소멸되면서 부장칸과 통합되는 과정에서 나타나는 과도기적 구조로 인식한다.

154 목곽부 즉 묘곽은 주곽과 부곽으로 이루어진 주부곽식이거나 주곽으로만 이루어진 단곽식으로 구분된다. 여기에서 주곽은 공간분할에 따라 유물부장공간과 피장자 안치공간으로 구별된다. 이때 유물부장공간과 안치공간에 칸막이 시설이 있는 것을 부장칸, 없는 것을 부장부로 부를 수 있다. 이와 달리 부장공간이 피장자 안치공간과 이격되어 개별상자로 부장된다면 부장궤 혹은 부장함으로 구분해야 한다.

구조 변화는 매장시설 간의 공통분모가 있기 때문에 뒷장에서 타 묘제의 묘곽과 함께 다루도록 하겠다.

라. 호석 전면부 시설

적석목곽분은 봉토, 적석, 목곽부 이외에 외부에 노출된 호석 전면부 시설이 있다. 호석 전면부에는 호석 아래 정지된 소력층이 있으며, 호석에서 약 1~1.5m 내외의 범위에 형성된다. 이 부분에는 의례용 대호를 일정 간격으로 배치하고, 방형의 제단과 같은 시설이 덧붙기도 한다. 이런 점에서 제의와 관련된 시설이 놓인 공간이며, 적석목곽분 축조 공정의 끝으로 볼 수 있다.

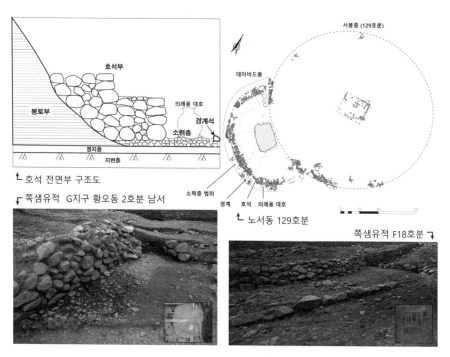

그림 2-24. 호석 전면부 구조도(박형열 2017: 230 도면3 改變)와
노서동 129호분 평면도(국립중앙박물관 2016 현장설명회 자료 改變)

2) 지하식 적석목곽분 (B)

(1) 주요고분

지하식 적석목곽분(B)은 측벽부 적석이 실제 두 부분으로 구분되어 있을 가능성이 높다. 박형열[155]은 쪽샘유적 E지구 41호분의 적석부 특징을 설명하면서 지표면 아래에 채워진 목곽과 묘광 사이의 적석과 그 위의 적석을 구분할 필요가 있는 것으로 지적하였다[156]. 지하식 적석목곽분의 구조는 41호분, 109호분, 110호분, 쪽샘 B연접분의 구조를 통해 살펴볼 수 있다.

쪽샘 41호분(황오리 41호분)[157]은 지하식 적석목곽분의 구조를 띤다. 41호분의 구조적 특징을 살펴보면 평면형태는 타원형이고 전체 규모는 동서직경 24m, 남북직경 19m이다. 매장시설인 목곽은 중앙에 위치하며 이혈 주부곽식 구조이다. 묘광크기는 주곽이 길이 660cm, 너비 480cm이고, 부곽이 길이 550cm, 너비 540cm이다. 평면형태는 주곽이 장방형, 부곽이 방형의 형태를 띠고 동쪽의 주곽

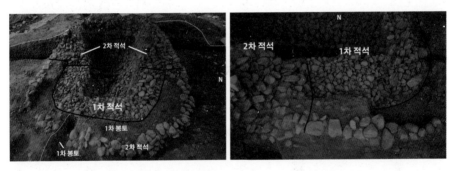

그림 2-25. 41호분 1차 적석과 2차 적석 (2차 적석의 구조에 대한 조사 중 사진)

---

155 박형열, 2016, 「신라 지상식 적석목곽분의 발생에 대한 일고찰」, 『영남고고학』75호.

156 박형열, 2017, 「경주 쪽샘유적 적석목곽분의 특징과 과제」, 『문화재』50-4, 국립문화재연구소, pp. 232-234.

157 41호분은 2010년에서 2013년까지 발굴조사 되었으며, 아직 보고서가 미간행 되어 본 글에서는 약보고서(국립경주문화재연구소 2013)를 根幹으로 구조적 특징과 축조양상에 대하여만 언급하고자 한다. 국립경주문화재연구소, 2013, 「41호분 발굴조사 약보고서」.

과 서쪽의 부곽은 약 80cm의 간격으로 이격되어 있다.

　주곽과 부곽은 평면형태의 차이 이외에 적석부의 구조에서 차이를 보인다. 조사자는 주곽에서 확인된 적석을 1차와 2차로 구분하여 보고하였는데 주곽에서 확인되는 2차 적석이 부곽에서는 확인되지 않았다. 주곽에서 보이는 1차와 2차 적석은 적석규모에서도 1차는 길이 660cm, 너비 480cm이고, 2차는 길이 840cm, 너비 740cm로 차이가 있다. 높이는 2차 적석부의 최상단이 해발 44.55m이고, 구지표면이 해발 42.4m로 적석부 최상단은 구지표면에서 2.15m 정도 높다. 또한 41호분에서는 1차 봉토가 확인되는데, 구지표면에서 약 55cm 높이까지 축조하였다.

그림 2-26. 41호분 평면과 목곽부 사진

1차 적석은 1차 봉토와 같은 높이에서 확인되고 바닥에서부터의 높이는 2m
이다. 크기는 주곽의 묘광과 동일하다. 1차 적석 높이의 상한을 감안하면 2차
적석은 약 1.6m의 높이로 추정할 수 있다. 석재의 크기에서도 1차 적석은 직경
15~20cm 내외의 중력을 사용한 반면 2차 적석은 직경 30cm 내외의 거력을 사용
하였다. 부곽의 적석은 주곽의 1차 적석과 같이 구지표면까지 적석하였다.

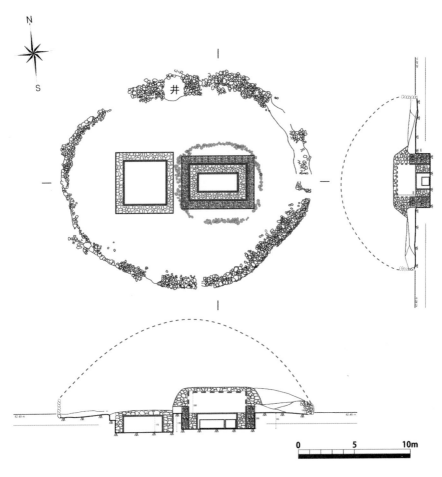

그림 2-27. 41호분 복원도 (假案-필자 편집)

이상과 같이 적석부의 구조로 본다면 1차 적석 이하의 구조는 적석목곽분 이전 단계의 적석목곽묘(석재충전목곽묘)와 동일한 형태를 보이는 것이다. 1차 적석은 석재의 구성과 높이의 상한에서 목곽과 묘광 사이에 충전한 충전석과 같은 기능을 하고, 2차 적석은 1차 봉토 상면에 구축된 시설로 목곽부를 지탱하는 지지대와 같은 기능으로 볼 수 있다. 또한 2차 적석과 점토 밀봉층이 부곽의 적석부 상면을 덮고 있어서 1차 적석과 2차 적석은 기능과 구조적인 면에서 다른 시설이었을 가능성도 있다. 즉, 1차 적석은 충전석, 2차 적석은 적석부로 구분된다. 이러한 적석부와 충전석의 이중 적석구조는 지상식 적석목곽분에서 보이는 적석부 구조가 지하식 적석목곽분에 이입되는 과정에서 나타나는 것으로 추정된다.

목곽부의 규모는 주곽이 길이 540cm, 너비 330cm, 높이 330cm이고, 부곽이 400cm, 너비 390cm이다. 주곽은 외곽과 내곽으로 구성되고 부곽은 단곽의 구조를 띤다. 주곽의 내곽 내부에는 동편에 길이 110cm, 너비 110cm의 방형 부장궤와 서편에 길이 240cm, 너비 115cm의 장방형 시상대가 있다. 주곽 중앙부의 내곽 안에는 직경 8~10cm 내외의 시상석이 놓여 있다. 시상석 위에는 길이가 약 45cm, 너비 약 4cm 정도의 철정을 종방향으로 여러 매를 놓았다. 철정의 내외면에는 유기질 흔이 확인되어 시상석 위에는 바닥목판과 철정, 유기물 순으로 놓였을 가능성이 있다. 내곽과 외곽 사이에는 직경 20cm 내외의 돌을 적석한 석단이 있다. 석단의 높이는 내곽의 높이와 동일한 것으로 추정된다. 바닥면에는 기타 시설은 확인되지 않고 묘광 바닥은 평평하다. 주곽과 부곽의 유물 상면에 쌓인 적석으로 보아 상부적석이 있었을 것으로 추정되지만 수량이 적어 상부적석의 높이는 약 30cm 내외로 보인다.

황남동 110호분[158]은 1973년 6월 13일부터 7월 23일까지 발굴조사 되었다. 평

---

158 金宅圭·李殷昌, 1975, 『皇南洞古墳發堀調査槪報』古蹟調査報告 第1冊, 嶺南大學校博物館, pp.7-30.

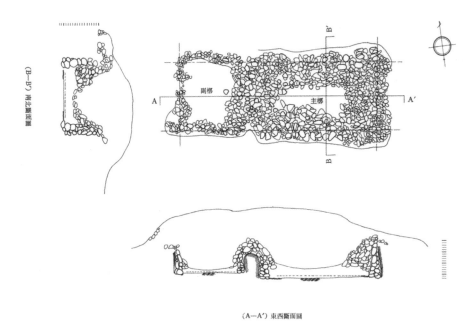

（B-B′）南北斷面圖

周槨

主槨

（A-A′）東西斷面圖

그림 2-28. 황남동 110호분 평단면도 (필자 개변)

면 형태는 장타원형에 가깝다. 봉토는 약 1.55m정도 잔존하였고, 동서 직경 15m, 남북 직경 9m이다. 적석부는 장방형으로 동서 9.7m, 남북 4.2m 이며, 봉토 정상에서 약 1.3m 아래에서 적석부가 확인되었다. 묘광은 이혈로 굴착하여 주부곽식의 묘곽형태를 띤다. 주곽은 동쪽에 위치한다. 크기는 동서 5m, 남북 3.1m이고, 높이는 1.87m 이다. 봉토 정상에서 보면 약 3.1m 아래에서 묘곽의 바닥이 위치한다. 바닥에는 바닥석이 있으며, 목곽이 있었던 부분에는 바닥석이 확인되지 않는다. 부곽은 서쪽에 있고, 동서 3.1m, 남북 3.1m의 정방형의 형태를 띤다. 봉토에서 약 2.8m에 바닥이 확인된다. 부곽이 주곽보다 약 30cm 높다. 호석은 정확하지 않지만 있었을 가능성이 높다. 적석부의 함몰양상을 통해 상부적석은 없는 구조로 목곽 주위에 사방적석을 한 형태로 추정된다. 목곽은 묘광의 크기나 함몰된 적석에 단이 진 흔적 등으로 보아 이중곽일 가능성이 있다.

(2) 구조적 특징

가. 봉토부

지하식 적석목곽분의 봉토부는 남아있는 자료가 많지 않지만 기존의 연구 결과에서 1차 봉토가 있었을 가능성이 제기 되었다[159]. 봉토부의 1차 봉토는 일제강점기에 발굴된 자료에서도 확인된 것으로 보는 견해[160]도 있다. 그러나 봉토의 축조 순서를 살펴보면 1차 봉토는 매장시설의 묘광을 굴착하는 과정에서 묘광 주위에 쌓은 흙으로 보인다. 이 높이가 호석의 높이와 같아서 봉토의 축조단계를 구분할 수 있는 근거라고 생각되지만 적석부보다 아래에 위치하고 있기 때문에 봉토부 보다는 지반 다짐 층으로 해석할 수도 있다. 엄밀하게 말하면 기존의 1차 봉토로 지적된 토층 바깥의 외경쌓기나 제형쌓기한 토층부터를 봉토부로 본다.

봉토부 토층양상을 확인하면 총 6단계의 축조공정이 확인된다. ① 황색계통의 사질점토와 회색계통의 니질점토를 번갈아 쌓으며 적석부을 밀봉한다. ② 적석부 바깥으로 단면 반구형으로 토층을 쌓고 적석부와 반구형 주제 사이를 메운다. ③ 토층을 수평으로 쌓고 상부에는 잔자갈층을 전면에 깐다. ④ 상부적석을 덮는 층으로 토층을 내경하여 쌓고 상부에는 목곽부 위치에 잔자갈층을 쌓는다. ⑤ 사질점토층과 잔자갈층을 촘촘히 번갈아 수평으로 쌓는다. ⑥ 봉토의 외면을 전체적으로 점토로 피복한다.

①과 ⑥공정은 각각 적석부와 봉토부를 피복하는 공정으로 봉토부 축조의 시작과 끝이라고 할 수 있다. ②에서 ⑤공정은 일정 높이에서 공정이 수평으로 마무리되는 양상이다. ②단계는 목곽의 높이에서 수평성토되고, ③단계는 적석부 높이에서 수평성토된다. ④단계는 상부적석 약 2.5m 상부에서 수평면이 확인된다. ⑤

---

159 김두철, 2009,「적석목곽분의 구조에 대한 비판적 검토」,『고문화』73호, 한국대학박물관협회.

160 최병현, 2016,「신라 전기 적석목곽분의 출현과 경주 월성북고분군의 묘제 전개」,『문화재』40호: pp. 186-190.

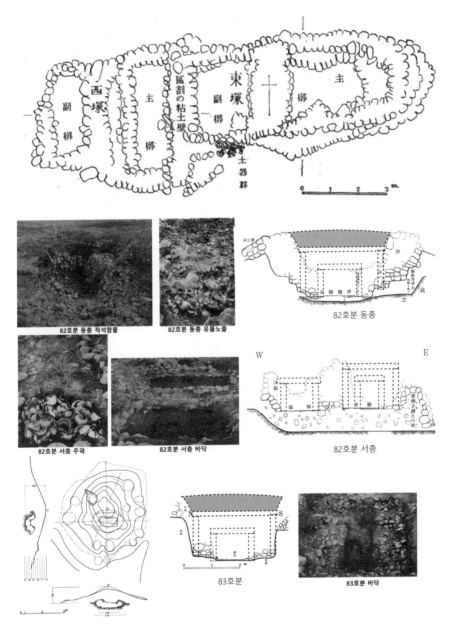

82호분 동총 적석함몰

82호분 동총 유물노출

82호분 동총

82호분 서총 주곽

82호분 서총 바닥

82호분 서총

83호분

83호분 바닥

그림 2-29. 지하식 적석목곽분

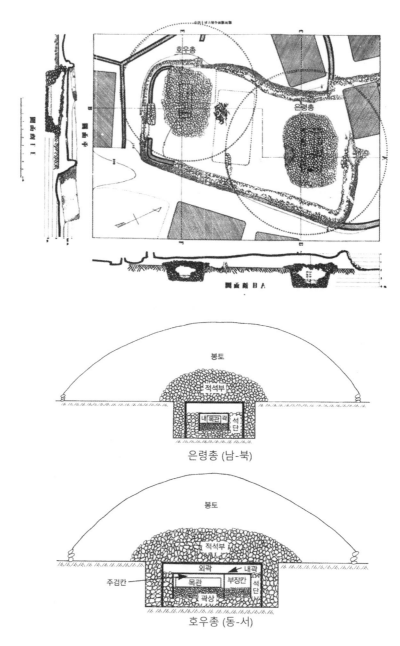

그림 2-30. 은령총과 호우총 (복원도-김용성 2009 그림 5-3, 6, 8 전재)

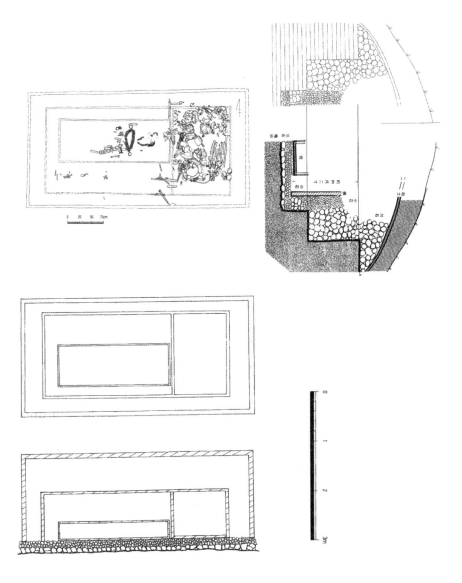

그림 2-31. 노동리 142호분(노동리 4호분) (보고서 필자 재편집)

단계는 수평으로 성토한 층이다. 모든 공정에서 토층은 사질점토층과 잔자갈층을 순서대로 겹쳐서 쌓는 방법으로 축조하였다.

나. 적석부

적석부는 41호분의 자료를 바탕으로 보면 1차 적석과 2차 적석으로 구분된다. 묘광과 목곽 사이의 1차 적석은 크기가 작은 석재를 이용하여 축조하였으며, 목곽 상부에 있는 석재의 크기는 직경 15~20cm 내외의 중력을 사용하였다. 반면 2차 적석은 직경 30cm 내외의 거력을 사용하였다. 규모와 높이에서도 차이가 확인되는데, 주곽에서 보이는 1차와 2차 적석은 적석규모에서도 1차는 길이 660cm, 너비 480cm이고, 2차는 길이 840cm, 너비 740cm로 차이가 있다. 높이는 2차 적석부의 최상단이 해발 44.55m이고, 구지표면이 해발 42.4m로 적석부 최상단은 구지표면에서 2.15m 정도 높다. 부곽의 적석은 주곽의 1차 적석과 같이 구지표면까지 적석하였다.

여기에서 도출할 수 있는 양상은 측벽에 사방적석과 상부적석을 구분하여 사용하고 있는 점이다. 또한 지하식 적석목곽분은 목조가구가 없기 때문에 지상식 구조와 다르다.

다. 목곽부

목곽부는 이중곽과 단일곽의 구조가 확인된다. 이중곽의 구조는 김용성[161]이 복원한 호우총과 은령총의 목곽구조에서 확인할 수 있다. 이 두 고분은 이중곽이 아니라는 견해도 있지만, 쪽샘 41호분의 예와 같이 석단을 고려하면 이중곽이 가능성이 높다. 수치적인 변화양상은 뒤에서 후술하도록 한다.

쪽샘유적 E지구 41호분(황오리 41호분)을 통해 이중곽의 구조적 특징을 보다 상

---

161 김용성, 2009, 「5장 호우총과 은령총의 구조와 피장자」, 『신라왕도의 고총과 그 주변』, 학연문화사 : pp.145-171.

세히 관찰할 수 있다. 41호분 목곽부의 규모는 주곽이 길이 540cm, 너비 330cm, 높이 330cm이고, 부곽이 400cm, 너비 390cm이다. 주곽은 외곽과 내곽으로 구성되고 부곽은 단곽의 구조를 띤다. 주곽의 내곽 내부에는 동편 길이 110cm, 너비 110cm의 방형 부장궤와 서편 길이 240cm, 너비 115cm의 장방형 관이 있었을 것으로 추정된다. 주곽 중앙부의 내곽 안에는 직경 8~10cm 내외의 바닥석이 놓여 있으며 바닥석과 바닥석 주변으로 직경 20cm 내외의 적석과 약 20cm 정도 이격되어 있다. 관상석의 아래는 바닥면으로 기타 시설은 확인되지 않고 묘광 바닥은 평평하다. 이처럼 곽 사이의 빈공간과 석단으로 이중곽을 확인할 수 있다.

이에 반해서 109호 3·4곽과 14호분, 1곽과 2곽은 하나의 곽으로 구성된 단일곽일 가능성이 높다. 황남동 110호분은 측면적석의 너비, 석단과 유사한 시설의 존재 등으로 이중곽의 구조로 생각된다.

표 2-7. Ba1형 지하식 적석목곽분의 매장시설 크기 비교

연번	고분	묘광(m)			외곽(m)			내곽(m)			목관(m)	
		길이	너비	깊이	길이	너비	깊이	길이	너비	깊이	길이	너비
1	쪽샘 41호분[162]	6.8	4.8	3.65	5.4	3.3	3.5	3.8	1.6	1.45	2.4	1.15
2	노동 142호분[163]	(7.3) 6.05	(5.0) 3.6		4.85	2.4		3.86	1.8			0.8
3	호우총[164]	7.3	4.5	2.0				4.2	1.4	1.2	2.4	1.0
4	은령총[165]	7.3	5.3	2.3	4.5 (5)	2.5 (3.8)		4.3	1.4		2.8	0.9
5	영덕 괴시리 16호분[166]	6.2	5.15	2.0				3.2	1.8			

162 국립경주문화재연구소, 2013, 「41호분 略報告書」.
　　박형열, 2017, 「경주 쪽샘유적 적석목곽분의 특징과 과제」, 『문화재』 50-4.
163 國立中央博物館, 2000, 『慶州 路東里 四號墳』, pp. 27-34.
164 김용성, 2009, 「5장 호우총과 은령총의 구조와 피장자」, 『신라왕도의 고총과 그 주변』, 학연문화사 : pp. 145-171.
165 김용성, 앞의 책, p. 159.
166 國立慶州博物館, 1999, 『盈德 槐市里 16號墳』, p. 10.

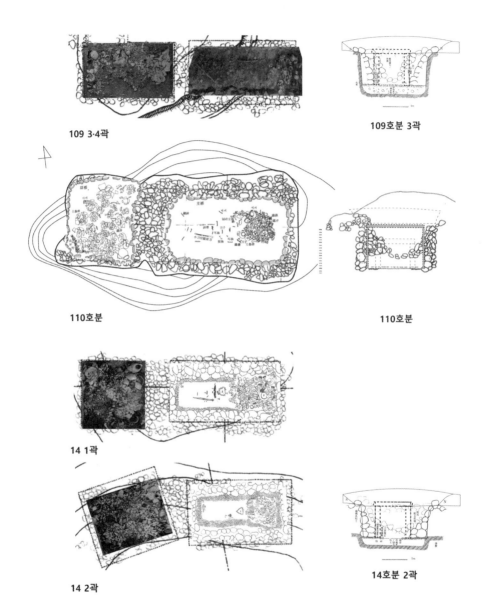

109 3·4곽

109호분 3곽

110호분

110호분

14 1곽

14 2곽

14호분 2곽

그림 2-32. Ba1형 지하식 적석목곽분 1 (필자 개변)

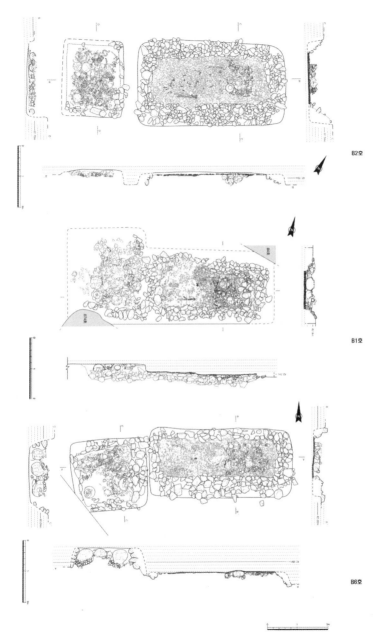

그림 2-33. Ba1형 지하식 적석목곽분 2

바닥면은 천석층과 잔자갈층이 쌓인 것이 확인된다. 천석층과 잔자갈층이 있는 것은 호우총(140호분)과 은령총(139호분)으로 목곽의 바닥면보다 약 40cm 정도 아래의 고분 바닥면에 2~3겹으로 천석을 깔아 둔 것이다. 천석층이 없는 것은 황남리 109호 3·4곽, 황남리 110호분, 쪽샘 B연접분 등에서 확인된다. 목곽의 바닥에 천석층을 둔 것은 천석층이 없는 것보다 시기가 늦은 것일 가능성이 있거나 규모에서 중형분 이상의 크기를 가지고 있을 가능성이 있다.

또한 바닥의 굴착면에서 두 가지의 형태가 확인된다. 바닥면에 단이 없는 것으로 이해되었지만 2단으로 굴착하여 축조한 고분이 수기가 확인된다. 묘광에 단차가 확인된 적석목곽분은 대표적으로 노동리 142호분, 82호분 동총, 83호분 등이다. 굴착면의 단차를 고려하면 83호분에서 보이는 단이 진 굴광이 82호분 동총에서는 보다 뚜렷한 것을 확인할 수 있으며, 노동리 142호분에서는 단차가 명확하게 남아 있다. 이것으로 미루어 묘광의 굴착면에 단차를 둔 형태가 단차가 없는 형태와 같이 공존하였음을 알 수 있다. 정확히 시간적인 차이가 어떻게 되는지에 대한 문제는 현재의 자료로는 알 수 없지만, 단차가 있는 형태에서 이중곽의 목곽이 확인되고 있어서 단차가 없는 단일곽과 차이를 두고 축조되었을 가능성이 있다.

3) 적석목곽묘(C)

(1) 주요고분

쪽샘 C16호, 교동 94-3번지 3호 적석목곽묘 등을 통해 구조를 확인할 수 있다. 적석목곽묘(C)는 봉분이 낮은 무덤으로 매장시설로 목곽을 채용하고 적석으로 뒤채움 한 것이다. 적석목곽분과 적석목곽묘의 차이는 호석의 유무이다. 적석목곽묘는 호석이 없는 묘제이며, 봉분도 낮거나 거의 없는 형태를 띤다. 적석목곽묘와 목곽묘의 가장 큰 차이는 시상석의 존재 유무이다.

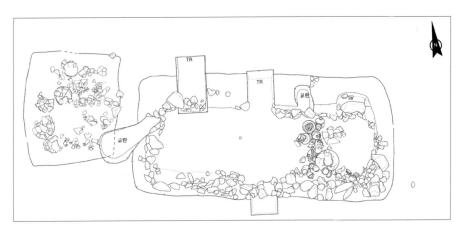

그림 2-34. 쪽샘 C16호 평면도 (Cb형)

C16호[167]는 경주 쪽샘유적 C지구 남서쪽에 위치하며 C10호분에서 북쪽으로 1m 가량 떨어져 있다. C16호의 구조는 주곽과 부곽을 따로 굴착한 이혈 주부곽식 형태의 적석목곽묘이고 전체 길이는 642cm이다. 묘의 장축방향은 동서방향(N-100°-E)으로 동서축이 긴 세장방형의 형태이다. 주곽은 부곽의 동쪽에 위치하며 동서길이 438cm, 남북너비 204cm로 묘광을 굴착하였다. 묘광의 깊이는 50cm로 해발 42.8m에 바닥면을 조성하였다. 평면형태는 길이:너비의 비율이 2.15:1로 장방형을 띤다. 부곽은 주곽에서 서쪽으로 36cm 이격되어 있다. 크기는 동서길이 168cm, 남북너비 196cm로 남북이 조금 긴 방형(1:1.17 비)의 형태를 띠고 중심축이 주곽에 비해 북쪽으로 36cm 어긋난 위치에 있지만 배치형태는 직렬이다. 부곽의 잔존 깊이는 10cm 내외이며 해발 43.25m에서 바닥면을 조성하였다. 주곽과 부곽의 바닥면의 높이는 약 45cm의 차이가 있으며 부곽의 바닥면이 높게 굴착되었다.

---

167 국립경주문화재연구소, 2018, 『경주 쪽샘지구 신라고분유적 IX -C10호 목곽묘 · C16호 적석목곽묘-』.

유물부장은 부장위치에 따라 크게 ① 주곽의 서편(피장자 안치공간), ② 주곽의 부장칸(두부), ③ 부곽 이 세 곳으로 나누어져 있고 각 부장 공간 별로 부장되는 유물의 특질이 다르게 나타난다.

① 주곽의 서편(피장자 안치공간)에는 10점의 유물이 확인된다. 도자 3점과 방추차 1점, 철촉 1점이 출토되었으며, 서쪽 단벽 가까이 유자이기 2점과 겸형철기 2점, 도 1점이 출토되었다. ② 주곽의 부장칸(두부)에는 대호, 호, 사이부호, 유개고배 일단각고배 등 고배류, 장경호류, 연질소옹류 등이 확인된다. 그러나 후대 교

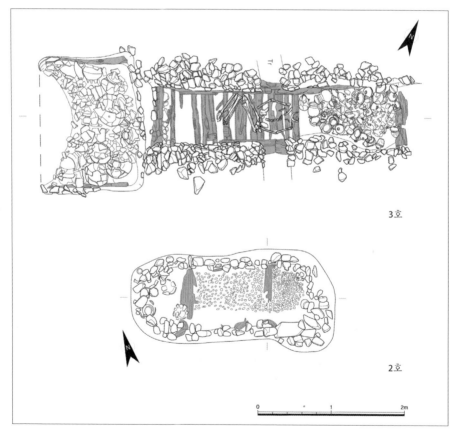

그림 2-35. 교동 94-3번지 유적 2호와 3호 적석목곽묘

란으로 부장칸의 동쪽부분의 훼손이 심하다. 교란부에서도 다량의 유물이 확인되고 있다. ③ 부곽은 후대 교란으로 인해 유구 상부는 모두 유실되었지만, 저부만 남아 있는 호가 확인된다.

이상과 같이 적석목곽묘의 대표적인 사례인 쪽샘 C16호에 대해서 살펴보았다. 피장자의 안치 공간과 유물의 부장이 분리되어 있으며, 바닥에는 시상석이 없는 것이 특징이라 할 수 있다. 이외에 교동 94-3번지 유적의 2호와 3호 적석목곽묘에서 구조적인 특징을 확인할 수 있다. 이들은 시상석이 주곽의 바닥에 설치되어 있는 것이 특징이며, 동혈구조와 단곽식의 구조를 대표적으로 보여주는 사례이다. 더불어 탑동 21번지 유적[168] 2호 및 3호와 1호도 구조를 파악할 수 있는 사례이다. 2호와 3호는 호석으로 미루어 하나의 봉분[169]에 있던 다곽분으로 모두 시상석이 없고 두부부장 한 구조이며, 1호는 2호의 북편에 위치하는 단독묘이다. 1호는 시상석이 있으며, 족부부장이 확인된다.

(2) 구조적 특징

적석목곽묘의 경우 봉토가 거의 남아 있지 않아서 봉토의 축조양상을 확인하기 어렵다. 다만 함몰부의 양상을 통해 일정 높이만큼의 봉토가 있었을 가능성이 있다. 적석부는 묘광과 목곽사이의 공간에 돌을 채운 형태로 주로 주곽에 분포한다. 지하식 적석목곽분의 적석은 묘광부분에 위치한 1차 적석과 그 위에 위치한 2차 적석이 크기와 범위에서 차이를 보인다. 그러나 적석목곽묘의 적석은 1차 적석에 해당하는 부분에 적석이 있으며, 목곽 상부에 상부적석이 얇게 형성된다. 상부적석은 유무에 따라 사방적석식과 상부적석식으로 구분되기도 한다. 하지만 적석목

---

168 금오문화재연구원, 2019, 『慶州 塔洞 21番地 遺蹟』.

169 보고서에서는 1호의 호석으로 보았지만 호석의 곡률과 이격된 거리, 토층양상으로 2호와 3호의 호석으로 볼 수 있다(금오문화재연구원 2019: 132-191).

곽묘에서 중요한 점은 봉분이 낮고 호석이 없는 구조로 적석목곽분과의 위계 차
이와 시간적인 차이가 있었을 가능성이 높다. 목곽은 단일곽의 형태를 띤다. 이것
은 적석목곽분에서 보이는 이중곽의 형태와 차이를 보이는 것으로 계통적인 차이
가 존재했다고 생각된다.

Ca1형은 경주 교동 94-3번지 3호 적석목곽묘를 통해 살펴보았다. 바닥은 잔자
갈층을 깔고 그 위에 바닥판을 설치한다. 부곽에는 바닥판이 존재하지 않으며, 주
곽의 유물 부장공간은 바닥석과 바닥판이 확인된다. 이것으로 보아 유물도 부장
공간에 따라 바닥판의 설치유무가 달랐을 가능성을 상정할 수 있다.

Cb형은 쪽샘 C16호에서 구조가 확인된다. 쪽샘 C16호의 목곽은 내부조사에서
확인된 유물의 배치양상을 통해 목곽의 크기와 구조를 추정해 보면 주곽은 두 개

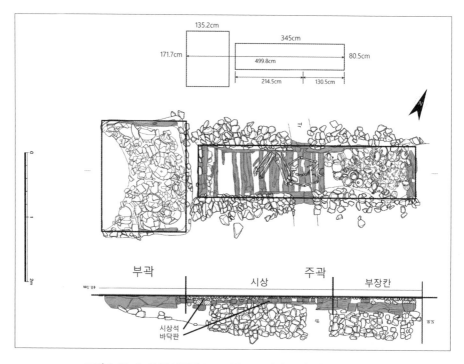

그림 2-36. Ca형 적석목곽묘 - 교동 94-3번지 유적 3호 적석목곽묘

의 공간으로 구분된다. 서편의 피장자 안치공간과 동편의 유물 부장공간이다. 목재의 흔적은 없지만 네 벽에서 확인되는 수직에 가깝게 쌓인 적석을 통해 그 내부에 목곽이 위치하는 것으로 상정된다. 목곽은 동서길이 366cm, 남북너비 102cm로 추정되며, 바닥판의 유무는 확인할 수 없다. 피장자가 안치된 공간은 유물 부장량이 적고, 동서길이 228cm, 남북너비 102cm이며 부장칸은 주곽의 동쪽에 위치한다. 부장칸의 크기는 동서 138cm, 남북 102cm이다. 피장자의 안치공간과 유물 부장공간을 분리하는 칸막이 시설이 있었는지는 토층에서 확인할 수 없어서 칸막이 시설이 별도로 존재하지 않았을 가능성이 높다.

부곽에서는 유물이 네 벽에서 안으로 18cm 정도 들어간 부분부터 일정하게 확인된다. 유물이 있는 범위는 동서길이 132cm, 남북너비 156cm로 남북너비가 긴 방형(1:1.18 비)의 형태를 띤다. 잔존 높이가 낮아서 목곽의 흔적은 알 수 없지만 묘광과 유물 사이의 공간으로 목곽이 있었을 가능성이 높다.

적석목곽묘의 주부곽 이외에 부장곽만 단독으로 있는 형태도 있다. 이러한 형태의 적석목곽묘는 단독부장곽으로 인왕동 19호분 B곽과 Z곽, 미추왕릉 6지구(D) 1부곽, 2부곽, 황남동 파괴분 제1곽 등이다. 이들 단독부장곽은 군집묘(복합묘 1식)의 묘군 속에서만 나타나며, 군집묘 전체에 대한 공납적 의미의 부곽들일 가능성이 있다[170].

4) 목곽묘(D)

(1) 주요 유구

목곽묘(D)는 매장시설로 목곽을 채용한 것으로 적석목곽묘와는 달리 목곽 주변을 돌로 뒤채움하지 않았다. 목곽묘의 구조를 대표적으로 보여 줄 수 있는 사례가 있어 보고서의 내용을 발췌한다.

---

170 최병현, 1992, 『신라고분연구』, 일지사: pp. 196-197.

쪽샘 C10호[171]는 경주 쪽샘유적 C지구 남서쪽에 위치하며, C지구 동쪽에 위치한 47호분에서 서쪽으로 약 20m 정도 떨어져 있다. 쪽샘유적의 기준점에서 보면 동쪽으로 70m, 북쪽으로 19m 지점에 위치(N19E70)하고 해발고도는 43.32m이다. 북쪽에 위치한 C16호와 1m 정도의 간격으로 나란히 위치한다. 북쪽에 위치한 C16호와의 중복관계를 살펴보았지만 묘광의 굴착면이 중복되지 않아서 토층을 통한 선후관계를 알 수 없다.

C10호의 구조는 주곽과 부곽을 따로 굴착한 이혈 주부곽식 형태의 목곽묘이고 전체 길이는 740cm이다. 묘의 장축방향은 동서방향(N-94°-E)으로 동서축이 긴 세장방형의 형태를 띤다. 주곽은 부곽의 동쪽에 위치하며 동서길이 452cm, 남북너비 200~212cm로 묘광을 굴착하였다. 묘광의 깊이는 59cm로 해발 42.73m에 바닥면을 조성하였다. 평면형태는 길이:너비의 비율이 2.13:1로 장방형을 띤다. 부곽은 주곽에서 서쪽으로 28cm 이격되어 있다. 크기는 동서길이 260cm, 남북너비 212cm로 동서축이 조금 긴 방형(1.23:1 비)의 형태를 띠고 장축방향이 반시계방향으로 4°정도 주곽과 틀어져 있지만 배치형태는 직렬이다. 부곽의 잔존 깊이는 39cm이며 해발 42.93m에서 바닥면을 조성하였다. 주곽과 부곽의 바닥면의 높이는 약 20cm의 차이가 있으며 부곽의 바닥면이 높게 굴착되었다.

유물부장은 부장위치에 따라 크게 ① 주곽의 바닥면, ② 주곽의 중앙부, ③ 주곽의 서편(발치), ④ 주곽의 부장칸(두부), ⑤ 부곽 이 다섯 곳으로 나누어져 있고 각 부장 공간 별로 부장되는 유물의 특질이 다르게 나타난다.

① 주곽의 바닥면에는 말갑옷(이하 마갑)과 찰갑옷(이하 인갑)이 확인된다. 마갑은 한 벌을 전면에 깔아 놓았다. 마갑은 말의 목과 가슴부분을 보호하는 경갑(서), 말의 몸통을 보호하는 신갑(중앙), 말의 엉덩이를 덮는 고갑(동) 등 세 부분으

---

171 국립경주문화재연구소, 2018, 『경주 쪽샘지구 신라고분유적 Ⅸ -C10호 목곽묘·C16호 적석목곽묘-』

로 구분할 수 있다. 목곽의 바닥판 위의 서쪽에서 동쪽 순으로 놓여있으며 길이
는 350cm 이다. 세부적으로 경갑이 놓인 범위는 동서 108cm, 남북 84cm이고 신
갑은 동서 140cm, 남북 90cm이다. 그리고 고갑은 동서 52cm, 남북 92cm 이다.
전체적인 남북 너비는 약 90cm 정도이다. 인갑은 마갑의 몸통부분 상면에서 출
토되었다. 인갑은 몸을 감싸는 신갑과 허리 아래부분을 보호하는 상갑이 놓여 있
다. 신갑은 앞면과 뒷면을 펼쳐 놓았으며 서쪽에서부터 동쪽으로 상갑(동서 24cm,
남북 60~72cm), 신갑 앞면(동서 52cm, 남북 56cm), 신갑 뒷면(동서 52cm, 남북 60cm)
순이며 전체 동서길이는 128cm이다. 피장자는 인갑 위에 안치되었으며 인갑은
시상의 역할을 하였던 것으로 추정된다. 인갑의 상면에 일부 목질흔이 관찰되지
만 목관의 흔적인지는 확실하지 않다. 따라서 마갑과 인갑은 부장용품의 의미보
다 유구를 구성하는 요소로 역할을 했던 것으로 보인다. ② 주곽의 중앙부에는 착
장용 무기류가 위치한다. 피장자의 오른편인 주곽의 북쪽에 치우쳐 환두대도와
녹각병도자가 위치한다. ③ 주곽의 서편은 피장자의 발치 쪽으로 무구류가 확인

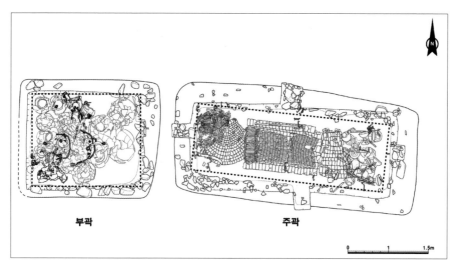

부곽   주곽

그림 2-37. 경주 쪽샘유적 C10호 평면도

된다. 이곳에는 만곡형 종장판주와 목가리개(경갑), 견갑, 상박갑, 비갑 등 다량의 소찰편이 북서쪽 모서리에서 확안된다. 남서쪽 부분에는 유자이기 2점과 겸형철기가 위치한다. ④ 주곽의 동쪽에 위치한 부장칸에서는 유개고배, 장경호 등의 소형 토기류가 확인되며 양장벽인 북벽과 남벽 가까이 철모가 각 1점과 7점이 확인된다. 이 철모는 북벽에 있는 철모와 주곽 중앙에서 확인된 철준과 한 개체인 것으로 판단되며, 철모는 목곽의 상부에 놓였을 가능성이 높다. ⑤ 부곽에는 토기류와 마구류가 상하층으로 구분되어 놓여있다. 하층에 있는 토기류는 대호와 유개 사이부호, 단경호 등 호류가 출토되고 크기에 따라 중형은 서쪽에 대형은 동쪽에 위치한다. 토기의 상층에는 마주, 안교, 등자, 재갈, 행엽 등 마구류가 확인된다. 마구류는 목개 상면에 부장되었을 가능성도 있다.

이외에 소형 목곽묘의 구조를 알 수 있는 자료에는 교동 94-3번지 유적에서 확인된 목곽묘가 있다[172], 이 유구는 단일곽 구조로 유물을 양단부장 하였다.

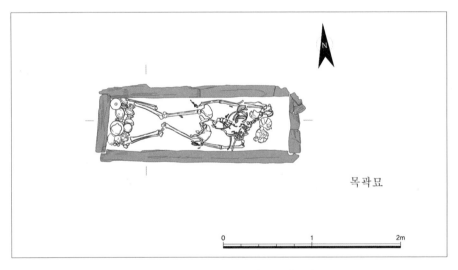

그림 2-38. 경주 교동 94-3번지 유적 목곽묘

172 신라문화유산연구원, 2016, 『경주 교동 94-3 일원 유적 - 천원마을 진입로 확 · 포장 공사부지 발굴

(2) 구조적 특징

목곽묘(D)는 매장시설로 목곽을 채용한 것으로 적석목곽묘와 달리 목곽 주변을 돌로 뒤채움하지 않았다. 목곽묘는 경주 쪽샘유적 C지구 10호묘에서 구조를 확인할 수 있다. 목곽은 내부조사에서 확인된 유물의 배치양상을 통해 목곽의 크기와 구조를 추정하였다. 주곽에서는 목곽을 결구하였던 꺾쇠가 출토되었다. 꺾쇠는 동벽과 중앙, 서벽에 남북으로 열을 맞추어 확인된다. 꺾쇠 출토위치로 볼 때 목곽의 측판과 상판은 여러 장의 판재를 결구하여 목곽을 조립한 것으로 추정된다. 바닥면에 놓인 유물과 충전토와의 거리는 약 20cm 내외의 간격을 두고 네 방향에서 빈공간이 일정하게 드러난다. 이 부분에 목곽이 있었던 것으로 보이며 목곽의 크기는 동서길이 368cm, 남북너비 128cm 이고, 목곽 판재의 두께는 15~20cm 정도로 추정된다. 또한 목곽바닥에 놓인 마갑 아래에서 확인된 목재의 흔적으로 볼 때 바닥판이 있었을 가능성이 높다. 바닥판의 범위는 목곽의 서쪽 끝에서 마갑이 놓인 부분까지로 추정되고, 유물 부장부에는 바닥판이 없었을 가능성이 높다.

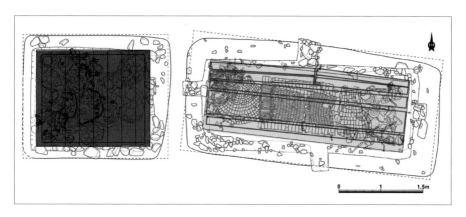

그림 2-39. 쪽샘 C10호 평면도 및 목곽복원도

조사 보고서-『조사연구총서 제79책.

부장부는 주곽의 동쪽에 위치하고, 크기는 동서 80cm, 남북 100cm 이다. 피장자의 안치공간과 유물 부장공간을 분리하는 칸막이 시설이 있었는지는 토층에서 확인할 수 없어서 칸막이 시설이 별도로 존재하지 않았을 가능성이 있다.

부곽에서는 충전토가 서쪽 20cm 내외, 동쪽 40cm 내외가 남아있어서 목곽은 서편에 치우쳐 설치된 것으로 추정된다. 목곽의 크기는 동서길이 200cm, 남북너비 160cm로 두께는 8~12cm 정도이다. 두께로 보면 주곽에 사용된 목재보다 7cm 가량 얇은 자재를 사용한 것으로 보인다. 또한 꺾쇠와 같은 목곽을 결구하는 연결구가 확인되지 않아 주곽과 다른 결구방법을 사용하였을 것이다.

이상으로 보면 목곽묘는 적석목곽분과 달리 단일곽으로 된 목곽을 사용한 것이다. 쪽샘 C10호 목곽묘의 목곽부는 주곽에서 확인된 꺾쇠를 통해 단일곽으로 확인된다[173]. 교동 94-3번지 유적 목곽묘[174]는 소형이지만 단일곽의 형태를 확인할 수 있으며 유물 부장공간과 구분하는 시설은 확인할 수 없다. 이 점은 C10호와 같이 목곽묘의 주곽 내부에 칸막이 시설이 없었을 가능성을 반증한다.

5) 석곽묘(E)

석곽묘(E)는 매장시설로 석곽을 채용한 것으로 목곽을 사용하지 않은 묘제이다. 적석목곽묘와의 차이는 다섯 가지로 정리할 수 있다. 첫째 벽석에서 층이 구분된다. 둘째 벽석의 품자형 쌓기 기법이 확인된다. 셋째 보강석이 확인된다. 넷째 곽의 네 모서리가 유지된다. 다섯째 개석이 확인된다. 이상의 다섯 가지의 특징이 석곽묘에서 확인된다.

월성로 가-11-1호분[175]은 묘광의 너비가 약 200cm이고 깊이 80cm 이다. 길이는

173 박형열, 2018a, 「V. 경주 쪽샘지구 C10호 목곽묘의 구조에 대하여」, 『경주 쪽샘지구 신라고분유적 IX -C10호 목곽묘·C16호 적석목곽묘-』, 국립경주문화재연구소: pp. 354-365.

174 신라문화유산연구원, 2016, 『경주 교동 94-3 일원 유적』.

175 國立慶州博物館, 1990, 『慶州 月城路 古墳群』: pp. 119-134.

서쪽이 차도 아래로 연장되기 때문에 전체적인 길이는 알 수 없다. 석곽의 규모는 너비 80cm에서 60cm, 깊이 65~75cm, 길이 280cm 정도이다. 곽벽은 직경 20cm 이상의 천석으로 하단부는 석재의 길이가 곽의 장축과 평행하게, 상단부는 직교 하여 3~4단 쌓았다. 개석은 유물이 부장된 곽 동단부의 130cm 정도를 덮고 있었으며, 나머지 부분은 원래부터 개석이 없었는지 아니면 후대에 결실되었는지는 알 수 없으나 곽벽의 상단부 상태로 보아 처음부터 목개였을 가능성이 크다. 개석의 크기는 길이 80cm, 너비 20~40cm이며, 그 사이의 틈을 20~40cm크기의 돌로 차례로 메꾼 다음 그 위를 점토로 다졌다.

월성로 가 11-1호보다 늦은 시기로 볼 수 있는 쪽샘 A4호, B25호, 인왕동(협성 주유소부지) 8호, 20호 등은 개석이 모두 갖추어져 있다. 이로 보아 석곽묘가 출현 하는 시기에 목개와 개석이 혼용되어 사용되다가 늦은 시기에 개석으로 전용된 것으로 생각된다.

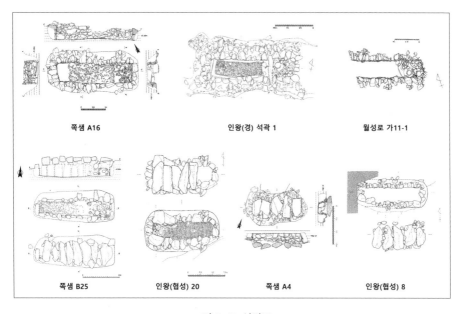

그림 2-40. 석곽묘

6) 옹관묘(F)

옹관묘(F)는 매장시설로 토기를 사용한 것으로 호, 옹, 발형토기 등을 합구하거나 단옹식으로 횡치한 묘제이다. 이러한 특징은 토기를 정치하거나 도치하여 매납하는 제사시설 또는 진단구 등과 뚜렷한 차이점이다.

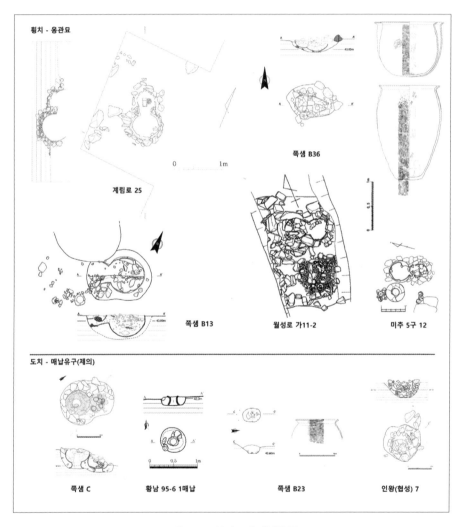

그림 2-41. 옹관묘와 매납유구

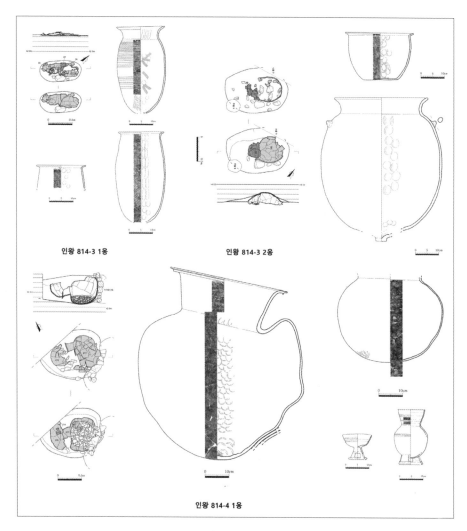

인왕 814-3 1옹   인왕 814-3 2옹

인왕 814-4 1옹

그림 2-42. 옹관묘

옹관묘의 대표적인 형태는 경주 계림로 25호 등을 통해 확인할 수 있다. 계림
로 25호[176]는 회청색 경질 대호와 회색 연질옹이 합구된 옹관묘이다. 전체 길이는

---

176 國立慶州博物館, 2012,『慶州 鷄林路 新羅墓 1』: pp.140-142.

102cm이고 옹관의 바닥에는 직경 25cm 내외의 천석을 채웠다. 옹관 내부는 일정 높이로 돌을 채워 평평한 바닥시설을 하였다. 보고자는 옹관 외부를 전체적으로 적석한 것으로 이해하고 적석옹관묘라 부르는 것도 타당할 것이라고 하였다. 하지만 하나의 특징적인 속성으로 이해하는 것이 옳을 듯싶다.

7) 토광묘(G)

토광묘(G)는 수혈을 굴착하고 시신을 바로 매장 한 묘제이다. 묘광의 굴광선이 정형성을 띠지 않으며, 굴곡이 있는 부정형을 띠는 것이 특징이다.

Ⅲ章 新羅 中心古墳群의 墓槨 分類와 編年

1. 墓槨의 構造와 築造工程

1) 묘곽의 크기 비교와 구조

묘제별로 구조적 특징을 요약해 보고자 한다. 곽의 크기에 비례하여 봉분의 규모가 달라지는 편이고, 매장시설의 규모에 따라 고분의 전체적인 구조가 달라진다. 이런 양상은 봉분이 없는 묘제(C~E)에서도 확인된다. 선행연구에 따르면 묘곽은 단일곽과 이중곽으로 구분된다. 또한 묘곽의 크기는 피장자의 위계, 부장품의 수량, 순장의 위치 등과 관련된다. 그러나 현재까지의 연구에서는 묘곽의 크기에 의해 구분되는 곽의 등급차이를 밝혀내지 못하였다. 이는 기존 연구에서 묘제의 구분이 뚜렷하지 못했기 때문이라고 생각한다. 본 연구와 같이 묘제가 분류되면 묘곽에서 찾지 못한 크기의 차이와 변화양상도 확인할 수 있을 것이다. 결과적으로 묘곽의 크기는 묘제 간에 차이 및 내부 구조와 연관성을 가진다.

(1) 곽의 크기와 군집분류

A형 지상식 적석목곽분은 크기에 따른 군이 있을 것으로 추정하고, 보고된 자료를 바탕으로 6기의 적석목곽분을 대상으로 매장시설의 크기를 비교하였다. 6기의 적석목곽분은 분구의 크기에서 초대형과 대형, 중대형으로 구분되지만, 목곽의 크기에서는 비슷한 편이다.

표 3-1. 지상식 적석목곽분(A)의 매장시설 크기 비교

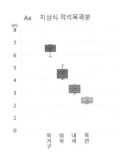

가	목조가구		외곽		내곽		목관	
	길이	너비	길이	너비	길이	너비	길이	너비
최소	5.83	4.1	4.01	2.29	2.83	1	2.06	0.7
최대	6.8	5.77	5.2	2.54	3.6	1.78	2.61	1.02
평균	6.49	4.51	4.56	2.35	3.26	1.42	2.3	0.8

목곽의 구조는 기존에 외곽으로 보았던 목조가구를 포함하여 크기를 비교하였다. 지상식 적석목곽분을 목조가구와 외곽, 내곽, 목관, 시상구조의 크기로 구분하여 살펴보았을 때 목조가구는 5.83에서 6.8m의 크기이고, 외곽은 4.01에서 5.2m의 크기이다. 내곽은 2.83에서 3.6m, 목관은 2.06에서 2.61m의 크기이다. 목조가구와 외곽, 내곽, 목곽 사이에는 각각 1.6~1.82m, 1.18~1.6m, 0.77~0.99m의 길이 차이가 있다.

이러한 결과는 봉분이 커지더라도 매장시설은 크기에 따라 크게 변별되지 않는다. 앞에서 살펴본 적석부의 규모 또한 비슷하게 축조되고 있어서 봉분의 봉토 크기에 따라 적석목곽분의 크기에 차이가 있다. 결국, 지상식 적석목곽분은 봉분의 크기가 변화하더라도 적석부와 매장시설에는 크기 차이가 뚜렷하지 않다.

표 3-2. 지하식 적석목곽분(Ba1)의 매장시설 크기 비교

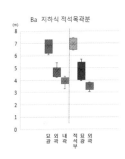

가 (중형)	묘광		외곽		내곽		시상	
	길이	너비	길이	너비	길이	너비	길이	너비
최소	6.05	3.6	4.22	2.1	3.3	1.3	2.12	0.8
최대	7.3	5.3	5.4	3.8	4.3	1.8	3.7	1.25
평균	6.84	4.67	4.75	2.67	3.97	1.51	2.68	0.98

나 (소형)	전체(적석부)		묘광		외곽		내곽		시상	
	길이	너비	길이	너비	길이	너비	길이	너비	길이	너비
최소	6.43	3.46	3.96	0.97	3.05	1.03	2.82	0.82	1.6	0.7
최대	7.47	4.75	5.72	2.89	3.84	1.54	3.45	1.13	2.16	1.13
평균	6.98	4.16	4.79	2.25	3.55	1.25	3.11	0.95	1.88	0.95

Ba1형 지하식 적석목곽분은 크기에 따라 두 개의 군이 확인된다. 가군과 나군은 묘광과 목곽의 크기에서 차이를 보인다. 특이한 점은 가군의 묘광 크기와 나군의 적석부를 포함한 전체 크기가 비슷한 규모를 가진다는 점이다. 가군은 묘광이 6.05~7.3m, 외곽이 4.22~5.4m, 내곽이 3.3~4.3m, 시상(목관)이 2.12~3.7m의 크기이다. 나군은 묘광이 3.96~5.72m, 외곽인 3.05~3.84m, 내곽이 2.82~1.13m, 시상(목관)이 1.6~2.16m이다. 봉분의 크기도 가군은 중형분이고, 나군은 소형분에서 확인되고 있어서 봉분의 크기와 목곽의 크기는 연관성을 가진다.

표 3-3. 적석목곽묘(Ca1)의 매장시설 크기 비교

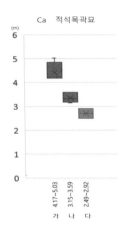

가	묘광		목곽		시상	
	길이	너비	길이	너비	길이	너비
최소	4.17	1.65	2.79	1.03	2.02	0.69
최대	5.03	2.49	3.63	1.34	2.39	1.05
평균	4.42	2.21	3.36	1.14	2.20	0.89

나	묘광		목곽		시상	
	길이	너비	길이	너비	길이	너비
최소	3.15	1.25	2.75	0.87	1.72	0.62
최대	3.59	2.14	3.09	1.16	1.92	0.80
평균	3.35	1.56	2.86	0.98	1.81	0.73

다	묘광		목곽		시상	
	길이	너비	길이	너비	길이	너비
최소	2.49	1.31	1.86	0.53	1.40	0.40
최대	2.92	1.49	2.55	0.75	1.85	0.93
평균	2.71	1.43	2.21	0.64	1.66	0.64

Ca1형 적석목곽묘에서는 묘광과 목곽의 크기에 따라 세 개의 군으로 나뉜다. 가군은 묘광이 4.17~5.03m, 목곽이 2.79~3.63m, 시상(목관)이 2.02~2.39m이다. 나군은 묘광이 3.15~3.59m, 목곽이 2.75~3.09m, 시상(목관)이 1.72~1.92m 이다. 다군은 묘광이 2.39~2.92m, 목곽이 1.86~2.55m, 시상(목관)이 1.4~1.85m의 크기이다.

표 3-4. 적석목곽묘(Cb)의 매장시설 크기 비교

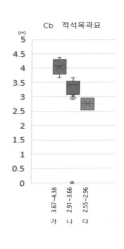

가	묘광		목곽		시상	
	길이	너비	길이	너비	길이	너비
최소	3.67	1.60	3.09	0.97	1.99	0.75
최대	4.38	2.28	3.73	1.73	2.39	1.02
평균	4.05	1.84	3.42	1.19	2.15	0.83

나	묘광		목곽		시상	
	길이	너비	길이	너비	길이	너비
최소	2.91	1.10	2.35	0.81	1.17	0.56
최대	3.66	2.00	3.02	1.17	2.12	0.86
평균	3.36	1.55	2.82	0.98	1.85	0.72

다	묘광		목곽		시상	
	길이	너비	길이	너비	길이	너비
최소	2.55	1.15	1.75	0.50	1.58	0.59
최대	2.96	1.42	2.29	0.77	1.62	0.66
평균	2.79	1.28	2.10	0.62	1.60	0.63

Cb형 적석목곽묘는 가, 나, 다 세 개의 군으로 구분된다. 가군은 묘광이 3.67~4.38m, 목곽이 3.09~3.73m, 시상(목관)이 1.99~2.39m이다. 나군은 묘광이 2.91~3.66m, 목곽이 2.35~3.02m, 시상(목관)이 1.17~2.12m이다. 다군은 묘광이 2.55~2.96m, 목곽이 1.75~2.29m, 시상(목관)이 1.58~1.62m이다.

표 3-5. 목곽묘(Da1)의 매장시설 크기 비교

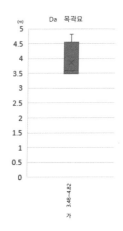

가	묘광		목곽		시상	
	길이	너비	길이	너비	길이	너비
최소	3.48	1.32	2.87	0.87	1.97	0.67
최대	4.82	2.94	4.55	2.48	2.55	0.87
평균	3.87	1.74	3.51	1.36	2.27	0.74

Da1형 목곽묘는 현재까지의 자료로 본다면 한 개의 군이 확인된다. 가군은 묘
광이 3.48~4.82m이고, 목곽이 2.87~4.55m, 시상(목관)이 1.97~2.55m의 크기이
다. Da 목곽묘는 수량이 적어서 하나의 군집으로 분류되지만, 추후 수량이 증가
하면 두 개에서 세 개의 군집으로 분리될 가능성이 있다. 아니면 시상석이 없는
Db형 목곽묘와 달리 대형 목곽에서 확인될 수 있다.

Db형 목곽묘는 매장시설의 크기에 따라 4개의 군집으로 구분된다. 가군은 묘광
이 3.64~4.52m, 목곽이 3.33~3.73m, 시상(목관)이 2.15~3.50m의 크기이다. 나군
은 묘광이 3.06~3.52m, 목곽이 2.67~3.28m, 시상(목관)이 1.93~2.52m 이다. 다군
은 묘광이 2.29~2.95m 목곽이 2.14~2.53m, 시상(목관)이 1.27~2.04m 이고, 라군
은 묘광이 1.93~2.19m, 목곽이 1.75~1.98m, 시상(목관)이 1.56m의 크기이다.

표 3-6. 목곽묘(Db)의 매장시설 크기 비교

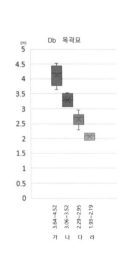

가	묘광		목곽		시상	
	길이	너비	길이	너비	길이	너비
최소	3.64	1.29	3.33	0.79	2.15	0.73
최대	4.52	2.12	3.73	1.29	3.50	1.40
평균	4.14	1.70	3.59	1.13	2.52	0.98

나	묘광		목곽		시상	
	길이	너비	길이	너비	길이	너비
최소	3.06	1.20	2.67	0.74	1.93	0.72
최대	3.52	1.56	3.28	1.31	2.52	1.07
평균	3.29	1.35	2.97	0.99	2.21	0.86

다	묘광		목곽		시상	
	길이	너비	길이	너비	길이	너비
최소	2.29	0.88	2.14	0.59	1.27	0.54
최대	2.95	1.59	2.53	0.98	2.04	0.89
평균	2.65	1.06	2.31	0.76	1.68	0.65

라	묘광		목곽		시상	
	길이	너비	길이	너비	길이	너비
최소	1.93	0.72	1.75	0.55	1.56	0.54
최대	2.19	0.96	1.98	0.62	1.56	0.54
평균	2.07	0.83	1.89	0.57	1.56	0.54

Ea1형 석곽묘 경우 석곽의 크기에 따라 5개의 군으로 구분된다. 가군은 묘광이 3.7~4.13m, 석곽 내부가 3.03~3.35m, 시상이 1.85~2.31m의 크기이다. 나군은 묘광이 3.27~3.58m, 석곽 내부가 2.26~2.85m, 시상이 1.76~1.98m이고, 다군은 묘광이 2.44~3.04m, 석곽 내부가 1.87~2.61m, 시상이 1.32~1.91m 이다. 라군은 묘광이 1.86~2.2m, 석곽 내부가 1.27~1.78m, 시상이 0.98~1.56m 이다. 마군은 한 기가 확인되며, 묘광이 1.19, 석곽 내부가 0.92m의 크기이다.

Eb형 석곽묘는 매장시설의 크기에 따라 3개의 군집으로 구분된다. 가군은 묘광이 3.75~3.88m, 석곽 내부가 2.96~3.17m이다. 나군은 묘광이 2.75~3.16m, 석

표 3-7. 석곽묘(Ea1)의 매장시설 크기 비교

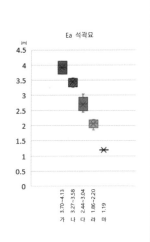

Ea 석곽묘

가	묘광		석곽 내부		시상	
	길이	너비	길이	너비	길이	너비
최소	3.70	1.59	3.03	0.75	1.85	0.75
최대	4.13	1.91	3.35	0.76	2.31	0.79
평균	3.92	1.75	3.19	0.76	2.08	0.77

나	묘광		석곽 내부		시상	
	길이	너비	길이	너비	길이	너비
최소	3.27	1.29	2.26	0.52	1.76	0.48
최대	3.58	1.81	2.85	0.70	1.98	0.70
평균	3.44	1.63	2.62	0.65	1.88	0.60

다	묘광		석곽 내부		시상	
	길이	너비	길이	너비	길이	너비
최소	2.44	1.03	1.87	0.39	1.32	0.48
최대	3.04	1.62	2.61	0.71	1.91	0.68
평균	2.71	1.27	2.10	0.57	1.64	0.61

라	묘광		석곽 내부		시상	
	길이	너비	길이	너비	길이	너비
최소	1.86	0.85	1.27	0.35	0.98	0.41
최대	2.20	1.19	1.78	0.51	1.56	0.51
평균	2.06	0.99	1.54	0.45	1.27	0.47

마	묘광		석곽 내부		시상	
	길이	너비	길이	너비	길이	너비
최소	1.19	0.45	0.92	0.20		
최대	1.19	0.45	0.92	0.20		
평균	1.19	0.45	0.92	0.20		

곽 내부가 2.13~2.41m의 크기이다. 다군은 현재 한 기가 확인되며 묘광이 2.26m, 석곽 내부가 1.79m의 크기를 띤다. Eb형 석곽묘의 경우 시상석이 없는 구조로 시상의 크기는 알 수 없으며 가, 나, 다군의 석곽 내부 너비가 0.45~0.64m 정도로 작은 규모인 것을 확인할 수 있다.

표 3-8. 석곽묘(Eb)의 매장시설 크기 비교

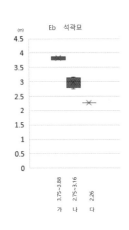

가	묘광		석곽 내부		시상	
	길이	너비	길이	너비	길이	너비
최소	3.75	1.42	2.96	0.55		
최대	3.88	1.49	3.17	0.64		
평균	3.82	1.46	3.07	0.60		

나	묘광		석곽 내부		시상	
	길이	너비	길이	너비	길이	너비
최소	2.75	0.96	2.13	0.45		
최대	3.16	1.62	2.41	0.57		
평균	2.98	1.23	2.28	0.52		

다	묘광		석곽 내부		시상	
	길이	너비	길이	너비	길이	너비
최소	2.26	1.08	1.79	0.56		
최대	2.26	1.08	1.79	0.56		
평균	2.26	1.08	1.79	0.56		

(2) 매장시설의 크기에 따른 묘곽 구조

매장시설의 크기에 따른 구분은 목곽과 석곽을 같이 분류하기 위해 묘광의 크기를 기준으로 분류한다. A 지상식 적석목곽분과 Ba1 지하식 적석목곽분은 매장시설의 내부 구조에 따른 크기 변화양상을, Ca1 적석목곽묘에서 Eb 석곽묘까지는 매장시설의 내부 규모를 알 수 있지만, F 토광묘와 G 옹관묘는 규모 변화가 크고 묘광이 부정형을 띠기 때문에 이 분류에서는 제외하고 살펴보았다.

A 지상식 적석목곽분에서 Eb 석곽묘까지 묘제의 규모에 따라 묘광의 크기를 서로 비교하였을 때 일정한 규칙성이 확인되며 6가지의 크기 조합이 있다. 조합 1은

표 3-9. 매장시설 크기에 따른 규모 비교와 매장시설 크기의 기준 설정

구분			목관 (시상)	내곽	외곽		목가구
A			2.06~2.61 0.70~1.02	2.83~3.60 1.00~1.78	4.01~5.20 2.29~2.54		5.83~6.80 4.10~5.77

구분			목관 (시상)	내곽	외곽	묘광
Ba1	가 중형		2.12~3.70 0.80~1.25	3.30~4.30 1.30~1.80	4.22~5.40 2.10~3.80	6.05~7.30 3.60~5.30

구분		목관 (시상)	내곽	외곽	묘광	적석부
Ba1	나 소형	1.60~2.16 0.70~1.13	2.82~3.45 0.82~1.13	3.05~3.84 1.03~1.54	3.96~5.72 0.97~2.89	6.43~7.47 3.46~4.75

Ca1	크기			다	나	가
	길이			2.49~2.92	3.15~3.59	4.17~5.03
	너비			1.31~1.49	1.25~2.14	1.65~2.49
	개수			3	7	6
Cb	크기			다	나	가
	길이			2.55~2.96	2.91~3.66	3.67~4.38
	너비			1.15~1.42	1.10~2.00	1.60~2.28
	개수					
Da1	크기					가
	길이					3.48~4.82
	너비					1.32~2.94
	개수					
Db	크기		라	다	나	가
	길이		1.93~2.19	2.29~2.95	3.06~3.52	3.64~4.52
	너비		0.72~0.96	0.88~1.59	1.20~1.56	1.29~2.12
	개수					
Ea1	크기	마	라	다	나	가
	길이	1.19	1.86~2.20	2.44~3.04	3.27~3.58	3.70~4.13
	너비	0.45	0.85~1.19	1.03~1.62	1.29~1.81	1.59~1.91
	개수					
Eb	크기		다	나		가
	길이		2.26	2.75~3.16		3.75~3.88
	너비		1.08	0.96~1.62		1.42~1.49
	개수					

↓

	조합 6	조합 5	조합 4	조합 3	조합 2		조합 1
기준 (m)	1.00~1.50 0.40~0.80	1.50~2.30 0.70~1.20	2.30~3.10 0.70~1.70	3.10~3.60 0.80~2.20	3.60~4.40 1.0~3.00	4.40~6.00 2.00~4.00	6.00~8.00 3.50~6.00
크기	극소	소	중	중대	대		특대

A의 목가구와 Ba1 가군의 묘광, Ba1 나군의 적석부 크기 이고, 조합 2는 A의 외곽, Ba1 가군의 외곽, Ba1 나군의 묘광, Ca1 가군, Cb 가군, Da1 가군, Db 가군, Ea1 가군, Eb 가군으로 규모가 서로 유사한 범위이다. 조합 3은 A의 내곽, Ba1 가군의 내곽, Ba1 나군의 외곽, Ca1 나군, Cb 나군, Db 나군, Ea1 나군이다. Eb에서는 가군과 나군의 군집과 크기의 간격이 넓게 나타나는데 이것은 추후 보충될 가능성이 있다. 조합 4는 A의 시상(목관), Ba1 가군의 시상(목관), Ba1 나군의 내곽, Ca1 다군, Cb 다군, Db 다군, Ea1 다군, Eb 나군이다. 조합 5는 Ba1 나군의 시상(목관), Db 라군, Ea1 라군, Eb 다군이다. 조합 6은 Ea1 마군으로 한 기가 확인되고 있다. 라군에 속할 수 있지만 크기의 격차가 있어서 마군으로 구분하고자 한다.

매장시설 크기의 조합상을 비교하여 기준 크기를 설정하면 다음과 같다. 조합 1의 길이는 6.0~8.0m이고, 너비는 3.5~6.0m이다. 조합 2는 크기에 따라 길이 3.6~4.4m, 너비 1.0~3.0m인 것과 길이 4.4~6.0, 너비 2.0~4.0인 것으로 세분된다. 조합 3은 길이 3.1~3.6m, 너비 0.8~2.2m이고, 조합 4는 길이 2.3~3.1m, 너비 0.7~1.7m이다. 조합 5는 길이 1.5~2.3m, 너비 0.7~1.2m이고, 조합 6은 1.0(이하)~1.5m, 너비 0.4~0.8m이다. 각각의 조합 1은 특대형, 조합 2는 대형, 조합 3은 중대형, 조합 4는 중형, 조합 5는 소형, 조합 6은 극소형으로 구분한다.

이상과 같은 관찰과 분석을 통해 목곽의 규모와 구조는 묘제에 따라 일정한 제한이 있음을 파악할 수 있었다. 목곽은 크기에 따라 이중곽식과 단일곽식으로 구분된다. 기존 연구에서는 이중곽 이상의 곽이 겹쳐 있는 고분도 존재하였다고 보았지만, 목곽의 크기 비교를 통해 목곽의 구조는 이중곽식과 단일곽식[177]의 두 형태만 존재했을 가능성이 높다.

단적으로 지상식 적석목곽분과 지하식 적석목곽분의 매장시설 크기를 비교해

---

177 목곽의 구조를 구분하는 용어는 주곽과 부곽의 연결 관계에 따른 '주부곽식과 단곽식'과 곽의 중첩에 따른 '이중곽식과 단일곽식'으로 구분할 수 있다.

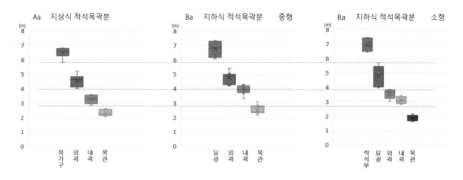

그림 3-1. 지상식과 지하식 적석목곽분의 매장시설 크기 비교

보면 목곽의 규모에 일정한 제한이 두어져 있음을 알 수 있다. 지상식 적석목곽분 목곽부 구조에서 황남대총 남분의 경우 외곽, 내곽, 외관, 내관[178]이나 외곽, 중곽, 내곽, 목관[179]으로 시설을 구분한다. 하지만 지하식 적석목곽분과 비교하면 목곽의 제일 바깥 시설인 외곽은 지하식 적석목곽분의 묘광 크기의 범위와 유사하다. 그리고 지상식의 내곽이나 중곽은 지하식의 외곽과 범위가 같다. 마찬가지로 지상식의 외관과 내곽은 지하식의 내곽과 유사하다.

하지만 지하식에서 중형분과 소형분의 매장시설을 비교하면 소형분이 중형분에 비해 외곽 크기가 축소된 것이 확인된다. 이는 봉토의 크기에 따라 목곽의 규모가 작아지는 것으로 볼 수도 있다. 또한 소형분의 외곽과 내곽의 크기는 조합 4와 3(2.3~3.6m)에서 중복된다. 이것은 지하식 적석목곽분 중 소형분에서 이중곽과 단일곽의 형태가 함께 나타나고 있기 때문으로 생각된다. 이렇게 보면 지상식 적석목곽분의 목곽은 지하식 적석목곽분 중형분의 목곽과 유사한 이중곽의 형태를 띠기 때문에 규모의 범위도 비슷할 가능성이 높다. 그러므로 지상식 적석목곽분에서 기존 외곽의 경계는 목가구의 경계이다.

---

178 최병현, 1992, 『신라고분연구』, 일지사.

179 金龍星, 1997, 『大邱·慶山地域 高塚古墳의 研究』, 嶺南大學校 大學院 博士學位論文.

표 3-10. 연구자별 주요 고분의 목곽 구조 비교

연번	고분	해당 보고서	최병현[180] (1992, 2016)	이희준[181] (1996)	김용성[182] (2007)	이재홍[183] (2007)	김두철[184] (2009)	본고
1	황남대총 남분 (98호분 남)	이중곽 (1994)	이중곽+이중목관 (1980)	이중곽	삼중곽+목관	이중곽	이중곽	이중곽
2	황남대총 북분 (98호분 북)	이중곽 (1985)	이중곽+목관	이중곽	이중곽+목관	이중곽	이중곽	이중곽
3	금관총(126호분)	-	단일곽+목관	이중곽	이중곽	이중곽	이중곽	이중곽
4	천마총(155호분)	이중곽 (1974)	단일곽+목관	이중곽	이중곽	이중곽	이중곽	이중곽
5	금령총(127호분)	-	단일곽+목관	이중곽	이중곽	이중곽	이중곽	이중곽
6	은령총(139호분)	-	단일곽+목관	이중곽	이중곽 (2006)	이중곽	-	이중곽
7	호우총(140호분)	-	단일곽+목관	이중곽	이중곽 (2006)	이중곽		이중곽
8	노동리 4호분 (142호분)	이중곽 (2000)	단일곽+목관	이중곽	이중곽	이중곽		이중곽
9	황남리 109호분 3·4곽		단일곽+목관	이중곽	이중곽	이중곽	단일곽	단일곽
10	황남리 110호분	-	단일곽+목관	이중곽	이중곽	이중곽	단일곽	이중곽
11	복천동 32호분	-	단일곽+목관	이중곽	이중곽	이중곽	단일곽	이중곽
12	괴시리 16호분	이중곽 (1999)	단일곽+목관 (2016:143-145))	이중곽	이중곽	이중곽	-	이중곽
13	임당 G5호	이중곽 (2001)	단일곽+목관	이중곽	이중곽	이중곽	단일곽	이중곽
14	임당 G6호	이중곽 (2001)	단일곽+목관	이중곽	이중곽	이중곽	단일곽	이중곽
목곽 기본 구조 이해	석단시설	—	일부인정	인정	인정	인정	일부부정	인정
	곽 구조	—	이중곽 단일곽(홑곽)	이중곽	삼중곽 이중곽 단일곽	이중곽	이중곽 단일곽	이중곽 단일곽

180 崔秉鉉, 1992, 『新羅古墳研究』, 一志社.

181 이희준, 1996, 「경주 월성로 가-13호 적석목곽묘의 연대와 의의」, 『석오윤용진교수정년퇴임기념논총』: pp. 295-307.

182 김용성, 2007, 「신라 적석봉토분의 지상식 매장주체시설 검토」, 『韓國上古史學報』제56호: pp. 115~141.

183 이재홍, 2007, 「경주지역 적석목곽묘의 출현과정에 대한 일고찰」, 『嶺南考古學』43, 嶺南考古學會.

184 김두철, 2007, 「소위사방식적석목곽묘의 검토」, 『고고광장』(부산고고학연구회) 1.
김두철, 2009, 「積石木槨墓의 구조에 대한 비판적 검토」, 『古文化』제73집.

기존 연구에서 지상식 적석목곽분에서 목곽의 외곽으로 보았던 부분은 본 연구의 분석 결과 적석부 목가구 구조의 안쪽 경계로 보인다. 결국 황남대총 남분과 북분, 천마총 등에서 외곽으로 설정한 것은 목가구 구조이고 중곽 혹은 내곽은 외곽으로 볼 수 있다(그림 3-2). 이것은 축조과정을 복원하는 부분에서도 매우 중요한 점을 시사한다. 즉, 지상식 적석목곽분의 목곽 구조는 이중곽의 형태이다. 지하식 적석목곽분의 경우 중형분은 이중곽, 소형분은 이중곽과 단일곽의 구조가 공존한다.

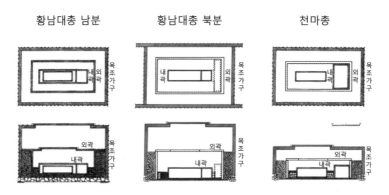

그림 3-2. 주요 지상식 적석목곽분의 목곽 복원도(박형열 2020 개변)

표 3-11. 묘제별 구조적 특징

특징		종류	Aa 지상식 적석목곽분	Ba1 지하식 적석목곽분	Ba1 지하식 적석목곽분	Ca1 적석목곽묘	Cb 적석목곽묘	Da 목곽묘	Db 목곽묘	Ea 석곽묘	Eb 석곽묘
봉분	규모		대·중	중·소	소						
	구조		4단(⑥공정)	2단(⑥공정)	2단(④공정)						
적석	규모 (m)		長 22.0~27.6 短 19.0~20.4 高 4.5~6.0	長 8.7~9.6 短 6.4~7.2 高 2.3~3.6	長 6.43~5.47 短 3.46~4.75 高 1.8~2.3						
	구조		4단	2단	1단						
매장시설	종류		목곽	목곽	목곽	목곽	목곽	목곽	목곽	석곽	석곽
	규모		대	대	중대	대·중대·중	대·중대·중	대	대·중대·중·소	대·중대·중·소·극소	대·중·소
	구조		이중곽	이중곽	이중곽·단일곽	이중곽·단일곽	이중곽·단일곽	이중곽·단일곽	이중곽<단일곽	이중곽<단일곽	이중곽<단일곽
	바닥시설		시상석	시상석	시상석	시상석	무시상	시상석	무시상	시상석	무시상

이와 같은 결과로 보면 적석목곽묘는 2.3m에서 3.6m 사이의 목곽 길이가 보편적으로 확인된다. 그리고 목곽의 길이가 2.3에서 3.6m 사이인 그룹은 단일곽식의 목곽구조로 추정된다. 결과적으로 중대형분 이상의 고분은 이중곽식의 목곽구조를 띠고 중형분 이하의 고분에서는 단일곽식의 구조이다.

묘곽에서 적석부 내면과 석단 주변으로 주칠이 확인되는 경우가 있다. 이 경우 목곽 추정선을 따라 나타나고 있어서 목곽과 관련되었을 가능성이 있는 것으로 생각된다. 직접 돌에 주칠을 하였을 수도 있지만 목곽에 사용된 부재 외면에 주칠을 하였거나 목곽 설치 후 외면에 주를 뿌렸을 수 있다. 정리하면 목곽과 맞닿은 석재에 착색되어 잔존하는 것이며, 주칠된 석재를 통해 목곽선을 복원할 수 있을 것이다.

2) 묘곽 복원과 바닥구조

삼국시대 목곽묘의 목곽구조를 복원하는 것은 목재가 남아있는 예가 드물기 때문에 쉽지 않다. 그러나 삼국시대의 묘제에 목재가 사용되었다는 것이 알려진 후 목곽묘 내부 구조에 대한 연구가 지속되고 있다. 여기에서는 경주 쪽샘 C10호를 중심으로 매장시설인 목곽의 내부구조에 대해 살펴보고자 한다[185].

경주 쪽샘유적 C10호와 C16호는 경주 월성북고분군 내에 위치하고 있으며, 쪽샘유적 C지구 남서편에 동서방향으로 나란히 배치되었다. C10호와 C16호는 이혈 주부곽식 구조의 목곽을 가진 유구로 충전양상과 목곽 부속구에서 차이가 드러난다.

C10호는 주곽에서 꺾쇠가 다수 출토되었으며, 출토위치가 열상으로 구분된 형태이다. 꺾쇠의 열을 따라 목곽이 있었을 것으로 추정된다. 목곽으로 추정하는 것은 꺾쇠를 통해 목곽의 구조와 결구방식을 연구한 선행연구를 따랐다. 선행연구[186]

---

185 쪽샘 C10호 목곽묘의 내부 구조는 필자가 작성한 고찰를 옮긴 것이다.
　　박형열, 2018a, 「Ⅴ. 경주 쪽샘지구 C10호 목곽묘의 구조에 대하여」, 『경주 쪽샘지구 신라고분유적 Ⅸ -C10호 목곽묘 · C16호 적석목곽묘-』, 국립경주문화재연구소: pp. 354-365.
186 李熙濬, 2016, 「영남지방 3~5세기 목곽 구조 복원안들의 종합토론」, 『야외고고학』제25호.

자료를 보면 꺾쇠의 용도에 따라 내곽용설[187], 목관용설[188], 개판연결용설[189], 신내곽용설[190] 등 네 가지의 견해로 나뉜다. 이는 꺾쇠가 어느 곳에 사용되었는지를 논한 것으로 각 유구 마다 출토위치를 바탕으로 견해를 달리하고 있다.

이처럼 꺾쇠의 출토위치는 목곽의 내부 구조를 파악하는데 도움이 된다. 따라서 C10호에서 확인된 주곽 내부의 꺾쇠는 내부시설의 규모와 형태, 구조를 파악할 수 있는 자료가 된다. 또한 꺾쇠의 용도가 어떻든 간에 목곽의 구조를 이해할 수 있는 자료가 된다.

반면 C16호는 C10호와 달리 꺾쇠가 출토되지 않았다. 이것은 두 분묘의 결구 방법에서 차이가 있음을 보여준다. 더불어 C16호는 충전공간에 적석을 쌓고, 내부에 상부적석이 확인되는 점이 경주 교동 94-3 일원 유적[191]의 3호 적석목곽묘와 유사하다. 다른 점으로는 3호 적석목곽묘가 주곽과 부곽의 높이를 동일하게 조영한 점이다. C16호는 주곽보다 부곽의 해발고도가 높고, 이혈 주부곽의 형태를 가진다. 하지만 주곽의 구조는 거의 동일한 것으로 생각되며 C16호는 적석목곽묘로 구분할 수 있다.

본 글에서는 목곽묘의 내부 구조와 형태에 대해 알아보고자 하며, 목부재가 남아있지 않지만 내부 목곽의 구조를 유추할 수 있는 꺾쇠가 출토된 경주 쪽샘유적 C10호를 대상으로 내부 목곽의 구조에 대해 살펴보도록 한다. 더불어 꺾쇠와 내부시설인 목곽과의 관계에 대해서도 함께 생각해보고자 한다.

---

187 李賢珠, 2006, 「꺾쇠의 사용례로 본 4세기대 영남지역 목곽묘의 구조 복원」, 『石軒 鄭澄元教授 停年記念論叢』, pp. 563-575.

188 金斗喆, 2010, 「棺床과 前期加耶의 墓制」, 『한국고고학보』 75: pp. 126-169.

189 崔鍾圭, 2012, 「福泉洞高塚의 禮制」, 『考古學探究』 11: pp. 47-91.

190 李熙濬, 2016, 「영남지방 3~5세기 목곽 구조 복원안들의 종합토론」, 『야외고고학』 제25호.

191 신라문화유산연구원, 2016, 『경주 교동 94-3 일원 유적 - 천원마을 진입로 확·포장 공사부지 발굴조사 보고서-』 조사연구총서 제79책.

(1) 경주 쪽샘유적 C10호의 구조적 특징

가. 평면 형태와 규모

경주 쪽샘유적 C10호는 이혈 주부곽식 평면형태를 가진 목곽묘이다(그림 2-37 참조). 보고된 내용으로 보면 주곽은 부곽의 동쪽에 위치하며 동서길이 452cm, 남북너비 200~212cm로 묘광을 굴착하였다. 묘광의 깊이는 59cm이고, 평면형태는 장방형을 띤다. 부곽은 주곽에서 서쪽으로 28cm 이격되어 있다. 크기는 동서길이 260cm, 남북너비 212cm로 동서축이 조금 긴 방형의 형태를 띠고 부곽의 잔존 깊이는 39cm이다. 주곽과 부곽의 바닥면의 높이는 약 20cm의 차이가 있으며 부곽의 바닥면이 높게 굴착되었다.

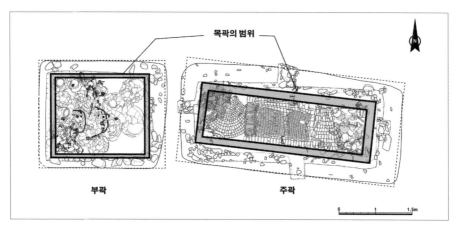

그림 3-3. 경주 쪽샘유적 C10호 목곽의 범위

주곽 내부에서 확인되는 꺾쇠와 유물의 부장공간을 통해 내부시설의 규모를 추정할 수 있다. 바닥면에서는 묘광과 유물부장공간 간에 13~17cm의 간격이 확인된다. 이 간격을 기준으로 목곽의 나무 두께가 17cm인 동쪽을 제외하고 세 방향의 간격이 13cm로 일정한 양상을 보여 목곽의 두께는 13cm 이하일 가능성이 높다. 또한 부곽에서는 7.4~8.7cm의 간격이 확인되는데, 이를 통해, 목곽의 두께는

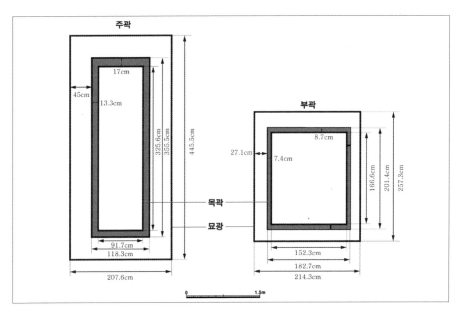

그림 3-4. 경주 쪽샘유적 C10호 목곽과 묘광의 크기

7cm 이내일 가능성이 높다.

목곽과 묘광의 크기(주곽의 틀어진 각도를 고려하여 재측정)를 모식도로 나타내면 주곽은 묘광의 크기가 동서 445.5cm, 남북 207.6cm이고 목곽은 동서 355.5cm, 남북 118.3cm이다. 묘광과 목곽 사이에는 45cm의 충전공간이 있다. 부곽은 묘광 크기가 동서 257.3cm, 남북 214cm이고 목곽은 동서 201.4cm, 남북 182.7cm 이다. 묘광과 목곽의 간격은 27.1cm 이다.

나. 목곽 부속구의 유무와 내부시설의 관계

목곽을 제작하는 과정에서 사용되는 부속구는 꺾쇠, 정(못), 끈 등이 있다. 이중 C10호에서 확인되는 부속구는 꺾쇠로, 묘광 내부에 목곽이 있었을 확률이 높다.

C10호의 주곽에서 확인된 꺾쇠는 총 47점이고, 신부의 길이가 다른 꺾쇠가 사용되었다. 부곽에서는 꺾쇠나 정과 같은 부속 연결구가 확인되지 않아서 주곽과

다른 결구 방법을 사용하였을 것으로 보인다. 주변 유적의 자료를 참고하여 추정해 보면, 'ㄱ'자 모양으로 홈을 파고 결구했을 가능성을 생각해 볼 수 있다. 주곽에서 출토된 꺾쇠의 분포양상을 확인하면 다음과 같다.

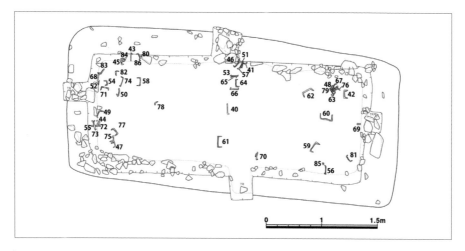

그림 3-5. 경주 쪽샘유적 C10호 출토 꺾쇠 분포도

표 3-12. 경주 쪽샘유적 C10호 출토 꺾쇠의 신부 길이 일람표 (단위: cm)

번호	신부 길이	번호	신부 길이	번호	신부 길이	번호	신부 길이	번호	신부 길이
40	14.7	50	15.6	60	15.4	70	12.9	80	10.4
41	12.4	51	12.5	61	12.7	71	9.4	81	13.1
42	10.5	52	12.6	62	14.5	72	13.8	82	12.3
43	10.1	53	12.2	63	11.4	73	12.6	83	9.1
44	11.6	54	11.4	64	12.1	74	11.5	84	9.5
45	12.2	55	12.2	65	13.1	75	11.7	85	10.0 (11.7)
46	11.4	56	13.0	66	11.5	76	12.3	86	11.8 (12.0)
47	11.3	57	13.1	67	13.3	77	11.8		
48	11.2	58	10.9	68	11.2	78	14.3		
49	13.3	59	16.4	69	12.6	79	12.7		

C10호 주곽에서 확인된 꺾쇠는 신부 길이에 따라 네 가지로 구분된다. 따라서 11cm 이하가 6점, 11.1cm에서 12cm 이하가 14점(85와 86번 포함), 12.1cm에서 14.2cm 이하가 18점, 14.3cm 이상 16.4cm 이하가 6점이다. 각각을 소형, 중소형, 중형, 대형 그룹으로 구분한다.

표 3-13. 경주 쪽샘유적 C10호 주곽 출토 꺾쇠의 추정 위치 및 수량

위치		서편			동편	개수
장벽 측판	북측	84	43		67	6
		(안) 45	(안) 80		(안) 79	
	남측	75	70		56	5
		(안) 47			(안) 85	

위치		북편		남편		개수
단벽 측판	동측	63		69	81	5
		42	76			
	서측	68	71	49	72	8
		83	(안) 52	(안) 44	55	

위치		서편				동편	개수
상판	북편	86		46/57/41		48	18
		54 / 74	58	64	62		
		50	78	40	60		
	남편	73 77		61	59		

부재연결	51 · 53	65 · 66	4
미 상	82		1
		합 계	47

※ 굵은 글씨는 길이가 14.3cm 이상의 대형이다.

꺾쇠는 방향과 위치에 따라 크게 측판 연결구, 상판연결구, (목)부재연결구, 미상으로 구분된다. 측판 연결구는 장벽과 단벽으로 나누며, 장벽 측판 북측에 6점, 남측에 5점이 있다. 단벽 측판에는 동측에 8점, 서측에 5점이 확인된다.

측판연결구에서 확인되는 특징은 장벽 측판 북측과 남측 모두 서편에 있는 꺾쇠가 11cm 이하 이거나 11.1cm에서 12.0cm 사이의 중소형이고, 동편은 12.7cm 이상에서 13.3cm 사이(87번 제외)로 중형에 속한다. 단벽 측판은 동측과 서측 모두 북편에 있는 꺾쇠가 중소형인 반면, 남편에 있는 꺾쇠는 중형에 속한다.

상판연결구는 총 18점이 확인되며 이 중에서 6점은 길이가 14.3cm를 넘는 대형으로, 대형 꺾쇠는 상판 연결시에만 사용된다. 상판에 사용된 꺾쇠는 중앙부에서 확인되는 대형 이외에 각 측벽을 따라 확인되는 크기가 11.1cm에서 12.6cm 사이의 중소형이다. 이로 미루어 단벽의 측판에서 확인되는 중소형 꺾쇠와 같이 측판과 측판을 연결하는 것과 비슷하게 측판과 상판을 연결하는 용도로 생각된다.

측판과 상판을 연결하는 것 이외에 목부재를 연결하는 용도로 사용된 꺾쇠가 있다. 이 꺾쇠는 총 4점으로 53번과 55번, 67번과 68번이다. 상판의 북편 중앙부에 위치하며 동서로 긴 두 개의 판재가 이 부분에서 꺾쇠로 이어진 것으로 볼 수 있다. 판재는 북쪽 부분의 측판과 그와 맞닿은 상판으로, 53번과 55번은 상판을 연결하고 67번과 68번은 측판을 연결한 것이다. 이외에 84번 꺾쇠는 측판에 사용

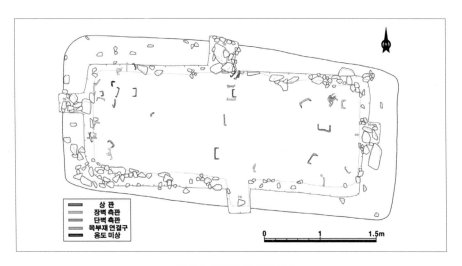

그림 3-6. 용도별 꺾쇠의 위치

된 것으로 생각되지만, 찰갑 아래에서 확인된 것으로 미루어 용도를 단정하기는 어렵다.

꺾쇠는 출토 위치와 방향을 통해 구분하였지만 측판에서 보이듯, 상하로 구분되거나 안팎으로 구분될 수 있다. 본 글에서는 꺾쇠의 각부 방향이 안팎으로 놓여 있는 것으로 파악하여 안팎으로 분류하였다. 하지만 상하로 구분될 경우 측판의 수량은 3매 내지 4매이고, 안팎으로 구분할 경우 수량은 2매일 가능성이 높다. 결국 유구의 높이와 목부재의 너비 혹은 두께와 관련이 있는 것이다. 이는 다음에서 다루기로 한다. 이상으로 꺾쇠가 출토된 위치에 따라 수량을 정리하면 다음과 같다.

표 3-14. 위치에 따른 크기별 꺾쇠의 수량

위 치 크 기(cm)	측 판				상 판		미상	소계
	북측	남측	동측	서측	상면	연결구		
소형 (11↓)	2	1	1	1	1	0	0	6
중소형 (11~12.0)	1	2	1	3	6	1	0	14
중형 (12.1~14.2)	3	2	3	4	5	3	1	21
대형 (14.3~16.4)	0	0	0	0	6	0	0	6

주곽의 꺾쇠는 규칙적인 분포양상을 보인다. 이를 통해 목곽의 크기와 구조를 파악할 수 있다. 꺾쇠의 분포양상으로 보면 크게 세 부분으로 구분된다. 주곽의 서쪽 부분(A)과 중앙부(B), 동쪽 부분(C)이며 꺾쇠가 열을 맞추어 놓인 형태이다.

분포 양상에서 주목되는 부분은 B와 C부분으로 중앙에 위치한 B에서는 남북방향의 일렬로 나열된 듯한 꺾쇠가 놓여 있고, 그 북쪽에는 이와 직교하는 4개의 꺾쇠가 확인된다. 그리고 C부분에도 남북방향으로 놓인 꺾쇠가 확인되고 북동쪽부분에 다수의 꺾쇠가 여러 방향으로 놓여 있다. 여기서 B와 C부분에 남북으로 놓인 꺾쇠를 동서로 연결하면 서로 대응하게 된다.

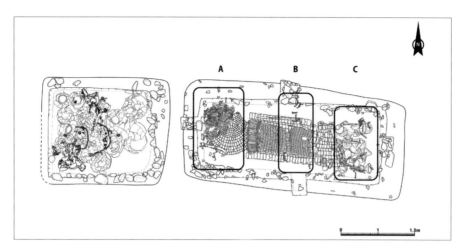

그림 3-7. 경주 쪽샘유적 C10호 주곽 내부 꺾쇠의 출토 위치 구분도

꺾쇠의 좌우 대응관계를 파악하면 목부재의 방향을 알 수 있다. C10호 주곽에서 확인되는 이러한 대응 관계를 통해 상판의 형태가 동서로 긴 형태라는 것을 추론해 볼 수 있었다. 추정해 보면 주곽에 사용된 상판은 종장목을 사용한 것이다. 그리고 B부분 북쪽에 위치한 목부재 연결구를 통해 북쪽부분에는 2개의 종장목을 연결하여 사용하였을 가능성이 높다.

(2) 목곽의 부재와 구조 복원

가. 목곽 부재(部材) 검토

쪽샘 C10호 목곽에 사용된 나무는 통나무보다 꺾쇠를 연결하기 위한 각재였을 것이다. 각재의 크기는 꺾쇠의 위치와 놓인 방향으로 추정이 가능하다. 앞서 살펴본 바와 같이 꺾쇠는 A, B, C의 위치에서 열을 맞추어 확인되고, B의 64, 40, 61과 C의 62, 60, 59는 각부를 동쪽으로 하고 남북으로 놓였다. 이것은 나무판의 장축을 동서로 하여 3매에서 4매을 연결한 것으로, 상판의 경우 이와 같이 놓였을 가능성이 높다.

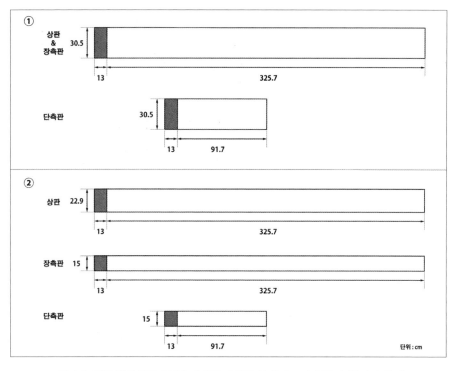

그림 3-8. 경주 쪽샘유적 C10호에 사용된 목곽 부재의 크기 추정안 (①안과 ②안)

　부재의 수량은 목곽 내연의 크기로 유추해 볼 수 있다. 동서길이가 325.7cm, 남북너비가 91.7cm라고 할 때, 부재가 주축방향과 동일한 종방향(동서)으로 놓였을 가능성이 크기 때문에 목곽 내연의 남북너비가 중요한 요소가 된다. 남북너비는 91.728cm로 내부에 놓인 꺾쇠의 간격을 고려하면 3매 내지 4매의 판재가 놓였을 가능성이 높다. 판재가 3매일 경우 판재의 너비는 30.576cm 이고, 4매일 경우 판재의 너비는 22.932cm이다. 각각 30.5cm(추정안 ①)와 22.9cm(추정안 ②) 이하의 너비로 환산할 수 있다. 판재두께는 상판에 사용된 꺾쇠의 각부 길이가 6~7.2cm 이기 때문에 7.2cm 보다 두껍고, 추정 목곽의 최대두께인 17cm 이하로 13cm 정도이다.

남북 장측판은 상판과 동일한 크기의 판재를 평적하여 만들고, 동서 단측판은 91.7cm의 길이 두 매에서 세 매를 평적하여 쌓은 것으로 추정된다. 2매일 경우 판재의 너비는 상판과 동일한 30.5cm 이하일 것이고, 세 매일 경우 유구의 높이를 고려하면 30.5cm를 이분한 15.2cm 내외의 너비를 가질 것이다. 측판에 사용된 목부재의 두께는 꺾쇠의 각부 길이가 5.2~6.7cm로 6.7cm보다 두껍고 추정 목곽의 최대두께인 17cm 이하로 13cm 정도이다(그림 3-4와 3-8 참조).

부재는 목곽 길이와 동일한 종장목 한 매를 그대로 사용한 것과 동일하지 않은 여러 매를 연결하여 사용한 것으로 추정된다. 이는 꺾쇠의 분포양상을 보면 북쪽 중앙 부분에서 확인되는 부재연결구의 성격을 띠는 꺾쇠 때문이다. 동서 방향으로 놓인 꺾쇠는 남북으로 놓인 꺾쇠와 직교하며, 꺾쇠가 분리된 두 개의 부재를 연결하는 역할을 한다는 점에서 동서 방향의 두 매의 종장목을 연결하였을 가능성이 높다.

상판에 사용된 목재를 위와 같은 상황을 고려하여 복원해 보면 〈그림 3-9〉와 같다. 〈그림 3-9〉에서는 남쪽 부분에 3매의 종장목이 놓이고, 북쪽 부분에 동서

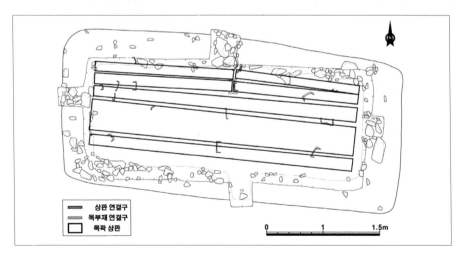

그림 3-9. 경주 쪽샘유적 C10호 주곽 내 목곽의 상판 구조 추정도

로 나뉘어 각 2매가 연결된 형태이다. 이 중에서 남쪽과 북쪽 끝부분에 위치한 종
장목은 두께가 13~15cm 내외로 장측판일 가능성이 있다.

또한 북쪽 중앙부에 놓인 꺾쇠는 〈그림 3-10〉과 같이, 목부재 복원도와 달리
A, B, C 부분이 더 북쪽으로 쏠린 형태를 보인다. 이것은 목곽이 붕괴되는 과정에
서 꺾쇠의 위치가 변동된 것으로 생각된다.

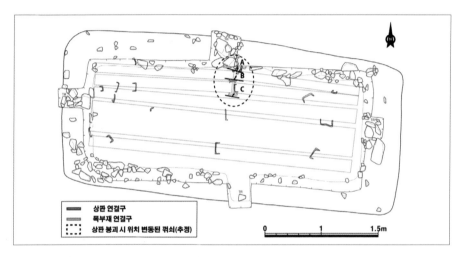

그림 3-10. 쪽샘유적 C10호 주곽 내 목곽의 상판 구조와 꺾쇠의 위치변동 추정도

주곽 내부 토층으로 토층의 붕괴양상을 추정한 보고서의 유구기술을 보면, "①
유기물이 썩어서 퇴적된다(Ⅹ층). ② 목곽의 중앙부에 동서로 길게 목개 상부의
흙이 떨어져 쌓인다(Ⅷ·Ⅸ층). ③ 북쪽 중앙부분에서 목개가 붕괴되면서 목개 상
부의 점토밀봉토이 내려앉는다(Ⅶ층). ④ 봉토 성토층이 뚫린 목개 아래로 떨어지
면서 목곽 내부의 동남쪽부분(Ⅵ층)부터 쌓이기 시작하여 중앙부분(Ⅴ층)에 쌓이
고 서쪽부분(Ⅳ층)을 채운다. ⑤ 봉토 상부의 성토층과 점토피복층이 목곽의 내부
퇴적토 상면에 내려앉는다. ⑥ 후대에 교란층이 형성된다."라고 정리하였다. 즉,
북쪽 중앙 부분이 붕괴되면서 토층의 함몰이 시작되는 것으로 볼 수 있다. 이것은

꺾쇠의 위치로 추정한 분리된 목부재와 관련이 있으며 붕괴과정에서 목부재를 연결한 꺾쇠가 더 북쪽으로 쏠렸을 것으로 이해된다. 또한 북서쪽(74, 58번)과 북동쪽(62번)에 위치한 꺾쇠의 방향이 북쪽 중앙부분으로 틀어져 보이는 것도 하나의 근거가 된다.

부곽의 경우 토층의 함몰양상으로 보면, 서쪽 부분에 남북방향으로 흙이 쌓이면서 함몰이 시작며 부곽의 상판은 횡장목을 사용한 것으로 생각된다.

나. 목곽구조 복원

목곽의 구조에서 상판이 남아 있거나 흔적을 확인할 수 있는 예는 거의 없다. C10호의 경우 꺾쇠의 연결형태를 통해 상판의 구조를 파악할 수 있다. 따라서 여러 부재가 사용되었을 가능성을 고려하여 기왕의 복원안에서는 상판의 크기를 다양하게 구성하여 제시해 보고자 한다.

C10호 목곽은 상판, 장측판, 단측판, 바닥판으로 구성되었으며 목곽의 복원안은 세 가지로 정리된다. ①은 장벽 측판과 상판의 너비가 동일하였을 경우(목부재 크기 추정안 ①안 적용)와 ② 장벽 측판과 상판의 너비가 달랐을 경우(목부재 크기 추정안 ②안 적용), ③은 상판에 크기가 다른 부재를 사용하고 측판은 목부재 크기 추정안 ①안을 적용한 경우이다. 바닥판은 마갑의 바닥면에 붙은 목질흔을 토대로 추정하였다. 다만 주변 예로 보아 여러 매의 횡장목을 놓았을 가능성이 있다. 상판과 측판을 복원한 목곽 복원안 ①의 경우 측판과 상판의 너비는 30.5cm보다 작은 것으로 약 25~30cm 정도, 두께는 13~15cm 내외로 볼 수 있다. 그리고 장벽에 각각 2매를 평적하고 상판은 3매를 놓는다. ②는 상판의 경우 20~25cm 내외, 두께 13~15cm로 4매가 놓이고, 측판은 너비 15~20cm, 두께 13~15cm로, 단벽에 3매, 장벽에 4매를 평적한 것이다. 두 개의 복원 안에서 꺾쇠의 간격과 수량으로 볼 때 ①안의 가능성이 높다.

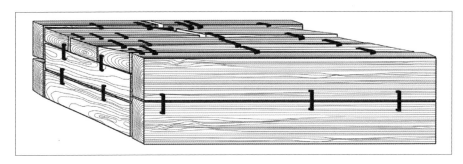

그림 3-11. 경주 쪽샘유적 C10호 목곽 복원안 ① (목곽)

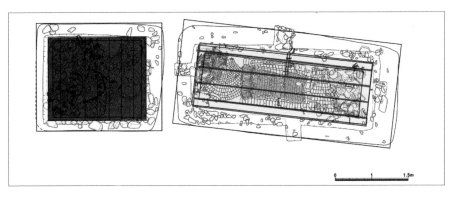

그림 3-12. 경주 쪽샘유적 C10호 목곽 복원안 ①

　　그러나 복원안 ① 보다 앞에서 살펴본 상판의 구조〈그림 3-9〉와 같이 상판도 너비가 넓은 것과 그 절반 정도인 너비의 목재를 사용하였을 가능성도 있다. 꺾쇠의 이격된 간격으로 본다면 후자일 가능성이 높다. 하지만 주곽 중앙 부분의 북쪽 꺾쇠군이 붕괴 시 전체적으로 북쪽으로 밀렸을 가능성도 존재한다. 복원안 ③은 구조적인 측면에서 복원안 ①과 동일하지만 상판의 너비가 균일하지 못할 가능성을 상정하여 복원한 것이다. 이와 같이 세 가지의 복원안을 제시할 수 있다. 부곽의 경우 별도의 꺾쇠가 확인되지 않아서 구조를 확신하기 어렵지만 측판이 있거나 없었을 가능성이 약 50%로 동일 하다고 생각된다. 만약 측판이 있었다면 충전토와 유물부장공간이 이격된 간격으로 보아 두께 7cm 내외의 측판이었을 것이다.

이상과 같이 쪽샘 C10호 목곽묘에서 꺾쇠의 분포 위치와 유물 부장공간을 통해 목곽의 규모를 설정하고 사용된 부재와 그 부재의 크기, 수량, 결구상태 등을 검토하였다. 그리고 내부 목곽시설에 대한 복원안을 제시해 보았다. 위의 내용을 정리하면 다음과 같다.

첫째, 주곽과 부곽의 목곽은 결구방법을 달리하여 축조되었으며, 목부재의 두께가 다른 재료를 사용하였다. 둘째, 주곽에서 확인된 꺾쇠는 위치에 따라 측판용, 상판용, 목부재 연결용 등으로 용도를 달리하고, 용도에 따라 꺾쇠의 크기를 다르게 사용하였다. 셋째, C10호 주곽의 상판에는 종장목을 사용하였다. 넷째, 상판의 북쪽 판재와 북벽 측판의 상부 판재는 2매를 수직(동서방향)으로 연결하여 목곽 부재로 사용하였다. 다섯째, 부곽의 상판은 주곽의 상판과 달리 횡(남북)방향으로 설치하였으며, 주곽의 바닥판과 동일한 방향을 띤다.

이와 같은 내용에서 보면 경주 쪽샘유적 C10호의 목곽은 한 개의 곽이 존재하고 내부에는 관이 없는 구조이다. 사용된 꺾쇠의 경우 외곽용으로 사용되었으며, 앞서 언급한 기존의 견해에서 추정된 내곽용, 목관용, 개판연결용 등의 여러 용도로 본다면 내곽을 부정하는 개판연결용과 관련이 있을 것이다. 하지만 C10호에서는 상판과 측판에 사용된 꺾쇠를 구분할 수 있기 때문에 개판연결용과 내곽용 혹은 신내곽용이 결합된 형태의 일종으로 보는 것이 타당할 것이다.

또한 2개의 종장목을 연결하여 만든 상판부분은 꺾쇠를 다른 부분보다 많이 사용한 점에서 특이하며, 지탱하는 힘이 약함에도 상판의 부재로 사용한 점은 결국 붕괴의 원인이 된 것으로 추정된다. 이러한 현상은 피장자의 신분이 낮거나 급하게 분묘를 축조한 결과 일 수 있고, 목 부재의 부족 현상도 하나의 원인이었을 것이다. 즉, 갑작스럽게 다수의 분묘를 만들어야 하는 상황이 발생한 후 축조된 분묘라고 생각된다.

이상의 결과로 본다면 신라 고분의 곽과 관의 개념은 재고되어야 한다. 다시 말하면 신라 적석목곽분과 목곽묘 등 신라 고분에서는 목관을 사용하지 않았던 것이다.

(3) 바닥시설

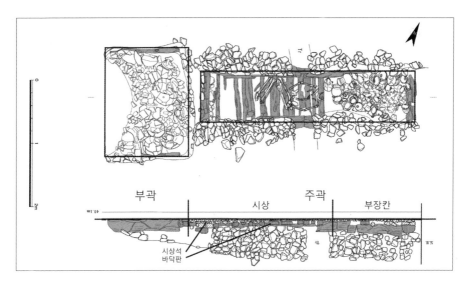

그림 3-13. 경주 교동 94-3번지유적 3호 적석목곽묘

바닥에 바닥석이 있는 구조의 경우, 여러 겹의 시설을 추가로 설치한 것이 관찰
된다. 바닥시설을 확인할 수 있는 예는 경주 교동 94-3번지 3호 적석목곽묘와 쪽
샘 41호분[192]이다.

두 고분에서는 바닥시설의 구조가 확연히 드러난다. 교동 94-3번지 3호 적석목
곽묘는 잔자갈을 깔고, 바닥에 목판을 설치한 후 시신이 안치된 구조이다. 황오동
41호분은 바닥에 잔자갈층이 확인된다. 아직 보고서가 발간되지 않아서 정확한
내용은 알 수 없지만, 보도자료 등에서 확인되는 양상으로 보아 철정을 잔자갈층
위에 깔았다. 더불어 철정의 아랫면에는 목재흔, 위에는 직물흔이 관찰된다. 그렇
기 때문에 아랫면에는 바닥판이 있고, 철정 위에는 부산 복천동 22호[193]와 같은 돗

192　국립경주문화재연구소, 2013, 「경주 쪽샘지구 신라고분유적 발굴조사(2012)」(약보고서).

193　釜山大學校博物館, 1990, 『東萊福泉洞古墳群Ⅱ -本文-』.

그림 3-14. 경주 황오동 41호분 주곽 평면도(약보고서: p.25 그림9 개변)

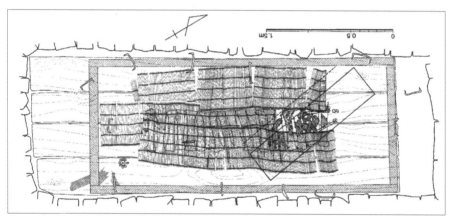

그림 3-15. 부산 동래복천동고분군 22호 복원도(부산대학교박물관 1990: p.56 제9도 전재)

자리가 철정 위에 있었을 가능성이 있다.

이상의 내용으로 정리하면 바닥시설은 ① 정지된 묘광 바닥에 ② 잔자갈을 깔고, ③ 바닥판을 깐다. 그리고 ④ 철정이나 철모 등의 철기류를 깐 후에 ⑤ 발(돗자리)을 철기류 위에 덮는다. 이후 천을 발 위에 덮는 경우도 있다.

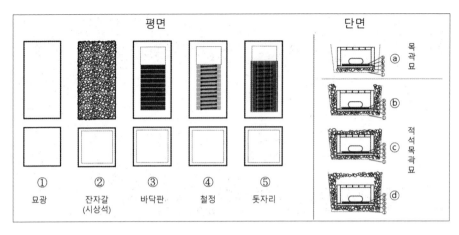

그림 3-16. 매장시설의 바닥시설 구조도

매장시설의 바닥구조는 위계 차이에 따라 다르게 나타난다. 그 이유는 철정이
확인된 경주 황오동 41호분과 부산 복천동 22호의 경우, 경주 교동 94-3번지유적
3호 적석목곽묘 피장자보다 위계가 높았을 가능성이 있기 때문이다. 그리고 바닥
에 철정이나 철모를 설치하는 것은 목관묘단계부터 확인되는 양상으로 3~4세기
대 경주 덕천리유적 목곽묘에서는 철모 부장패턴의 변화에 따라 대형 목곽묘의
시기가 변화하는 것으로 알려져 있다[194]. 덕천리유적에서의 철모는 대형 목곽묘에
서만 확인되므로 서기 5세기 이전부터 높은 위계의 고분에는 철모나 철정이 사용
되었을 것이다[195].

---

194 박형열, 2016b, 「경주 덕천리유적 목곽묘단계의 시공간적 특징으로 본 집단과 계층」, 『한국고고학
   보』100집.
195 철기 부장 패턴에 대한 연구(장기명, 2014, 「경주지역 원삼국시대 분묘의 철기부장유형과 위계」,
   『한국고고학보』 92.)를 살펴보면 철기는 목관묘단계부터 부장되었다. 목관묘단계에 관상부에서
   관내부·외부로 부장위치가 변화하고 목곽묘 단계에는 곽내부에 부장된다. 이후 시상과 같이 사
   용되기도 한다. 또한 묘제에 따른 위계의 차이도 나타난다. 이상의 연구를 바탕으로 정리하면 철
   모와 철정과 같은 철기가 시상과 같이 이용된 경우 위계가 높았을 가능성이 있다.

3) 묘제별 축조공정

(1) 지상식 적석목곽분 (A)

경주지역 적석목곽분의 축조 공정에 대한 여러 연구자의 견해는 〈표 3-15〉와 같다. 크게 단계를 나누어 본다면 ① 수평상의 기반 정지성토(기층성토)를 하는 단계, ② 목곽축조와 목조가구 및 1차적석(측벽부 적석)한 뒤에 주변부 성토와 호석을 축조하는 단계, ③ 피장자를 안치하고 목곽 위에 2차 적석(개부적석)과 그 주변부를 성토하는 단계, ④ 고대한 봉토를 성토하는 단계, ⑤ 봉토의 표면을 암갈색 점토로 피복하는 단계로 정리[196]할 수 있다. 여기에 김용성[197]이 지적한 바와 같이 목관의 하관을 기준으로 축조공정상에서 공정이 대분되었을 가능성이 크다.

한편 김두철[198]과 심현철[199]의 축조공정 案에서는 호석과 1차 봉토의 축조를 전제하고 있다. 이러한 점에서 적석목곽분의 축조과정은 순차적으로 세분될 가능성이 있다. 심현철의 경우 적석목곽분을 크게 목곽·적석부, 봉토부로 구성된다고 보고, 축조순서와 방법에 따라 3단계의 축조공정으로 나눌 수 있다고 정리하였다. 이는 1단계에서 바닥정지 및 묘광굴착을 봉토 범위설정보다 먼저 하였다고 본 것이다. 또 1단계에서는 1차 봉토의 축성이 중요한 것으로 파악하였다[200].

그러나 고분의 위치를 선정할 때는 봉토의 범위가 결정되었을 가능성이 크므로 순서를 변경하는 것이 옳다. 그리고 적석목곽분이 지상식과 지하식(반지하식포함)으로 구분된다면 지상식인 대형 적석목곽분에서는 1차 봉토의 예를 확인하기 어렵다. 이와 더불어 황남대총 남분의 복원안과 같이 적석부를 쌓은 후 봉토부를 덮었을 가

---

196 曺永鉉, 2002, 「皇南大冢과 天馬冢의 區劃築造에 대하여」, 『嶺南考古學』31號: p.86.
197 김용성, 2007, 「신라 적석봉토분의 지상식 매장주체시설 검토」, 『韓國上古史學報』56호: p.130.
198 김두철, 2009, 「적석목곽분의 구조에 대한 비판적 검토」, 『고문화』73호, 한국대학박물관협회.
199 심현철, 2012, 「新羅 積石木槨墓의 構造 硏究」, 釜山大學校 大學院 碩士學位論文 : p.59.
200 김두철, 2009, 「적석목곽분의 구조에 대한 비판적 검토」, 『고문화』73호, 한국대학박물관협회.
　　심현철, 2012, 「新羅 積石木槨墓의 構造 硏究」, 釜山大學校 大學院 碩士學位論文.

능성도 있지만 최근 발굴조사 자료를 보면 적석부와 봉토부를 동시에 축조하면서 공정의 구분이 있었을 가능성도 배제할 수 없다. 앞서 살펴본 각 묘제별 구조적 특징과 그에 따른 차이를 바탕으로 축조공정을 간략하게 정리하면 〈표 3-15〉과 같다.

표 3-15. 경주지역 적석목곽분의 축조 공정에 대한 연구자별 견해 비교

연구자	최병현(1992)	조영현(2002)	김용성(2007)	김동윤(2009)	김두철(2009)	심현철(2012)	박형열(2017, 2018)
축조공정	① 지하에 수혈상 토광을 굴착 ② 토광 안에 목곽을 설치 ③ 목곽 안에 피장자를 안치한 목관과 부장품 부장 ④ 목관과 토광벽 사이, 그리고 그 위에 천석으로 적석 ⑤ 봉토를 덮고 봉토 기기외주에 천석으로 외호석을 축조	① 수평상의 기반 정지성토(기층성토)한 단계 ② 목곽축조와 목조가구 및 1차적석(측벽부 적석)한 뒤에 주변부 성토와 호석을 축조한 단계 ③ 피장자를 안치하고 목곽 위에 2차 적석(개부적석)과 그 주변부를 성토한 단계 ④ 고대한 봉토를 성토한 단계 ⑤ 봉토의 표면을 암갈색점토로 피복한 단계	1공정 ① 봉분 저부의 정리 ② 목곽의 축조와 측벽적석부, 하부 봉토부, 호석의 축조 ③ 목관의 하관 2공정 ④ 목곽 개부의 적석과 그 주변부를 성토 ⑤ 상부 봉토의 축조와 밀봉	1공정(1차봉성) ① 매장시설이 설치될 묘광을 파고, 묘곽주변으로는 수평으로 축성봉토를 조성 ② 묘역의 정지작업, 시상의 설치 등 제반작업을 이 이루어진 후 목곽·목관을 비롯한 매장시설의 설치, 유물의 부장 등을 함 ③ 적석을 함. (적석은 묘곽과 목곽사이, 목곽과 선축봉토사이, 목곽 상부에 '부어넣는' 모티브로 이루어짐) 적석이 완료되면 적석상부를 점토로 피복함 ④ 봉토성토와 함께 호석 축조	1공정(1차봉토부) ① 정지작업 ② 묘광굴착 ③ 봉토계축 ④ 1차 봉토 축성 ⑤ 호석 설치 ⑥ 묘광 정리 2단계(목곽·적석부) ⑦ 목관 설치 ⑧ 목관 안치(시신, 유물부장) ⑨ 목곽 밀봉(목곽뚜껑) ⑩ 사주적석(목곽과 묘곽 및 1차 묘곽사이) ⑪ 상부적석과 밀봉점토 3공정(2차봉토축성) ⑫ 2차 봉토 축성	1단계(1차봉토부) ① 바닥정지 및 묘곽굴착 ② 봉토 범위 설정 ③ 1차 봉토 축성 ④ 호석 설치 2단계(목곽부) ⑤ 목곽 및 사주적석 ⑥ 유물 부장 및 피장자 안치 ⑦ 목곽 밀봉 ⑧ 상부적석 및 밀봉점토 3단계(2차봉토부) ⑨ 2차 봉토 축성	1단계 기초공정 ① 고분범위결정(위치선정) ② 지반 정지 ③ 호석 기초 설치(크기설정) ④ 중앙에 목곽위치 선정 2단계 1차축조 ⑤ 목곽 설치 - 묘광 굴착 - 바닥시설설치(소석층) - 목곽 설치 ⑥ 적석 설치(목곽구조와 충전석 포함) ⑦ 봉토 설치 ⑧ 호석 설치 ※ 거의 동시에 목곽, 적석, 봉토, 호석 순으로 쌓임 ※ 호석이 축조된 후 적석과 봉토로 쌓음 3단계 목곽안치 및 목곽폐쇄 ⑨ 목관안치(시신 및 유물) ⑩ 목곽 폐쇄(목곽뚜껑) 4단계 2차축조 ⑪ 상부 적석 후 점토밀봉 ⑫ 상부 봉토 축조 후 점토피복
공정구분기준및특징	※ 황남대총 남·북분과 천마총의 발굴과정과 보고서의 내용으로 적석목곽분의 개념을 구조('⑥ 고분이 축조된 지 얼마 후에는 목재가 부식함에 따라 적석이 함몰되고, ⑦ 그러므로 발굴당시에는 적석부 중앙에 흙이 채워진 함몰부가 있고 묘곽내부가 함몰된 적석으로 채워져 있는 등의 특징이 있는 고분'이라 하였다. 여기서 ⑥과 ⑦은 축조 이후의 내용이므로 ①에서 ⑤까지를 위와 같이 축조공정으로 봄)	※ 천마총과 황남대총 남·북분 보고서의 내용을 정리하여 다섯 단계의 축조과정을 제시함(p.86) ※ 석열에 의한 구획성토가 단면상으로 나타난다고 보고 적석을 쌓는 과정을 포함하여 적석목곽분에 구획성토라는 축조방법이 있었음을 밝힘	※ 지상식 적석목곽분(본고 적석목곽분)인 천마총, 황남대총 남·북분의 구조를 살핀 후 축조공정 정리(p.117~129) ※ 목관의 하관을 기준으로 공정구분(p.130)	※ 김용성의 견해처럼 천마총에서 선축봉토축조과정과 개부축조과정 상에 보이는 일시적 중단 혹은 시차축조가 있었을 것으로 추정되지만 이것은 대형분에 한정된 것으로 파악되고 있다고 보고 적석행위를 하나의 일체된 공정으로 봄(p.110)	※ 적석목곽묘는 초대형급과 중소형급이 모두 봉토축성법을 공유하였다고 보고 공통적인 특징이 있다고 주장함. 그 공통요소는 목곽 상부의 적석을 하여 봉하고 호석을 돌리는 것으로 파악함(p73). 황남대총 남분 축성법과 비교하여 경주 황오동100유적 3호묘의 축조공정을 제시함(p73~79) ※ 호석과 함께 쌓아 올리는 1차 봉토(선축봉토-목곽설치 전 축조)를 기준으로 봉토부를 나눔(p.75~76)	※ 적석목곽묘를 규모에 따라 소형(A류)에서 대형(D류)으로 구분하고 호석이 없으면 축조공정에서 차이를 보이는 A류를 제외(p.56)한 B(소형), C(중형), D(대형)류의 축조공정을 정리(p.45~68) - 모두 동일 ※ 호석과 함께 쌓아 올리는 1차 봉토(선축봉토-목곽설치 전 축조)를 기준으로 봉토부를 나눔(p.59) - 김두철과 동일하나 사주적석을 하는 시점이 다름	※ 대형분의 보고서와 최병현과 조영현의 축조공정에서 김용성이 제시한 목관의 하관을 기준으로 축조공정이 구분될 수 있음을 고려함 ※ 김두철과 심현철이 1차 봉토의 축성과 호석의 설치가 축조공정에서 중요함을 지적한 것과 같이 봉토의 축조과정에서 공정상의 순차적 구분이 있었을 가능성을 고려 ※ 사주적석(충전석으로 이해)의 경우 목곽 밀봉 후(김두철)나 목관 밀봉 전(심현철)으로 순서상 차이가 있으나 목곽 폐쇄 전에서 목곽이 안치되고 적석과 동시에 축조되었을 것으로 판단 ※ 바닥정지 전에 고분의 위치와 범위가 결정되었을 것으로 판단하며 이러한 과정을 고분의 기초공정으로 1단계로 설정함

표 3-16. 경주 지상식 적석목곽분의 축조공정

공정순서	공정명	내 용
1단계	기초공정	① 고분 위치를 선정한다(범위결정). ② 지반을 정지하는 작업을 한다. ③ 호석 기초부 설치(고분의 크기 결정) - 약 10cm 내외의 잔자갈을 깔아서 바닥을 정지한다. - 호석의 하단을 설치한다. ④ 중앙에 목곽의 위치를 설정한다(방형 혹은 장방형).
2단계	1차 축조 목곽부 축조 적석부 설치 봉토부 축조 호석부 설치	⑤ 목곽을 설치한다. - 중앙바닥에 약40cm 두께로 잔자갈을 깔아서 바닥시설을 만든다. - (통나무나 각재를 이용하여) 목곽을 구축한다. ⑥ 적석을 설치한다. - 목곽의 외부에 목조가구를 짜고 적석을 하여 목곽을 지탱한 후 봉토를 쌓는다. (사주적석 혹은 충전석은 이때 함께 이루어진다.) ⑦ 봉토를 축조한다.(적석과 거의 동시에 축조한다.) - 봉토는 분할하여 일정 단위(적석의 목조가구 단위 등)로 성토한다. ⑧ 호석을 설치한다.(1단계에 기초가 놓이고 2단계에 완성되었을 가능성이 있다.)
3단계	목관안치 및 목곽부 폐쇄	⑨ 시신을 안치한 목관을 목곽 내부에 하관한다. ⑩ 곽 내부에 유물을 부장하고 통나무를 이용하여 뚜껑을 덮는다.
4단계	2차 축조 상부적석 봉토부 축조	⑪ 상부에 약 1m 내외의 상부적석을 한다. 적석 후 점토 밀봉을 한다. ⑫ 상부적석 위에 봉토를 덮는다. 그리고 점토를 피복한다.

    지상식 적석목곽분은 황남대총 남분과 북분, 천마총, 금관총, 황오동 44호분 등을 통해 축조공정을 추정할 수 있다. 바닥을 정지하고 위치를 설정하는 기초공정의 1단계, 목곽과 적석부 등 외형을 설치하는 2단계, 시신을 안치하고 목곽의 뚜껑을 덮는 3단계, 그리고 상부적석과 봉토부를 축조하는 4단계로 구분한다. 세부적으로는 12개의 소단계가 있다.

    더불어 목곽 내부에는 순장이 있었으며, 외곽과 목조가구 사이의 사주적석(석단)과 외곽과 내곽 사이 석단, 내곽 상부 등에 순장된 경주형[201] 배치형태를 띤다.

---

201 순장은 배치형태에 따라 경주형, 복천동형, 임당형, 달성형, 양산형 등 5가지 유형으로 구분된다.
경주형은 역방향 배치+석단 배치+다수, 임당형은 역방향 배치+부곽 배치, 복천동형은 정방향 배치
+다수, 달성형은 정방향 배치+단수(부곽 혹은 주곽), 양산형은 직교 배치+다수의 양상을 보인다.
김용성, 2009, 「7장 신라 고총의 순장」, 『신라왕도의 고총과 그 주변』, 학연문화사: pp.218-221.

그림 3-17. 지상식 적석목곽분의 구조도

(2) 지하식 적석목곽분 (B)

지하식 적석목곽분은 황오동 41호분과 황남동 110호분, 109호분, 황오동 14호분, 16호분, 호우총, 은령총 등의 사례를 바탕으로 총 4단계의 공정으로 축조공정을 살펴보았다. 세부적으로는 목조가구의 미설치라는 점을 제외하면 12단계를 거치는데 이러한 과정은 지상식 적석목곽분과 동일하다.

표 3-17. 경주 지하식 적석목곽분의 축조공정

공정순서	공정명	내 용
1단계	기초공정	① 고분 위치를 선정한다(범위결정). ② 지반을 정지하는 작업을 한다. ③ 호석 기초부 설치(고분의 크기 결정) - 약 10cm 내외의 잔자갈을 깔아서 바닥을 정지한다. - 호석의 하단을 설치한다. ④ 중앙에 목곽의 위치를 설정한다(방형 혹은 장방형).
2단계	1차 축조 목곽부 축조 적석부 설치 봉토부 축조 호석부 설치	⑤ 목곽을 설치한다. - 중앙바닥에 약40cm 두께로 잔자갈을 깔아서 바닥시설을 만든다. - (통나무나 각재를 이용하여) 목곽을 구축한다. ⑥ 적석을 설치한다. - 목곽의 외부에 1차로 석재를 충전하여(사주적석 혹은 충전석) 목곽을 지탱한 후 2차로 목곽 높이 만큼 적석한다. ⑦ 봉토를 축조한다. (적석과 거의 동시에 축조한다.) ⑧ 호석을 설치한다. (1단계에 기초가 놓이고 2단계에 완성되었을 가능성이 있다.)
3단계	목관안치 및 목곽부 폐쇄	⑨ 시신을 안치한 목관을 목곽 내부에 하관한다. ⑩ 곽 내부에 유물을 부장하고 통나무를 이용하여 뚜껑을 덮는다.
4단계	2차 축조 상부적석 봉토부 축조	⑪ 상부에 약 1m 내외의 상부적석을 한다. 적석 후 점토 밀봉을 한다. ⑫ 상부적석 위에 봉토를 덮는다. 그리고 점토를 피복한다.

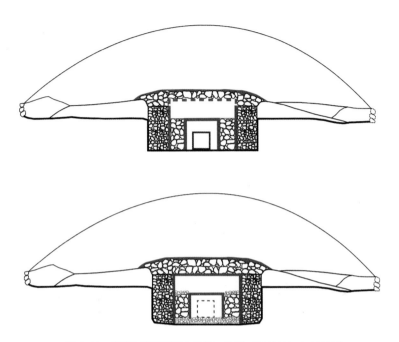

그림 3-18. 지하식 적석목곽분의 구조도(상: 무시상석 하: 시상석)

(3) 적석목곽묘 (C)

쪽샘 C16호과 교동 94-3번지 3호 적석목곽묘의 발굴조사 내용으로 적석목곽묘의 축조과정을 정리하면 다음과 같다. ① 위치 선정 및 목곽을 설치하는 주변을 정지한다. ② 매장시설 위치에 묘광을 굴착한다. 부곽이 있는 경우 부곽을 함께 굴착한다.

③ 목곽을 축조하고 적석을 충전한다. 목곽의 바닥면에는 바닥판을 설치하고 그 위에 판재를 꺾쇠로 연결하여 측벽과 전·후벽을 설치한다. 부곽에는 바닥판이 없는 목곽시설을 설치한다. 동시에 ④ 적석부를 설치한다. ⑤ 부장칸과 부곽, 주곽에 유물을 부장한다. ⑥ 시신을 안치하고 착장용 무기류를 부장한다. ⑦ 상부에 약 1m 내외의 상부적석을 한다. 적석 후 점토 밀봉을 한다. ⑧ 상부적석 위에 봉토를 덮는다. 그리고 점토를 피복한다.

표 3-18. 경주 적석목곽묘의 축조공정

공정순서	공정명	내 용
1단계	기초공정	① 고분 위치를 선정하고(범위결정) 지반을 정지한다. ② 묘광 범위를 굴착한다. (방형 혹은 장방형).
2단계	1차 축조 목곽부 축조 적석부 축조	③ 목곽을 축조한다. - (통나무나 각재를 이용하여) 목곽을 구축한다. ④ 적석을 충전한다. - (사주적석 혹은 충전석은 이때 함께 이루어진다.)
3단계	목관안치 및 목곽부 폐쇄	⑤ 곽 내부에 유물을 부장하고 통나무를 이용하여 뚜껑을 덮는다. ⑥ 시신을 안치한 목관을 목곽 내부에 하관한다.
4단계	2차 축조 상부적석 봉토부 축조	⑦ 상부에 약 1m 내외의 상부적석을 한다. 적석 후 점토 밀봉을 한다. ⑧ 상부적석 위에 봉토를 덮는다. 그리고 점토를 피복한다.

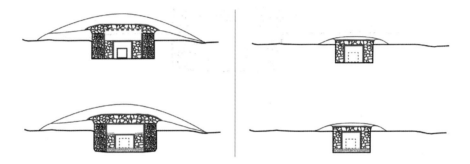

그림 3-19. 적석목곽묘의 구조도
(좌상:무시상석 적석목곽묘(가), 좌하:시상석 적석목곽묘(가),
우상:무시상석 적석목곽묘(나 · 다), 우하:시상석 적석목곽묘(나 · 다))

축조공정별로 보면 기초공정(① · ②)과 1차 목곽 축조(③ · ④), 시신 안치 및 부장품 매납(⑤ · ⑥), 2차 봉토 축조(⑦ · ⑧)의 4단계 공정이다. 적석목곽묘의 크기에 따라 공정이 추가될 수 있다. 그러나 공정에 따른 차이는 크지 않을 것이며, 상부적석이 없는 사방식일 경우에도 동일하게 축조한다.

(4) 목곽묘 (D)

목곽의 축조과정을 정리하면 다음과 같다. ① 위치 선정 및 목곽을 설치하는 주

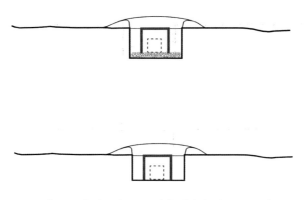

그림 3-20. 목곽묘의 구조도 (상: 시상석, 하: 무시상석)

변을 정지한다. ② 묘광을 굴착한다. ③ 목곽을 축조한다. (목곽과 묘광 사이를 흙으로 충전하다) ④ 유물을 부장한다. ⑤ 시신을 안치한다. ⑥ 목개를 덮고 봉토를 덮는다. 이와 같이 6단계의 과정으로 목곽묘의 축조가 이루어졌을 것이다. 축조공정별로 보면 기초공정(①·②)과 1차 목곽 축조(③), 시신 안치 및 부장품 매납(④·⑤), 2차 봉토 축조(⑥)의 4단계 공정이다. 시상석의 유무에 따라 바닥시설에 대한 공정이 추가되겠지만 1차 목곽 축조 공정에 포함되는 것으로 공정상의 큰 차이는 없다.

(5) 석곽묘 (E)

석곽묘의 축조공정은 다음과 같다. ① 묘광을 굴착하고, ② 석곽을 설치한다. ③ 매장과 매납을 하고, ④ 개석을 덮는다. ⑤ 개석 점토밀봉을 하고, ⑥ 봉토를 덮는다.

석곽묘와 목곽묘의 가장 큰 차이점은 내부에 목곽의 존재 유무이다. 다시 말하면 벽석을 먼저 쌓는 것과 채움석을 나중에 충전하는 차이이다. 즉, 석곽묘는 묘광을 굴착한 후에 돌을 이용하여 곽의 매장시설을 만드는 것으로 나무곽은 사용되지 않는다[202]. 그렇기 때문에 목곽묘와 달리 설치과정에서 목곽 설치 부분이 없다.

---

202 나무곽이 사용된 사례가 있다고 하지만 대부분의 경우 나무곽이 사용되지 않는다.

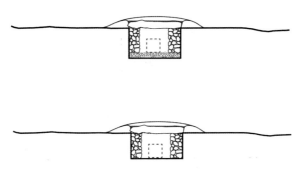

그림 3-21. 석곽묘의 구조도 (상: 시상석, 하: 무시상석)

2. 墓槨의 分類

묘곽 형식의 분류는 기본적으로 최병현의 안[203]을 기반으로 한다. 최병현은 묘곽을 구분하는 기준으로 부곽의 유무, 부곽과 주부장군의 설치 위치로 하였다. 그는 직렬식주부곽[204], 병렬식주부곽, 양단부장단독곽, 족부부장단독곽, 두부부장단독곽으로 묘곽을 나눈다. 본 연구에서는 직렬과 병렬주부곽 구조를 별개의 계열로 설정하여 구분하였다.

그 이유는 묘제별로 병렬 주부곽식의 유무가 다르기 때문이다. 병렬주부곽식의 경우 B형 지하식 적석목곽분과 C형 적석목곽묘에서 확인되는 구조이며, A형 지상식 적석목곽분과 D형 목곽묘에서는 확인되지 않는다. 따라서 기존 연구의 적석목곽분 변천 과정에서도 단절된 모습이다. 또한 B형의 경우 부곽의 위치와 크기에 따라 시간성이 예상된다.

---

203 崔秉鉉, 1992,『新羅古墳硏究』, 一志社: pp. 197-225.
204 일렬식주부곽으로 하였지만 일렬은 수직적인 개념과 수평적인 개념으로 인식하는 경우도 있어서 병렬과 대응하는 개념으로 직렬식이란 용어를 사용하고자 한다.

한편 부곽과 주부장군의 설치 위치는 시간적인 변화를 재확인 할 수 있다. 양단부장의 형태는 경주지역 목곽묘단계에서 보이는 특징이다. 이 양단부장의 형태에서 점차 두부부장과 족부부장으로 양분되어 고분군 내에 잔존하는 것으로 생각된다. 더불어 유물의 부장위치는 A형 지상식 적석목곽분과 B형 지하식 적석목곽분에서 기존 연구와 다른 양상이 확인된다. 그것은 부장공간의 변화이다. 직렬주부곽에서 부곽이 없어지면서 피장자의 두부에 부곽이 등장하는 것으로 보인다. 쪽샘 B3호의 경우 부장공간이 세장한 형태를 띠며 중간이 단절된다. 이 부분을 따로따로 분리하면 매장시설 내에 3개의 공간이 있는 것이다. 확인할 것은 시상석이 있는 묘제는 부곽에 시상구조가 없다는 점이다. 쪽샘 B3호의 경우 맨 동측부분의 부장공간 바닥에는 시상구조가 없다. 즉 피장자 안치공간, 부장칸, 부곽의 순(서-동)으로 배열된 것이다. 비슷한 시기의 B6호가 서쪽에 근접해 있어서 B3호의 부곽을 동쪽으로 이동 시켰을 수도 있다. 하지만 이와 같은 구조가 추가로 확인되어 부곽의 위치 이동이 있었을 가능성이 있다. 황오리 16호분 6 · 7곽과 같은 이혈주부곽식이나 황오리 16호분 9곽, 황남동 83호분 등과 같은 동혈주부곽식이 유사한 구조로 생각된다. 이상의 내용을 참고하여 묘제별 형식을 분류한다.

1) 지상식 적석목곽분 (A형)

지상식 적석목곽분은 발굴 조사된 사례가 많지 않지만, 신라 고분 중 대형 고분으로써 상징성을 가진다. 황남대총 남분과 북분, 금관총, 서봉총, 천마총, 금령총 등을 통해 변화양상이 관찰된다. 그 중에서도 주목되는 것은 목곽부의 변화이다. 목곽부는 목곽의 수와 목관의 수에 따라 이중곽[205]이나 삼중곽[206]으로 구분된다.

---

205 崔秉鉉, 1992, 『新羅古墳硏究』, 一志社.
　　 이재흥, 2007, 「경주지역 적석목곽묘의 출현과정에 대한 일고찰」, 『영남고고학보』제43호, 영남고고학회.
206 김용성, 2007, 「신라 적석봉토분의 지상식 매장주체시설 검토」, 『한국상고사학보』제56호, 한국상

그리고 주곽과 부곽의 배치에 따라 주부곽식과 단곽식으로 구분되며, 묘광의 수에 따라 이혈과 동혈 주부곽식으로 분류된다.

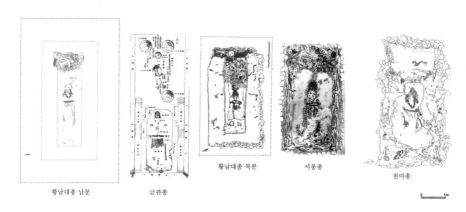

황남대총 남분   금관총   황남대총 북분   서봉총   천마총

그림 3-22. A형 지상식 적석목곽분 매장시설(주곽)

지상식 적석목곽분에서 확인되는 유효속성은 주곽과 부곽의 관계, 부곽의 위치와 부장칸의 형태 등이다. 먼저 주곽과 부곽의 관계이다. 주부곽식과 단곽식으로 구분되며, 이것은 다시 묘광의 굴착 수에 따라 분류된다. 하지만 지상식의 경우 지면을 굴착하지 않은 채 지상에 적석부를 쌓아 올리는 방식으로 주곽과 부곽을 구분 짓는 것이 특징이다. 따라서 목곽이 먼저 설치되었다고 본다면, 주곽과 부곽을 분리형과 일체형으로 구분할 수 있다. 따라서 이혈 묘광으로 주부곽이 분리된 주부곽 분리형(Ⅰ)과 동혈 구조로 주곽과 부곽이 연결된 주부곽 일체형(Ⅱ), 부곽이 사라지고 주곽만 있는 부곽 소멸형(Ⅲ)으로 구분된다. 부곽 소멸형은 주곽 일원형으로도 부를 수 있다. 또한 부곽 형태에 따라서 속성도 분리된다. A는 부곽과 부장칸이 있으며 부곽이 횡장방형이거나 종장방형이고 부장칸이 횡장방형이다. B는 부곽과 부장칸이 있으며 부곽은 횡장방형이고 부장칸은 방형이다. C는 부장

고사학회: p.123.

칸이 횡장방형을 띤다. 〈그림 2-23〉을 참고하면 B에서 부곽은 부장궤로 변형된 것으로 볼 수 있으며, C에서는 부장칸과 부장궤가 일원화된 것으로 볼 수 있다.

표 3-19. 지상식 적석목곽분의 속성

연번	적목Aa	주부곽의 관계			부곽 형태			속성조합
		I	II	III	A	B	C	
1	황남대총 남분	●			●			I A
2	금관총		●		●			II A
3	황남대총 북분		●			●		II B
4	서봉총			●			●	III C
5	천마총			●			●	III C

〈표 3-19〉의 속성조합상은 4개가 확인된다. I A식은 주부곽 분리형으로 부곽과 부장칸 모두 횡장방형이다. 황남대총 남분이 이에 해당한다. II A식은 주부곽 일체형으로 부곽은 종장방형이고, 부장칸은 횡장방형인 형태이다. 금관총이 여기에 해당한다. II B식은 주부곽 일체형으로 부곽은 횡장방형이고, 부장칸은 방형인 형태이다. 황남대총 북분이 해당된다. III C식은 부곽 소멸형이자 주곽 단일형으로 볼 수 있다. 부곽은 없고, 부장칸이 횡장방형의 형태를 띤다. 서봉총과 천마총이 여기에 해당한다. 속성조합은 하나의 형태를 대표하는 것으로 볼 수 있으며, 속성 간 상관관계를 통해 I A→II A→II B→III C 식으로 변화하는 순서를 알 수 있다.

표 3-20. 지상식 적석목곽분 주부곽의 관계와 부곽형태 간 상관관계 표

부곽형태 ＼ 주부곽의 관계	I	II	III
A	● I A	● II A	
B		● II B	?
C			● III C

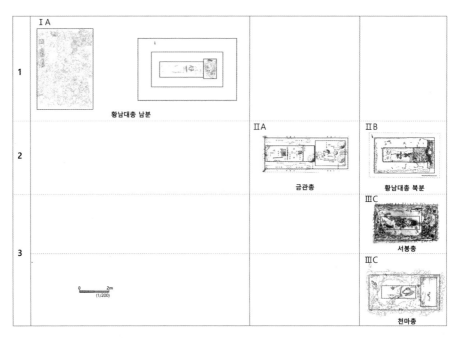

그림 3-23. 지상식 적석목곽분 (A)

2) 지하식 적석목곽분 (B형)

지하식 적석목곽분은 황남동 109호분, 황남동 110호분, 황오동 14호분, 쪽샘 B
연접분, 황오동 16호분, 호우총, 은령총 등이다. 매장시설인 목곽부의 변화는 주
곽과 부곽의 배치 형태와 부장공간의 형태에서 찾을 수 있다. 이런 형상은 Aa형
지상식 적석목곽분과 동일한 변화로 기존 연구에서 주목한 이혈 주부곽과 동혈
주부곽 그리고 단곽이라는 변화와 유사하다. 하지만 앞서 지적하였듯이 직렬과
병렬의 주부곽 배열 방법과는 다른 개념으로 이해해야 한다. 따라서 기존 연구와
의 혼동을 방지하기 위해 용어의 수정이 필요하다.

그림 3-24. Ba1형 지하식 적석목곽분 매장시설

경주 쪽샘 B연접분[207]의 예와 같이 동혈 묘광에서도 주곽과 부곽이 분리된 것을 확인할 수 있다. 이것은 기존 연구에서 찾지 못한 형태로 주부곽식에서 단곽식으로 변화한다는 기존 입장을 연결해주는 중요한 요소이다.

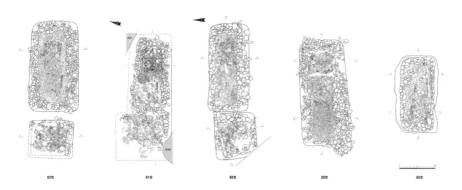

그림 3-25. 경주 쪽샘유적 B연접분 목곽부 비교

위의 내용을 정리하면 주곽과 부곽이 이혈 묘광으로 분리된 것(쪽샘 B2호, B1호, B6호)과 주곽과 부곽이 동혈묘광 내에 존재하는 것(쪽샘 B3호), 주곽 내에서 부곽과 부장칸의 기능이 통합된 것(쪽샘 B4호)으로 구분된다. 바꿔 말하면 동혈 묘광

---

207 국립경주문화재연구소, 2016, 『慶州 쪽샘地區 新羅古墳遺蹟Ⅶ B지구 연접분 발굴조사 보고서』.

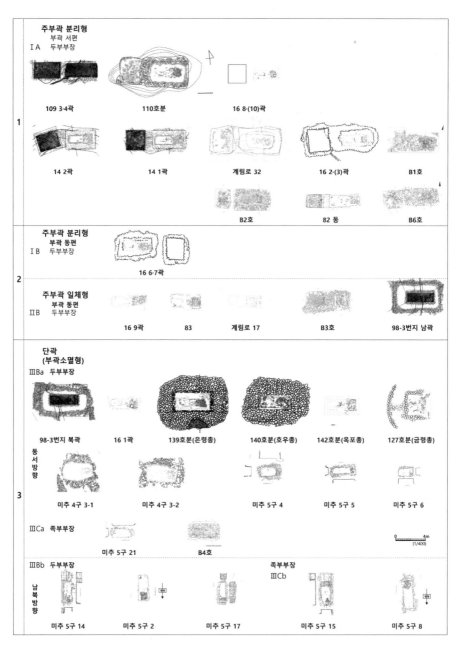

그림 3-26. Ba1형 지하식 적석목곽분

내에서 주부곽이 분리된 형태가 기존 목곽묘(D)와 적석목곽묘(C)에서만 확인되었던 점과 달리, 중형분 이상에서도 확인된다는 점을 유념해야 한다.

(1) 직렬 지하식 적석목곽분(Ba1)

지하식 적석목곽분(Ba1)에서 확인되는 유효속성은 지상식 적석목곽분과 같이 주곽과 부곽의 관계와 부곽의 위치, 부장칸의 형태 등이다. 먼저 주곽과 부곽의 관계이다. 이혈 묘광으로 주부곽이 분리된 주부곽 분리형(Ⅰ)과 동혈 구조로 주곽과 부곽이 연결된 주부곽 일체형(Ⅱ), 부곽이 사라지고 주곽만 있는 부곽 소멸형(Ⅲ)으로 구분된다. 부곽 소멸형은 주곽 일원형으로도 부를 수 있다. 또한 부곽과 부장칸의 형태에 따라 속성을 분리 할 수 있다. 부곽은 종장방형인 것, 방형인 것, 횡장방형인 것으로 구분되고 부장칸은 횡장방형, 방형인 것이 확인되며 일부 종장방형이 있다. 이밖에 부곽 소멸형에서는 유구 방향이 동서와 남북인 것, 유물부장공간이 두부나 족부인 것이 확인된다. 유구 방향과 유물부장공간은 주부곽 분리형이나 일체형, 유구는 동서이며 주곽 내 유물 부장공간은 두부에 위치한다.

이상으로 구분된 속성을 주부곽 분리형과 일체형, 부곽 소멸형으로 나누어 정리하면 다음과 같다. 주부곽 분리형은 이혈과 동혈구조가 함께 확인된다. 특히 부곽은 서편에 있으며, 황오동 16호분 6ㆍ7곽이 예외적으로 동편에 부곽이 위치한다[208]. 부장칸은 모두 두부에 있고, 유구의 방향은 동서방향이다. 주부곽 일체형은 동혈묘광구조이고 부곽이 부장칸 동편에 위치한다. 부장칸은 두부에 있고 유구

---

208 해당 보고서(유네스코東亞시아문화연구센터ㆍ東洋文庫, 2000,「慶州皇吾里第16號墳」,『朝鮮古蹟研究會遺稿Ⅰ』)에서는 7곽을 주곽인 6곽의 부장곽으로 보고하였지만 경주지역 고분에서 나타나는 것과 달리 예외적으로 동편에 부곽이 있는 점은 지속적으로 문제가 제기되는 부분이다. 최근 보고된 황오동 16호분의 현재 위치(국립경주문화재연구소, 2017,『慶州 쪽샘地區 新羅古墳遺蹟Ⅷ H·L지구 분포조사 보고서』)에서도 훼손으로 인해 그 실체가 명확하지 않다. 하지만 부곽이 동편에 위치하는 것은 부곽이 주곽의 묘광 내부에 속하는 과정에서 나타나는 과도기적 양상일 가능성도 있다. 그래서 본고에서는 별개의 요소로 삼는다.

의 방향은 동서방향이다. 부곽 소멸형에서는 두부부장과 족부부장이 함께 나타난
다. 그리고 유구의 방향도 동서와 남북이 함께 확인된다.

(2) 병렬 지하식 적석목곽분(Ba2)

병렬 지하식 적석목곽분(Ba2)은 주곽과 부곽의 관계와 연결형태에 따라 속성이

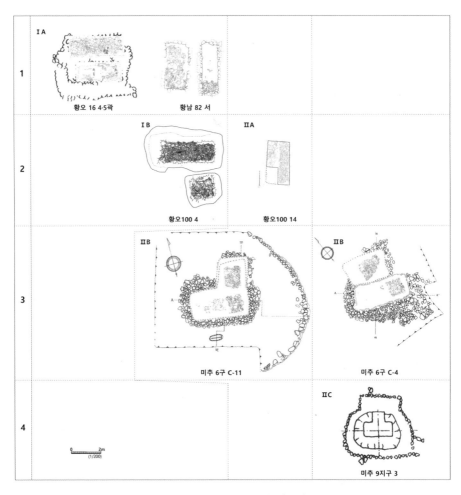

그림 3-27. 병렬 지하식 적석목곽분(Ba2)의 변화

구분된다. 주곽과 부곽은 분리형(Ⅰ)과 일체형(Ⅱ)으로 나뉘며, 연결형태에 따라 '11'자형(A), 'ㄱ'자형(B), 'ㅏ'자형(C)으로 구분된다.

경주 월성북고분군에서는 9기가 확인된다. 유구의 속성조합상을 보면 ⅠA식은 황오 16호분 4·5곽, 황남 82호분 서총 이고, ⅠB식은 황오 100 4호 적석목곽분, ⅡA식은 황오동 100유적 14호 목곽묘[209], ⅡB식은 황오동 33분 서곽, 미추왕릉 6지구(C) 11호 이다. ⅡC식은 미추왕릉 6지구(C) 4호와 황오동 16호분 11·12곽, 미추왕릉 9지구 3호가 해당한다.

황오동 100유적 4호 적석목곽분에서는 주부곽이 분리되고 'ㄱ'자로 배치되며, 14호 목곽묘에서는 주부곽이 일체형으로 연결되고 'ㄱ'자에 가까운 '11'자형으로 배치된다. 이것은 주부곽 분리형으로 '11'자형 연결형태와 주부곽 일체형이고 'ㄱ'자형 연결형태 사이의 과도기적 형태이다. 따라서 병렬 지하식 적석목곽분(Ba2)은 주부곽이 분리된 것에서 연결된 것으로 변화하고 주부곽의 연결형태는 '11'자형에서 'ㄱ'자형, 'ㅏ'자형으로 변화하는 것으로 상정된다.

표 3-21. 병렬 지하식 적석목곽분(Ba2)의 속성 분류표

연번	적목 Ba2	주부곽 관계		주부곽 연결형태			속성조합
		Ⅰ	Ⅱ	A 11자	B ㄱ자	C ㅏ자	
1	황오 16호분 4·5곽	●		●			ⅠA
2	황남 82호분 서총	●		●			ⅠA
3	황오 100 14호 목		●	●			ⅡA
4	황오 100 4호 적목	●			●		ⅠB
5	황오 33호분 서곽		●		●		ⅡB
6	미추 6구(C) 11호		●		●		ⅡB
7	미추 6구(C) 4호		●		●		ⅡC
8	황오 16호분 11·12곽		●			●	ⅡC
9	미추 9구 3호		●			●	ⅡC

209 보고서에서는 목곽묘로 분류하였지만, 묘광과 목곽사이에 적석이 있으며, 호석이 확인되는 점에서 적석목곽분으로 볼 수 있다.

(3) 무시상석 직렬 지하식 적석목곽분 (Bb)

무시상석 직렬 지하식 적석목곽분 (Bb)은 미추왕릉 6지구 7호에서 확인된다. 현재 월성북고분군에서는 7호 한 기만 확인되고 있어서 지하식 적석목곽분에서는 무시상석식보다 시상석이 있는 구조가 보편적인 것으로 생각된다. 아직 한 기가 확인되고 있어서 전체적인 유구의 변화상을 언급하기에 부족하다.

3) 적석목곽묘 (C형)

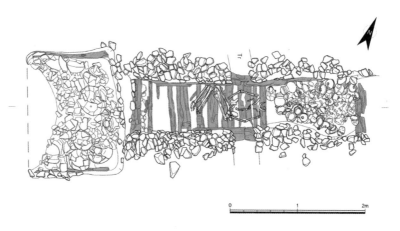

그림 3-28. 경주 교동 94-3 일원 유적 3호 적석목곽묘(신라문화유산연구원 2016)

적석목곽묘는 호석이 없는 묘제로 묘광과 목곽사이에 적석을 채운 것이다. 대표적으로 경주 교동 94-3 일원 유적[210] 3호 적석목곽묘를 예로 들 수 있다.

(1) Ca1형 적석목곽묘

Ca1형 적석목곽묘는 유물 부장공간의 위치에 따라 구분되고, 목곽의 크기에 따라 유형이 나뉜다. 세부유형은 다음과 같다. a는 양단부장으로 중형이다. b1은 두

---

210 신라문화유산연구원, 2016, 『경주 교동 94-3 일원 유적』.

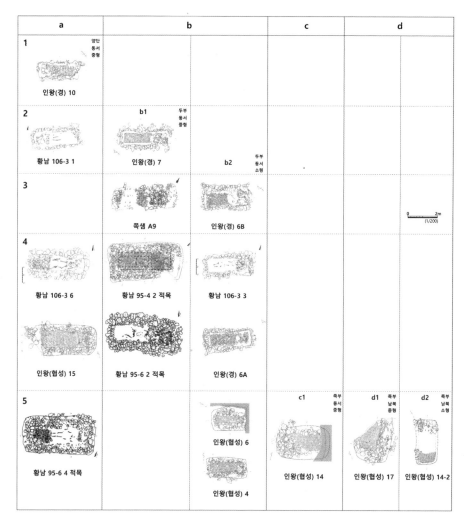

그림 3-29. Ca1형 적석목곽묘

부부장에 중형이고, b2는 두부부장이며 소형이다. c1은 족부부장으로 중형이고, d1은 족부부장이고 중형, d2는 족부부장이고 소형이다.

　a에는 인왕동(경주) 10호와 황남동 106-3 1호, 4호, 6호, 인왕동(협성) 15호 등이 해당한다. b1에는 인왕동(경주) 7호, 쪽샘 A9호, 황남동 95-4 2호 적석목곽묘, 황

남동 95-6 2호 적석목곽묘 등이다. b2는 인왕동(경주) 6B호, 6A호, 황남동 106-3 3호 인왕동(협성) 4호, 6호 등이해당된다. C1은 인왕동(협성) 14호이고, d1은 인왕동(협성) 17호, d2는 인왕(협성) 14-2호 등이다.

(2) Ca2형 적석목곽묘

'11'자형, '凸'자형, 'ㅏ'자형, 'ㄴ'자형으로 불리는 병렬식 적석목곽묘는 부곽의 크기와 위치에 따라 구분되기도 하지만, 주곽을 기준으로 보았을 때, 그 중앙이나 발치에 따른 위치는 시간성을 가진다고 보기 어렵다. 크기나 이격정도, 적석부의 구조 등이 시

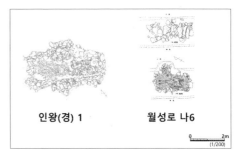

인왕(경) 1   월성로 나6

그림 3-30. Ca2형 적석목곽묘

간적으로 변별성을 띤다. 그래서 직렬 주부곽식 적석목곽묘(Ca1·Cb형)와 유사한 변화양상을 설정할 수 있다.

그러나 경주 월성북고분군 내에서는 인왕동(경주) 1호와 월성로 나-6호 등 2기만 확인되고 있어서 유형이나 형식을 구분하기에 부족하다. 대신 형태적인 특징을 구분하자면 두 유구가 동혈구조의 'ㅏ'자형 형태이다.

(3) Cb형 적석목곽묘

Cb형 적석목곽묘는 Ca1형과 같이 유물의 부장위치에 따라 양단부장(a), 두부부장(b), 족부부장+동서방향(c), 족부부장+남북방향(d)으로 구분할 수 있으며, 부장양상이 뚜렷하지 않은 e형을 추가할 수 있다.

경주 월성북고분군에서는 46기의 유구에서 무시상석의 적석목곽묘가 확인된다. 이 46기의 유구를 부장양상과 방향에 따라 구분하면 다음과 같다. a형은 현재 확인되지 않는다. b형은 월성로 가 5호, 월성로 가13호, 나8호, 나12호, 나14호,

그림 3-31. Cb형 적석목곽묘

나9호, 나4호, 다8호, 가18호, 가19호, 쪽샘 A1호, A2호, C9호, C7호, C1호, C11호, 인왕동(경주) 9호, 인왕동(협성) 1호, 10호, 12-2호, 12-3호, 13호, 3호, 황남동 95-65호 적석목곽묘, 1호 적석목곽묘, 황남동 106-3 4호 등이다. c형은 인왕동(경주) 3A호, 인왕동(협성) 11호, 23호, 황남동 106-3 5호 등이다. d형은 인왕동(협성) 21호, e형은 황남동 95-4 1호 적석목곽묘 등에서 확인된다.

4) 목곽묘 (D형)

목곽묘는 부곽의 유무에 따라 주부곽식과 단곽식으로 나뉘며, 유물의 부장공간 위치에 따라 양단부장, 두부부장, 족부부장으로 구분된다. 그리고 주부곽식의 경우 이혈묘광과 동혈묘광으로 세분되며, 유물공간은 크기에 따라 달라진다.

(1) Da1형 목곽묘

Da1형 목곽묘는 월성로 가 1호, 4호, 5-1호, 6호 등으로 월성로 가지구에 국한되어 확인된다. 당시 유구 조사가 하수도 관로를 설치하는 좁은 범위에서 진행되어 정확한 유구의 특징이 확인되지 않았을 가능성도 있다. 하지만 묘광과 목곽 사이에 충전석이 뚜렷하게 남아 있지 않은 점에서 시상석이 있는 목곽묘로 분류한다. 이 유형은 현재 확인된 수량이 적고 고분이 월성로 가지구에 한정되어 있기 때문에 형식을 분류하는 것은 보류하고자 한다. 다만 한 곳에 한정되어 나타난다

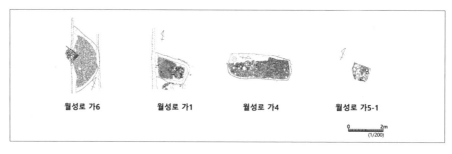

월성로 가6   월성로 가1   월성로 가4   월성로 가5-1

0   2m
(1/200)

그림 3-32. Da1형 목곽묘

면 소규모 집단의 묘제로 사용되었을 가능성도 있다.

(2) Db형 목곽묘

Db형 목곽묘는 바닥에 시상석이 없는 무시상석 목곽묘이다. Ⅰa형은 이혈 주

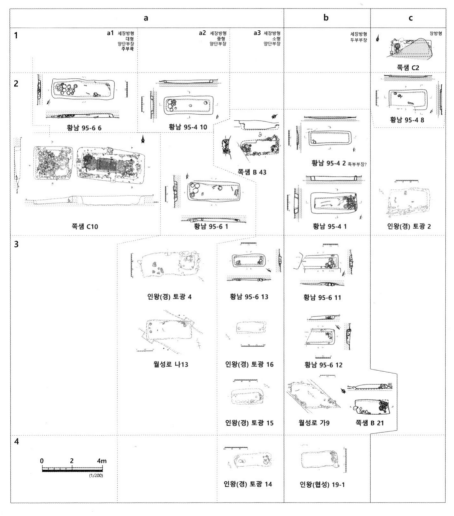

그림 3-33. Db형 목곽묘

부곽식 목곽묘로 쪽샘 C10호가 해당된다. Ⅰb형은 동혈 주부곽식 목곽묘로 황남동 95-6 유적 6호가 해당한다. Ⅱa형은 단곽식으로 양단부장이 확인된다. 황남동 95-4 유적 10호, 황남동 95-6유적 1호, 인왕동(경주) 토광 4호, 월성로 나 13호, 인왕동(경주) 토광 15호, 토광 16호 등이 해당한다. Ⅱb형은 단곽식으로 두부부장인 것이다. 황남동 95-4 유적 1호, 황남동 95-6 유적 11호, 12호, 인왕(협성) 19-1호 등이 해당한다. Ⅱc형은 단곽식이며, 족부부장인 것으로 황남동 95-4 유적 2호, 8호, 인왕동(경주) 토광 2호 등이 해당한다.

5) 석곽묘 (E형)

석곽묘는 석곽구조와 석재를 쌓는 방법에서 차이점이 발생한다. 석곽구조는 주곽과 부곽의 구성에서 묘광의 수와 부장공간의 구조가 특징적이다. 묘광에서 아직 이혈구조는 확인되지 않으며, 하나의 묘광에 주부곽을 구축한 것이 있다. 하지만 적석목곽묘와 목곽묘에서 이혈구조가 확인되는 것으로 보아 이러한 구조가 있을 가능성이 있다. 부장공간은 바닥을 평평하게 조성한 것과 높낮이를 달리하여 부장공간에 수혈을 파거나 낮게 조성한 것이 있다. 평평하게 축조한 것이 수혈을 파고 유물을 부장하는 것 보다 이른 것으로 생각되지만 아직 자료의 부족으로 뚜렷한 분류는 어렵다. 다만 구조적으로 주곽과 부곽의 배열 형태에서 차이가 있으며, 시상석 석곽묘(Ea형)와 무시상석 석곽묘(Eb형)에서 공통적으로 확인되는 것으로 보인다. 그러나 경주지역 석곽묘에서는 정형성을 찾기 어렵다. 이것은 적석목곽묘 계통의 묘제가 지속적으로 축조되기 때문인 것으로 보인다.

적석 방법은 석재를 수직으로 세워 쌓는 수적과 눕혀서 쌓는 평적이 있다. 한편 기존 고분의 적석이나 호석의 벽면을 이용하여 석재를 축조하는 것도 확인된다. 이 방법은 석재를 적치하는 것과 상관없이 기존 시설에 덧대어 분묘를 축조하는 것으로 기생축조로 부를 수 있다. 월성북고분군 내에서는 석재방법으로 평적이

다수 확인되며, 수적과 기생축조의 경우는 드물게 나타난다.

이와 더불어 석곽묘의 단벽에서도 차이점이 확인된다. 단벽의 벽석 매수에서 보이는 차이로 여러 매를 사용한 것과 그렇지 않은 것이 구분된다. 석재 여러 매를 사용한 것은 천석 3매 이상을 사용한 것과 2매를 사용한 것이 있으며, 그렇지 않은 것은 판석 1매를 사용하여 단벽을 만든다.

이상으로 석곽묘에서 보이는 특징을 구분하면 주곽과 부곽의 구성과 배열형태에 따라 주부곽을 이혈로 배열한 것(I)과 주부곽을 동혈로 배열한 것(Ⅱ)이 있다. 이외에 주곽과 부곽을 판석이나 천석을 쌓아 공간을 구분하기도 한다. 그리고 석재 적치방법은 수적(A), 평적(B), 기생축조(C)로 구분할 수 있고, 단벽의 석재 매수는 3매 이상인 것(i), 2매인 것(ⅱ), 1매인 것(ⅲ)으로 구분된다. 이상의 세 가지 속성으로 석곽묘의 특징을 확인할 수 있다. 그러나 변화상이 뚜렷하지는 않다. 이것은 앞서 설명하였듯이 경주지역에서는 전형적인 석곽의 구조를 확인하기 어렵기 때문인 것으로 보인다. 다만 부장 유물의 양상으로 보아 단벽의 석재 매수가 줄어드는 경향이 있는 것으로 생각된다.

(1) Ea1형 석곽묘

시상석 석곽묘의 경우 석곽묘의 공통적인 특징 중에서 석재를 쌓는 방법에 따라 크게 수적(A), 평적(B), 기생축조(C) 세 유형으로 분류된다. 특히 B유형의 경우는 석곽의 크기에 따라 대형(a), 중형(b), 소형(c)으로 구분된다. B유형 중에서 대형의 경우 주곽과 부곽을 분리하는 판석이 나타난다. 소형의 경우에도 인왕동(협성) 19호에서 이러한 판석이 확인된다. 하지만 중형에서는 아직 확인되지 않는다.

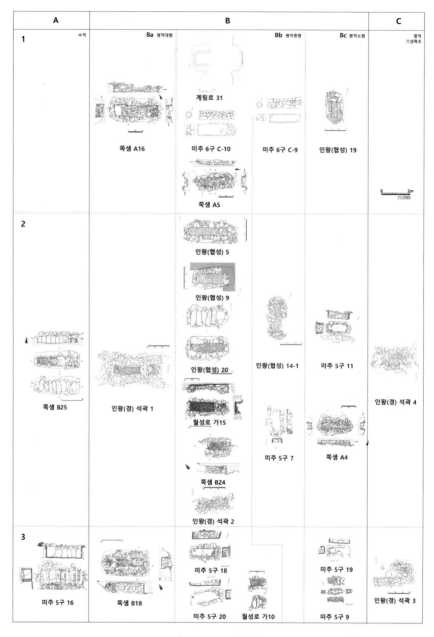

	A	B			C
	수적	Ba 평적대형	Bb 평적중형	Bc 평적소형	평적 기성축조

그림 3-34. Ea1형 석곽묘

표 3-22. Ea1형 석곽묘 속성 일람표

연번	석곽Ea1	묘광구조		석재적치방법			단벽 석재매수			속성 조합	유형
		I	II	A	B	C	i	ii	iii		
1	쪽샘 A 16호★		●		●		●			IIBi	Ba 평적 대형
2	미추 6구(C) 9호(무)		●		●		●			IIBi	Bb 평적 중형
3	미추 6구(C) 10호		●		●		●			IIBi	Bb 평적 중형
4	계림로 31호		●		●		●			IIBi	Bb 평적 중형
5	쪽샘 A 5호		●		●		●			IIBi	Bb 평적 중형
6	인왕(협) 19호★		●		●		●			IIBi	Bc 평적 소형
7	쪽샘 A 4호★		●		●			●		IIBii	Bc 평적 소형
8	인왕(경) 석곽 4호		●			●			●	IICiii	C 기생
9	인왕(협) 5호		●		●		●			IIBi	Bb 평적 중형
10	인왕(협) 9호		●		●		●			IIBi	Bb 평적 중형
11	인왕(협) 14-1호		●		●		●			IIBi	Bb 평적 중형
12	월성로 가 15호		●		●		●			IIBi	Bb 평적 중형
13	미추 5구 11호		●		●		●			IIBi	Bc 평적 소형
14	인왕(협) 20호★		●		●			●		IIBii	Bb 평적 중형
15	인왕(경) 석곽 2호		●		●			●		IIBii	Bb 평적 중형
16	미추 5구 7호		●		●			●		IIBii	Bb 평적 중형
17	쪽샘 B 24호		●		●				●	IIBiii	Bb 평적 중형
18	인왕(경) 석곽 1호		●		●				●	IIBiii	Ba 평적 대형
19	쪽샘 B 25호		●	●					●	IIAiii	A 수적
20	월성로 가 10호(추)		●		●		●			IIBi	Bb 평적 중형
21	미추 5구 18호		●		●			●		IIBii	Bb 평적 중형
22	미추 5구 19호		●		●			●		IIBii	Bc 평적 소형
23	미추 5구 20호		●		●			●		IIBii	Bb 평적 중형
24	미추 5구 9호		●		●				●	IIBiii	Bc 평적 소형
25	쪽샘 B 18호		●		●				●	IIBiii	Ba 평적 대형
26	미추 5구 16호		●	●					●	IIAiii	A 수적
27	인왕(경) 석곽 3호		●			●			●	IICiii	C 기생

(2) Eb형 석곽묘

무시상석 석곽묘(Eb)는 시상석 석곽묘의 분류와 같이 수적(A), 평적(B), 기생축조(C) 세 유형을 설정할 수 있다. 이 중에서 B와 C가 확인된다. B유형은 월성로 가 11-1호, 인왕동(협성) 8호, 12-1호, 쪽샘 A6호, C3호, C8호 등이고 모두 중형에 속한다. 그리고 C유형은 인왕동(경주) 석곽5호가 해당된다[211].

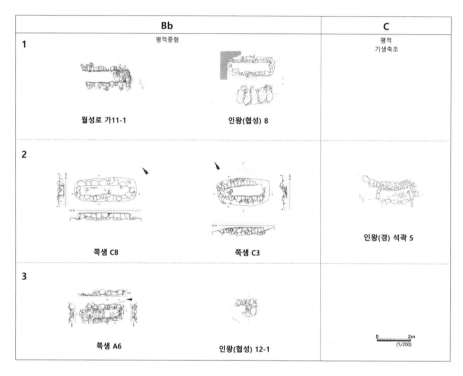

그림 3-35. Eb형 석곽묘

---

211 인왕동(경) 석곽 5호는 바닥에 직경 20cm 내외의 할석과 점토를 서쪽 단벽 바로 아래쪽을 제외 한 전면에 깔아서 전장 180cm, 폭 67cm의 시상을 마련하였다고 보고 하였다. 하지만 상면의 높 이가 불규칙한 점에서 의도적으로 시상을 설치하였다기보다 호석 전면부 시설이 잔존한 것으로 생각된다.
國立慶州文化財研究所, 2002, 『慶州仁旺洞古墳群』: pp. 231-232.

표 3-23. Eb형 석곽묘 속성 일람표

연번	석곽Eb	묘광구조		석재적치방법			단벽 석재매수			속성 조합	유형
		I	II	A	B	C	i	ii	iii		
1	월성로 가 11-1호		●		●		●			IIBi	Bb 평적 중형
2	인왕(협) 8호		●		●		●			IIBi	Bb 평적 중형
3	황남 106-3 3호		●		●		●			IIBi	Bb 평적 중형
4	쪽샘 C 8호		●		●		●			IIBi	Bb 평적 중형
5	쪽샘 C 3호		●		●			●		IIBii	Bb 평적 중형
6	인왕(경) 5호		●			●		●		IICii	C 기생
7	황남 106-3 2호		●		●				●	IIBiii	Bb 평적 중형
8	인왕(협) 12-1호		●		●			●		IIBii	Bb 평적 중형
9	계림로 29호		●		●			●		IIBii	Bb 평적 중형
10	쪽샘 A 6호		●		●			●		IIBii	Bb 평적 중형

3. 配列의 基準

묘곽의 상대순서를 살펴보기 위한 방법으로는 두 가지가 있다. 하나는 층서학적으로 토층의 중복양상을 통한 선후관계의 설정이고, 다른 하나는 내부 출토 유물의 상대적 연대법에 의해 유구의 선후관계를 결정하는 방법이다. 여기에서는 층서학적으로 유구의 선후관계에 대하여 정리하고자 한다.

1) 묘곽의 배치양상

묘곽의 배치는 신라 고분에서 중요한 의미를 가진다. 두 기의 묘곽이 나란히 배치되는 형태가 세장방형 목곽묘에서부터 나타난다. 구정동 고분군 2호와 3호[212],

---

212 국립경주박물관, 2006, 『경주 구정동 고분』.

중산리 ⅠA-74호와 75호[213] 등의 목곽묘, 쪽샘 C10호와 C16호[214] 같은 이혈주부곽식 목곽묘와 적석목곽묘에서도 확인된다. 이렇게 두 기의 묘곽이 평행을 이루는 배치는 적석목곽분의 등장 이후에도 지속된다. 황남대총 남분과 북분, 황오리 14호분, 황오리 고분(98-3번지) 등이다. 이들 묘제는 친연관계를 나타내려는 의도성에 의해 묘곽을 인접하여 축조하는 것으로 해석된다[215]. 더불어 쪽샘 B연접분과 같이 여러 기의 호석을 연이어 묘곽을 배치하거나 하나의 봉분에 여러 묘곽을 배치하는 양상이 있다.

이러한 적석목곽분의 묘형에 대해 과거에는 단곽묘와 다곽묘로 단순하게 분류되었으며[216], 단곽묘가 고위자, 다곽묘가 하위자의 무덤이라고 보는 견해와 다곽묘가 단곽묘보다 시기적으로 앞선다는 견해[217]로만 분류되었다. 하지만 70년대 이후 다양한 묘형이 확인되면서 묘형(분형)은 세분되었다.

최병현[218]은 신라 적석목곽분의 묘형을 분류하면서 묘곽이나 고분의 결합 유무에 따라 다장분와 단장분로 구분하였다[219]. 그리고 다장분의 경우 세부적으로 묘곽의 배치상태와 고분의 연결상태로 다곽분, 복합분 1식, 복합분 2식, 표형분으로

---

213 창원대학교박물관, 2006, 『울산 중산리유적Ⅰ-현대자동차 근로자주택 부지내 유적-(본문)』: p.119.

214 국립경주문화재연구소, 2018, 『경주 쪽샘지구 신라고분유적 발굴조사보고서 -C10호 목곽묘·C16호 적석목곽묘』.

215 최병현, 1992, 『신라고분연구』, 일지사: pp.241-256.

216 梅原末治, 1947, 『朝鮮古代の墓制』: p.98.
　　박진욱, 1964, 「신라 무덤의 편년에 대하여」, 『고고민속』4, 사회과학원출판사.
　　金基雄, 1970, 「新羅古墳의 編年에 대하여」, 『漢坡李相玉博士回甲紀念論集』: pp.97-108.
　　金基雄, 1976, 『新羅の古墳』: P.178.

217 김원룡, 1986, 『韓國考古學槪說』第三版, 一志社 : p.205.

218 최병현, 1992, 『신라고분연구』, 일지사: pp.113-187.

219 최병현은 다장묘와 단장묘의 명칭을 사용하였으나, 본 연구에서는 묘와 분의 개념을 구분하여 사용하고 있으며, 묘형은 봉분의 형태를 의미한다는 점에서 다장분과 단장분으로 사용하고 묘형은 분형으로 고쳐 부르고자 한다.

표 3-24. 분형의 분류안 (최병현 1992 내용을 바탕으로 필자 작성)

분형		구성	개념	모식도	해당 유구
다장분	다곽분 (연접)	여러 기	각 매장주체묘곽마다 따로따로 외호석이 돌려진 사실상의 단장고분 2기 이상을 서로 묘역 일부가 겹치도록 설치하여 친연관계를 표시한 다장분 (확장방향-수평)		미추 5구 14, 15, 16호분 계림로 48, 49, 50, 51, 52, 53호분 미추 1구 A, B, C, D, E, F, H묘 미추 1구 K, L, M, N묘 미추 12구 3, 4, 5, 6, 7, 8, 9, 10곽 미추 12구 11, 12, 13, 14, 15, 16-A, 16-B, 17, 18곽 황오 381 폐고분 (미추 2구 2호묘)
	군집분/묘 (연접) 복합분 1식	2기 내지 5기	각 매장주체묘곽마다 따로따로 외호석이 돌려진 사실상의 단장고분 2기 이상을 서로 묘역 일부가 겹치도록 설치하여 친연관계를 표시한 다장분 (확장방향-수평)		미추 9구 A파괴분 미추 4구(A) 3호분 1·2곽 미추 6구(C) 1, 2, 3, 4호 고분 미추 6구(C) 5, 6호 고분 미추 6구(C) 7, 8호 고분 미추 6구(D) 1호분 1, 2주곽 인왕동 19호분 황남동파괴분 1, 2, 3, 4곽 황남동 151호분 미추 6구(C) 11호분 미추 5구 2호분
	군집분+기생묘 (중복) 복합분 2식	무한	단일봉분 내부에 2기 이상의 매장주체묘곽이 설치된 다장분 (확장방향-수직)		황남 109호분 쪽샘 B연접분 (황남120호분) (황남 82호분) (황오 33호분)
	표형분 (연접)	반드시 2기	선후를 달리하는 2기의 봉토분을 의도적으로 근접 배치하여 봉분 일부가 서로 겹치게 봉토를 쌓아 외형이 표형을 이루는 다장분 (확장방향-수평)		황오 14호분 황오 1호분 황남대총 황오동고분 황오 54호분 을총 서봉총 (보문리 부부총)
단장분	단독분/묘	1기	한 봉분 안에 매장주체묘광이 하나만 설치된 1인용의 독립분	● 선축묘 ⬚ 후축묘	황남 110호분 인왕 19호분 A곽 인왕 20호분 황남 83호분 인왕 149호분 황오 54호분 갑총 천마총 금령총 식리총 황오 4호분 황오 5호분 노서 138호분 호우총·은령총

구분하였다. 단장분의 경우는 묘형이 세분되지는 않지만 다장분에 대한 상대적 명칭으로 단장분으로, 외형의 속성에 따른 명칭으로 단독분으로 부른다.

다곽분은 한 줄의 외호석 안에 2기 이상의 매장주체묘곽들이 평면적으로 배치된 다장분이며, 복합분 1식은 각 매장주체묘곽마다 따로따로 외호석이 돌려진 사실상의 단장고분 2기 이상을 서로 묘역 일부가 겹치도록 설치하여 친연관계를 표시한 다장분이다. 복합분 2식은 단일봉분 내부에 2기 이상의 매장주체묘곽이 설치된 다장분이고, 표형분는 선후를 달리하는 2기의 봉토분을 의도적으로 근접 배치하여 봉분 일부가 서로 겹치게 봉토를 쌓아 외형이 표형을 이루는 다장분이다. 단독분은 한 봉분 안에 매장주체묘곽이 하나만 설치된 1인용의 독립분이다.

한편 복합분의 경우는 층서상에서 서로 다른 양상이다. 복합분 1식은 호석이 수평적인 배치를 보이고, 복합분 2식은 상하로 수직적인 배치이다. 즉 연접과 중복의 개념[220]으로 이해된다. 이 배치방법에 따라 적석목곽분이 결합되는 양상이 다르다. 즉, 복합분 1식은 호석이 연결되어 하나의 군집된 형태를 띠고, 복합분 2식은 기존 고분의 봉분 수혈식 묘광을 구축하고 묘곽을 삽입하는 형태이다. 109호분 1곽과 쪽샘 B연접분 B4호 등이다. 이들 묘곽은 기존의 봉분을 그대로 사용하였으며, 호석을 갖추지 않는다. 정의하면 기생축조의 형태를 띤다. 최근 알려진 경주 황남동 120호분의 120-2호[221]의 경우도 이에 해당하는 것으로 생각된다. 이러한 묘곽의 특징은 기존 묘곽들과 시기차가 크고 6세기 이후에 조성되었을 가능성이 높다는 것이다. 따라서 경주 월성북고분군 내에서 늦은 시기에는 기존 봉분에 묘곽을 축조하는 기생축조의 배치형태가 존재했을 가능성이 있으며, 복합분 2식은 기생묘가 추가로 축조된 묘형이다. 본고에서는 복합분이라는 용어가 다곽

---

220 박형열, 2017, 「경주 쪽샘유적 적석목곽분의 특징과 과제」, 『문화재』 50권 4호.

221 신라문화유산연구원, 2020, 「경주 대릉원 일원[사적 제512호] 추정 황남동 120호분 주변 정밀발굴조사 현장 공개설명회 자료」.

분, 표형분, 단독분과 같이 묘형의 특징을 나타내지 않기 때문에 특징을 담아 낼
수 있는 군집분과 기생묘를 사용하고자 한다.

고분을 배치하는 과정에서 나타나는 특징은 다음과 같다. 봉분 하나에 매장시
설 한 기가 하나의 단위를 형성한다. 그리고 호석을 연이어 덧대며 고분과 매장시
설을 나란히 배치한다.

다시 말하면 신라 고분은 두 기의 매장시설을 나란히 배치하는 형태가 나타나
는 것이 특징이다. 두 기의 매장시설이 나란하게 배치된 대표적인 예가 남분과 북

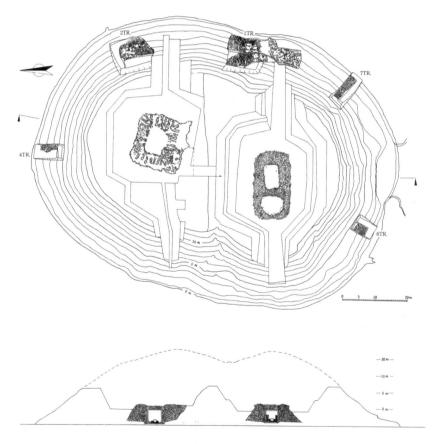

그림 3-36. 황남대총 평단면도 복원도

분이 있는 황남대총이다. 표주박을 반으로 잘라놓은 형태와 같아서 표형분으로 불리기도 하고 하나의 분류단위가 되기도 한다. 두 개의 고분으로 이루어진 적석목곽분은 황남대총(98호분), 황오동 90호분, 노서동 129호분(서봉총과 데이비드총), 노서동 134호분, 황오동 1호분, 황오리고분(98-3번지), 황남동 143호분 등이다. 그리고 두 기 이상의 고분으로 이루어진 것도 확인된다. 대표적으로 교동(황남동) 119호분, 황오동 34호분 등이다. 대형분 이외에 중형이나 소형분, 적석목곽묘, 목곽묘 등에서 매장시설이 나란하게 배치된 것을 확인할 수 있다.

두 기 이상의 고분이 연이어 배치된 경우 중 표형분으로 부르는 것은 2개의 봉우리, 봉분이라는 다소 한정적인 의미를 내포하므로 2기가 연접된 경우나 다수의

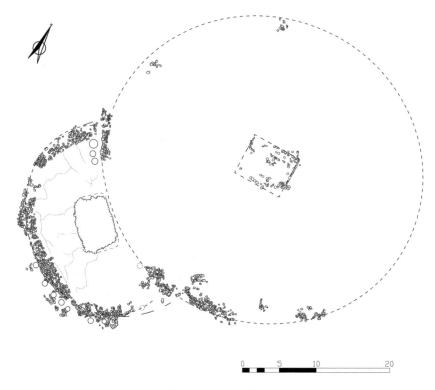

그림 3-37. 서봉총(북)과 데이비드총(남) (노서동 129호분) 평면도

매장시설이 연결된 경우는 군집분의 용어를 사용하고자 한다. 이것은 하나의 봉분에 여러 기의 매장시설이 있는 다곽묘와 다른 개념이다. 이와 같은 분류개념은 봉분의 수와 관련이 있다. 즉 군집분은 여러 기의 단독분이 모인 것이고, 다곽묘는 여러 기의 매장시설이 하나의 봉분 안에 있는 것이다.

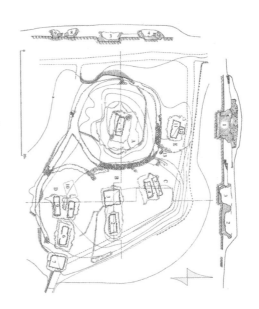

그림 3-38. 군집분 예시(경주 황오동 16호분 고분배치도)

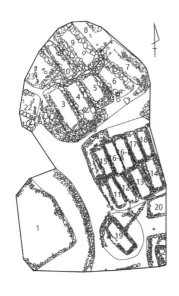

그림 3-39. 다곽분 예시1
미추왕릉지구 12지구 3~10호와 11~18호

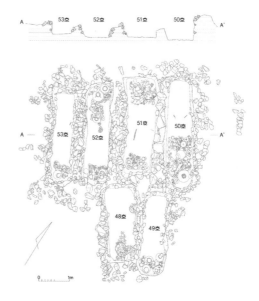

그림 3-40. 다곽분 예시2 계림로 48~53호 배치도
(국립경주박물관 2014: 119 도면33 전재)

2) 層序學的 關係

신라고분에 나타나는 층서학적 특징 중 대표적인 것은 연접과 중복이다. 연접은 선축묘에 연결 배치하기 위해 혹은 선축묘의 묘역과 공유하기 위한 방법이다. 선축묘와 수평으로 고분의 호석이 중첩되게 연결한다. 중복은 선축묘의 존재를 무시하거나 알아도 그 관계를 중요시 않고 추가 하는 방법이다. 선축묘의 봉분에 수혈식으로 구축하며, 토층 상에서 상하층이 구분되어 나타나는 구조이다. 두 현상은 모두 각각의 유구 간의 시간적인 선후관계를 확인할 수 있다는 장점이 있다.

경주 쪽샘유적에서 확인되는 적석목곽분의 대표적 특징 중 하나는 B연접분과 같은 여러 고분의 연접과 중복이 반복적으로 일어났다는 점이다. 이러한 연접과 중복은 신라 적석목곽분의 특징이라고 할 수 있다. 다시 정리하면 연접은 선축고분의 호석을 원상태나 일부 제거한 상태에서 호석을 덧붙여 후축 고분을 축조한 방법이다. 중복은 선축고분과 층위를 달리하여 후축고분을 축조한 방법으로 선축고분의 호석과 후축고분의 호석이 연결되지 않는다. 이와 같은 개념으로 쪽샘유적의 적석목곽분을 정리해 보면, 적석목곽분은 연접이 이루어지다 중복이 되면 군집이 완성된다. 즉 중복과 함께 연접이 중단된다. 결국 연접이 여러 번 된 군집 단위에서 최초로 축조될 때의 고분을 파악하면 월성북고분군의 전체 축조 양상과 형성과정을 알 수 있을 것이다. 경주 월성북고분군에서 층서적으로 중복과 연접의 예를 들면 다음과 같다.

(1) 중복

경주 인왕동유적 협성주유소부지[222]는 경주 월성로 고분군[223] 가와 나지구 사이에 위치한다. 경주 인왕동유적(협성)에서는 ⓐ 2호, 3호, 5호, ⓑ 14호, 14-1호,

---

222 國立慶州博物館, 2003,『慶州 仁旺洞遺蹟 -협성주유소 부지-』.

223 國立慶州博物館·慶州市, 1990,『慶州市 月城路古墳群-下水道工事에 따른 收拾發掘調査報告-』.

14-2호, ⓒ 15호, 15-1호, 15-2호, 15-3호, ⓓ 19호, 19-1호, 22호, ⓔ 16호, 20호, 21호, 23호 등 5곳의 중복양상이 확인된다.

층위상의 선후 관계로 이들 고분을 정리하면 다음과 같다. ⓐ 3호(Cb) → 2호(Ca1) → 5호(Ea), ⓑ 14호(Ca1) → 14-2호(Ca1) → 14-1호(Ea), ⓒ 15-1호(Cb추정) → 15-3호(Cb추정) → 15호(Ca1), ⓓ 19-1호(Ca1) → 19호(Ea), ⓔ 20호(Cb) → 21호(Ea)의 순이다.

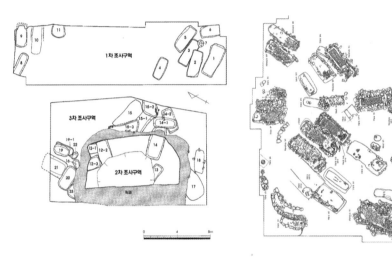

그림 3-41. 경주 인왕동 유적(협성)   그림 3-42. 경주 인왕동고분군

경주 인왕동고분군[224](경주)은 월성북고분군의 동북쪽 가장자리에 위치하며 주변에 인왕동 19・20호분이 있다. 경주 인왕동고분군에서는 9곳에서 중복양상이 확인된다. ⓐ 3-A호 적목[225], 3-B호 적목, 3-C호 적목, 1호 석곽, ⓑ 5-A호 토광, 5-B호

---

224 國立慶州文化財研究所, 2002, 『慶州 仁旺洞古墳群』.

225 해당 보고서에는 유구 이름을 번호와 묘제로 지정하였기 때문에 보고서의 고유명칭을 사용한다. 다만 적석목곽묘는 적목으로, 목곽묘는 목곽으로, 석곽묘는 석곽으로, 토광묘는 토광으로, 옹관묘는 옹으로 줄여서 사용하였다.

토광, ⓒ 2호 석곽, 14호 토광, ⓓ 7호 적목, 16호 토광, ⓔ 9호 적목, 10호 적목, ⓕ 3호 석곽, 4호 석곽, ⓖ 6-A호 적목, 6-B호 적목, 제사유구, ⓗ 2호 토광, 13-A호 토광, 13-B호 토광, 5호 적목, ⓘ 5호 적목, 6호 적목(호석), 5호 석곽 등 이다.

층위상의 선후 관계로 이들 고분을 정리하면 다음과 같다. ⓐ 3-B호 적목(Cb) → 3-A호 적목(Cb) → 3-C호 적목 → 1호 석곽(Ea1), ⓑ 5-B호 토광(Db) → 5-A호 토광(Db), ⓒ 14호 토광(Db) → 2호 석곽(Ea1), ⓓ 16호 토광(Db) → 7호 적목(Ca1), ⓔ 10호 적목(Ca1) · 9호 적목(Cb), ⓕ 4호 석곽(Ea1) · 3호 석곽(Ea1), ⓖ 6-B호 적목(Ca1) → 6-A호 적목(Ca1) → 제사유구, ⓗ 2호 토광(Db) → 13-A호 토광(Db) → 13-B호 토광(Db) → 5호 적목, ⓘ 6호 적목(호석) → 5호 적목 → 5호 석곽(Eb)의 순이다.

경주 황남동 95-4번지유적[226]은 인왕동 27호분에서 약 북서쪽으로 100m지점에

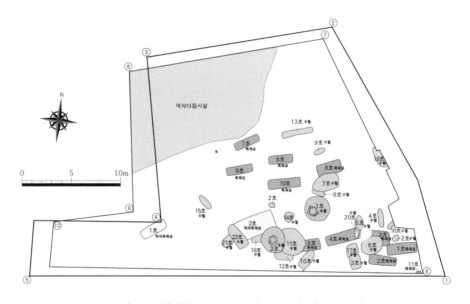

그림 3-43. 황남동 95-4번지 유적 유구배치도 (筆者 改變)

---

226 한국문화재재단, 2018, 「1. 경주 황남동 95-4번지 유적」, 『2016년도 소규모 발굴조사 보고서 ⅩⅤ-경북6-』, 한국문화재재단.

있다. 황남동 95-4번지 유적에서는 목곽묘 11기, 적석목곽묘 2기 등이 확인된다. 이 중에서 1곳의 중복양상이 확인되는데 ⓐ 1호 목곽묘와 3호 목곽묘이다. 층위상 1호가 3호의 동남쪽 모서리를 파괴하고 있기 때문에 3호가 1호보다 이르다. 또한 3호는 6호 수혈에 의해서도 파괴되었다. 그래서 순서를 정리하면 ⓐ는 3호 목곽묘(Db) → 1호 목곽묘(Db)의 순이다.

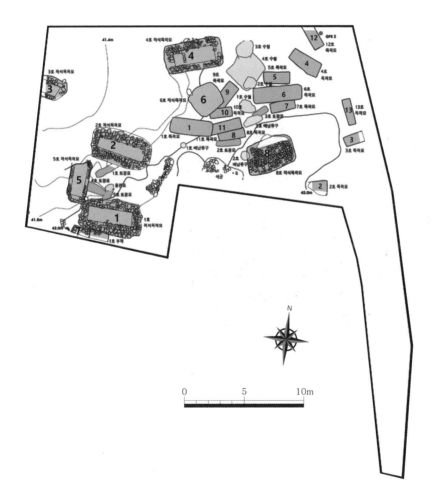

그림 3-44. 황남동 95-6번지 유적 유구배치도 (筆者 改變)

황남동 95-6번지 유적[227]은 황남동 95-4번지 유적의 남쪽에 위치한다. 목곽묘 13기, 토광묘 5기, 적석목곽묘 8기, 옹관묘 1기 등 총 35기의 유구가 확인되었다. 이 중 ⓐ 6호 목곽묘, 7호 목곽묘, ⓑ 9호 목곽묘, 10호 목곽묘, 6호 적석목곽묘(단독부장), ⓒ 2호 토광, 8호 목곽, 11호 목곽, 1호 목곽, ⓓ 1호 적목, 2호 적목, 5호 적목 등 4곳에서 중복양상이 확인된다.

층위상의 선후 관계로 이들 고분을 정리하면 다음과 같다. ⓐ 7호 목곽묘(Db) → 6호 목곽묘(Db), ⓑ 9호 목곽묘(Db) → 10호 목곽묘(Db) → 6호 적석목곽묘(Ca1), ⓒ 8호 목곽묘(Db) → 2호 토광묘(G)·11호 목곽묘(Db) → 1호 목곽묘(Db 추-삭평으로 불분명), ⓓ 5호 토광묘(G) → 4호 토광묘(G) → 1호 토광묘(G) → 2호

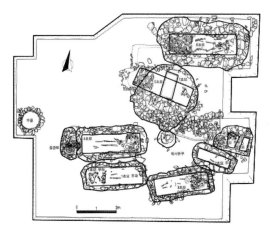

적석목곽분(Ba1) → 1호 적석목곽분[228](Ba1) → 5호 적석목곽묘(Ca1)·7호 적석목곽묘(Ca1)의 순이다.

황남동 106-3번지 유적[229]은 황남동 95-6번지 유적의 남쪽(95-14번지)에 위치한다. 분묘 유구는 적석목곽묘 5기, 석곽묘 2기, 옹관묘 1기 등 총 8기가 확인된다. 대부분의 묘제가

그림 3-45. 황남동 106-3번지 유구배치도(筆者 改變)

227 신라문화유산연구원, 2017, 「경주 황남동 95-6번지 유적」, 『2015년도 소규모 발굴조사 보고서 ⅩⅨ -경북7-』, 韓國文化財財團.

228 1호 적석목곽분의 경우 남쪽에 길이 175cm, 너비 140cm, 길이 141cm(주곽보다 15cm 낮음) 규모의 부곽이 있었다고 보고하였다(신라문화유산연구원 2017: 82-124). 그러나 부곽의 출토유물이 주곽보다 선행하는 형식이고 병렬주부곽식 적석목곽분의 부곽이 주곽의 좌측에 놓이는 경향을 고려할 때 부곽은 주곽보다 선행하는 또 다른 유구일 가능성이 있다.

229 國立慶州文化財研究所, 1995, 『慶州 皇南洞 106-3番地 古墳群 發掘調査報告書』.

그림 3-46. 경주 미추왕릉 지구 분포도 및 계림로 유구 배치도

인접해서 배치되었지만 이 중에서 ⓐ 1호, 3호, 4호, ⓑ 5호, 7호 등 두 곳에서 중복 양상을 확인할 수 있다. 층위상의 선후 관계로 이들 고분을 정리하면 다음과 같다. ⓐ는 3호(Ca1) → 4호(Cb) → 1호(Ca1), ⓑ는 7호(下層) → 5호(上層-Cb))의 순이다.

경주 미추왕릉지구 발굴조사는 1973년 경주 대릉원을 조성하면서 황남동 106호분(전 미추왕릉)을 중심으로 그 일대에서 진행되었다. 106호분이 미추왕릉으로 불리고 있기 때문에 미추왕릉지구 또는 그 앞부분에 있다고 하여 미추왕릉 전지구라고 불린다. 총 12개의 지구로 구분되며, 1, 2, 3, 10, 11, 12지구는 106호분의 북쪽, 4, 5, 6, 7, 8, 9지구는 106호분의 남쪽에 위치한다.

미추왕릉 4地區[230]는 발굴 당시 미추왕릉 전 A지구로 분류되었던 곳이다. 현재

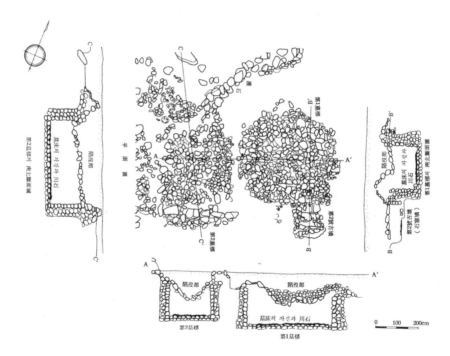

그림 3-47. 경주 미추왕릉 4지구 유구배치도(文化財管理局・慶州史蹟管理事務所 1980)

230 文化財管理局・慶州史蹟管理事務所, 1980,『慶州地區 古墳發掘調查報告書』第二輯: pp.131-239.

대릉원의 정문부지에 위치한다. 한국전쟁 시 미군의 주둔지로 사용되면서 훼손된 부분이 있지만 3기의 고분이 확인되며 서로 간에 중복양상이 나타난다. 중복은 2호, 3-1호, 3-2호에서 보이고 3-1호의 적석이 2호의 개석을 덮고 있어서 3-1호가 후축되었음을 알 수 있다. 그리고 3-2호는 3-1호의 호석을 파괴하고 남북방향으로 축조되어 3-2호가 3-1호보다 후축되었다. 이러한 층위관계를 정리하면 ⓐ는 2호(Ea1) → 3-1호(Ba1) → 3-2호(Ca1-기생묘)의 순이다.

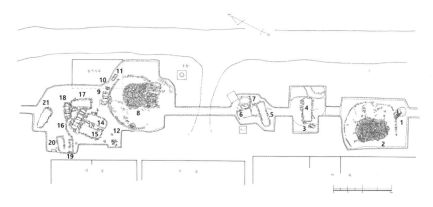

그림 3-48. 경주 미추왕릉 5지구 유구배치도 (1:400) (筆者 改變)

미추왕릉 5地區[231]에서는 총 21기의 유구가 확인된다. 이곳에서는 ⓐ 1호, 2호, ⓑ 13호, 14호, 15호, 16호, 17호, 18호, (19호, 20호) 등 2곳의 중복양상이 나타난다. 층위에서 보이는 유구의 선후 관계를 정리하면, ⓐ는 2호(Ba1) → 1호, ⓑ는 14호(Ba1) · 15호(Ba1) → 16호(Ea1) → 13호 · 17호(Ba1) · 18호(Ea1), [19호(Ea1) · 20호(Ea1)] 등의 순이다.

미추왕릉 6지구[232]는 C와 D로 분리되어 있다. C는 D의 서편에 위치한다. 6地區

231 文化財管理局 · 慶州史蹟管理事務所, 1975, 『慶州地區 古墳發掘調查報告書』第一輯: pp. 153-200.
232 金宅圭 · 李殷昌, 1975, 「後篇 皇南洞 味鄒王陵 前地域 古墳群」, 『皇南洞古墳發堀調查槪報』古墳調

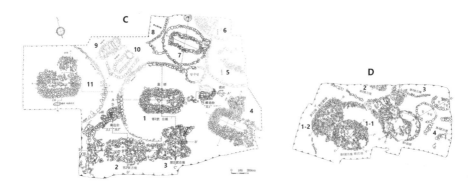

그림 3-49. 미추 6지구 C(左)와 D(右) 유구배치도 (筆者 再編輯)

에서는 3곳의 중복양상이 확인되는데, C의 ⓐ C1호, C2호, C3호, (C4호)와 ⓑ C9
호, C10호, D의 ⓒ D1-1호, D1-2호 등이다. 층위상의 선후 관계로 이들 고분을 정
리하면 다음과 같다. ⓐ는 C1호(Ba1) → C2호(Ba1) → C3호(Ba1) → [C4호(Ca2-기
생묘)], ⓑ는 C9호(Ea1) → C10호(Ea1)의 순이고, ⓒ는 D1-1호(Ba1) → D1-2호(Ca1-
기생묘)의 순이다.

　미추왕릉 7지구[233]는 〈그림 3-50〉에서 보듯이 황남동 232·231번지 유적과
연결된 양상을 확인할 수 있다. 황남동 232번지 1호분은 미추왕릉 7지구 5호분으
로 확인된다. 그러나 보고서[234]에서는 이러한 내용을 확인할 수 없다. 아마도 미
추왕릉 7지구의 위치가 부정확하게 도면에 표시되었기 때문에, 추후 232번지를
발굴 조사할 때 확인하지 못했던 것으로 생각된다. 다행히 미추왕릉 7지구 보고
서에 기록된 지번을 통해 연결된 유적으로 찾을 수 있었다. 또한 151호분의 석실
과 적석총의 위치를 추가하여 살펴보았다. 미추왕릉 7地區에서는 3개의 중복양

　査報告 第1冊, 嶺南大學校博物館: pp. 31-162.

233 文化財管理局·慶州史蹟管理事務所, 1980, 『慶州地區 古墳發掘調査報告書』第二輯: pp. 9-49.

234 한국문화재재단, 2019, 「44·45. 경주 황남동 232·231번지 유적」, 『2017년 소규모 발굴조사 보
　　고서』.

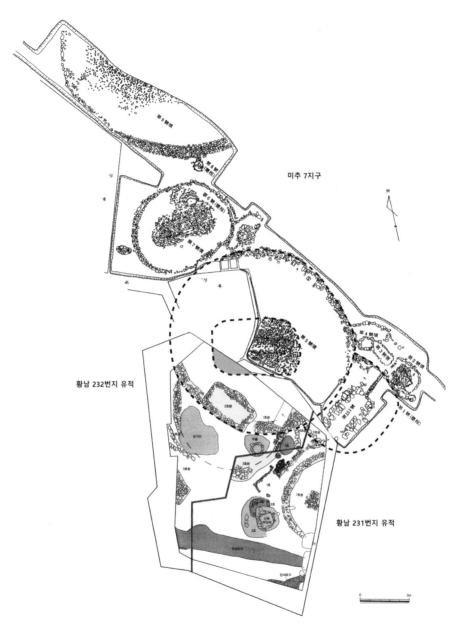

미추 7지구

황남 232번지 유적

황남 231번지 유적

0   5m

그림 3-50. 미추왕릉 7지구와 황남동232·231번지유적 유구배치도

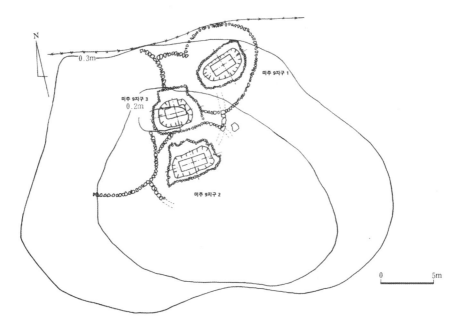

그림 3-51. 미추왕릉지구 9지구 유구배치도

상이 확인된다. ⓐ 1호, 2호, 3호, 4호, 5호(232-2번지 1호), 151호, 232-2번지 2호, ⓑ 6호, 7호, ⓒ 8호, 9호 이다. 층위상의 선후 관계로 이들 고분을 정리하면 다음과 같다. ⓐ는 5호(Ba1, 232번지 1호분) → 3호(Ba1) · 232번지 2호분(Ba1) → 2호-부곽(Ba2추정, 151호분 적석총-주곽) · 1호(F) → 4호(Ea1) · 151호-석실(석실분, 232번지 5호분 호석), ⓑ는 7호(Ba1) → 6호(F), ⓒ는 9호(Ba1) → 8호(F)의 순이다.

미추왕릉 9地區[235]에서는 A호 파괴고분에서 5기 중 3기의 적석목곽분이 조사되었다. 조사된 3기는 서로 중복관계에 있으며, 2곽과 3곽, 1곽과 3곽이 각각 중복된다. 3곽은 1곽과 2곽 사이의 후대에 조성되었다.

이들 묘곽의 서편에 2기의 고분이 있지만 발굴되지 않아서 도면상으로 짐작하

---

235 文化財管理局 · 慶州史蹟管理事務所, 1975, 『慶州地區 古墳發掘調查報告書』第一輯: pp.67-151.

면 조사된 1~3곽이 시기적으로 늦다고 생각된다. 이상의 층위관계를 고려하여 정리하면 ⓐ는 2곽(Ba1) → 3곽(Ba2), ⓑ는 1곽(Ba1) → 3곽(Ba2)의 순이다. 1곽과 2곽의 선후관계는 현재로써는 층위를 통해 알 수 없지만 2곽의 바닥면이 1곽보다 낮다는 점과 유물이 약간 선행하는 형식이라는 점에서 2곽이 1곽보다 선행한 것으로 보인다.

(2) 연접

연접은 호석이 연이어 붙은 형태로 Aa와 Ba형에서 확인된다. 연접양상이 보이는 대표적인 예를 다음의 9곳에서 확인할 수 있다. ⓐ 황오동 14호분 1곽, 2곽, ⓑ 황오동 16호분 B분(8ㆍ10곽), C분(2ㆍ3곽), D분(4ㆍ5곽), ⓒ 황오동 34호분 1호, 2호, 3호, ⓓ 황남동 82호분 동총, 서총, ⓔ 황남대총(98호분) 남분, 북분, ⓕ 서봉총(129호분), 데이비드총(129호분), ⓖ 은령총(139호분), 호우총(140호분), 노서동 215번지 고분, ⓗ 황오리 고분(98-3번지) 남곽, 북곽, ⓘ 쪽샘 B연접분 1호, 2호, 3호, 4호 6호 등이다. 이들 연접된 고분과 앞서 정리된 중복관계에 놓인 고분을 살펴보면 묘제별 상대순서를 가늠할 수 있다.

연접은 A와 Ba1형에서 나타나는 특징이 있다. 이것은 이 두 유형의 묘제에서 호석이 발달하였기 때문이다. 이들 연접에서 살펴봐야 할 중요한 부분은 연접이 끝나는 부분을 확인하는 것이다. A형인 대형분의 경우 두 기의 고분이 연접되고 더 이상 연접이 되지 않는 모습이 관찰된다. 이러한 형태는 표형분으로 불리기도 하는데, 신라 고분에서 보이는 매우 특징적인 현상이라고 할 수 있다. 반면 Ba1형인 중소형분의 경우 세 기 이상이 연접되어 하나의 군집분을 형성하는 모습이 관찰된다. 예를 들면 황오동 16호분, 황오동 34호분, 은령총과 호우총, 쪽샘 B연접분 등이다.

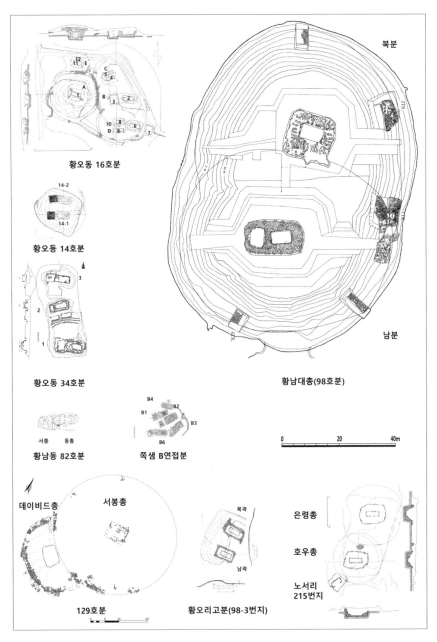

그림 3-52. 경주 월성북 고분군 연접관계에 의한 군집형성 (1:100)

표 3-25. 연접된 주요 고분의 묘제별 선후 관계

연번	고분	先 後				
ⓐ	황오동 14호분	1곽 Ba1			2곽 Ba1	
ⓑ	황오동 16호분	B분(8·10곽) Ba1	C분(2·3곽) Ba1	D분(4·5곽) Ba2		A분(1곽) Ba1
ⓒ	황오동 34호분	1호 Ba1		2호 Ba1		3호 Ba1
ⓓ	황남동 82호분	동총 Ba1			서총 Ba2	
ⓔ	황남대총(98호분)	남분 A			북분 A	
ⓕ	129호분	서봉총 A			데이비드총 Ba1	
ⓖ	은령·호우총	은령총(139호분) Ba1		호우총(140호분) Ba1		노서동 215번지 고분 Ba1
ⓗ	황오리 고분	남곽 Ba1			북곽 Ba1	
ⓘ	쪽샘 B연접분	2호 Ba1	1호 Ba1	6호 Ba1	3호 Ba1	4호(중복) Ca

이들 고분은 규모가 큰 경우 여러 개의 봉분을 형성한다. 하지만 규모가 작은 것은 하나의 봉분에 여러 기의 분묘가 들어간 형태를 보인다. 여기에서 주목되는 것은 중복과 연접이 동시에 확인되는 고분인 쪽샘 B연접분과 황오동 16호분 등이다.

이 두 고분 중에서 최근에 보고된 ⓘ 쪽샘 B연접분의 경우 연접과 중복의 양상을 잘 보여준다. 〈그림 3-53〉에서 보듯이 1호와 2호, 3호, 6호는 호석에 연접하여 묘곽을 설치하는 방식으로 묘를 확장하는 것이고, 4호의 경우는 호석이 없는 적석목곽묘로 1호분의 호석을 파괴하고 중복된 형태이다.

쪽샘 B연접분의 유물의 연대로 보면 B2호와 B1호, B6호, B3호의 축조연대는 5세기 3/4분기에서 4/4분에 집중되어 있으며, B4호는 이보다 늦은 6세기 전엽의 연대로 추정된다. 즉 B3호분이 축조되면서 쪽샘 B연접분은 연접이 중단되고 일정 시기가 지난 후에 B4호가 봉분에 중복되는 양상이라 할 수 있다.

다시 말해서 연접이 이루어지다가 끝이 나면 하나의 군집단위를 형성한다. 이

때 하나의 단위는 군집분으로 부를 수 있다. 연접된 묘의 경우도 서로 연결되어 다곽묘를 형성하는 것처럼 보이지만 하나의 덩어리를 이룬다. 이 덩어리는 군집묘로 구분할 수 있다. 이러한 군집분과 군집묘와 같이 매장시설이 연이어 붙는 경우 친족 관계일 가능성이 높다.

경주 월성북고분군은 국지적으로 발굴이 진행되어 층서학적으로 중복과 연접 관계를 정리하는데 어려움이 있었다. 현재 이곳에서는 대규모 정비 사업으로 발굴 조사가 진행되면서 전체적인 맥락을 이해할 수 있는 자료가 확보되고 있다. 앞서 언급한 중복과 연접 방식은 이들 자료의 선후 관계를 더욱 뚜렷하게 한다. 결국,

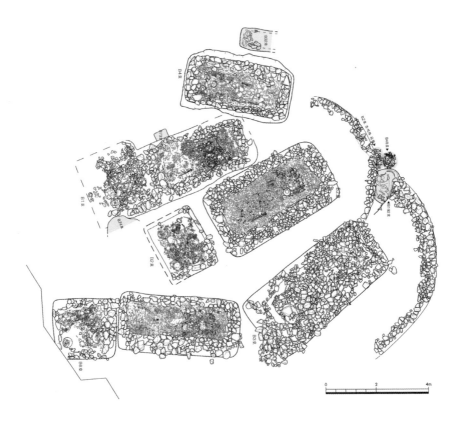

그림 3-53. 쪽샘 B연접분 유구배치도(국립경주문화재연구소 2016: p.28 도면 4 전재)

개별 단위는 단독분이며, 군집 단위는 군집분으로 구별할 수 있다. 이 두 개념으로 대규모 발굴유적인 경주 쪽샘 유적의 자료와 연결하여 살펴보면 다음과 같다.

경주 쪽샘유적 A와 C, D, E지구는 분포조사 후 일부에서만 확장조사를 시행하여 적석목곽분의 전체적인 배치양상은 확인할 수 없었다. 대신 고분분포도에 표시된 것을 토대로 하여 적석목곽분의 규모와 위치는 확인할 수 있었다. 그래서 A와 C, D, E지구에서 보이는 적석목곽분의 양상은 고분의 연접과 중복양상을 보다 잘 확인할 수 있는 B와 F, G지구의 적석목곽분의 양상을 살핀 후 언급하도록 한다. B와 F, G지구의 적석목곽분의 연접과 중복으로 본 단독분과 군집분[236]의 고분단위를 살펴보면 다음과 같다. B지구에서는 단독분으로 54호분 갑총, 55호분, B129호, 군집분으로 53호분·B99·100호, 54호분 을총·B79·80·81호, 56호분·B115·116호, 57호분·B118·119·120·132·133호, B1·2·3·4·6호(B연접분), B5·135호, B33·34·35호, B88·89·90호, B96·97호, B101·102·103·104·105·106·107·108·109·122호, B136·137·138·139호가 확인되며, 총 14개의 고분단위로 구분된다. F지구에서는 단독분으로 F4호, 군집분으로 33-1·2호분, 34-1·2·3호분, F2·3호, F6·7호, F5·15호, F13·14호, F16·18·34호, F17·21호가 확인되며, 총 9개의 고분단위로 구분된다. G지구에서는 단독분으로 2호분, 3-1호분, 35호분, G1호, G2호, G3호, G4호, G5호, G6호, G17호, G22호, G25호, 26호, G30호, 31호, G32호, 군집분으로 G7·8·11호, G12·13·14·15호, G18·19·20·21호, G23·24호, G27·28·29·(G16)호가 확인되며, 총 21개의 고분단위로 구분된다. 이상과 같이 B와 F, G지구의 적석목곽분은 연접과 중복과정 있으며 단독분과 군집분으로 형성되어 있다.

---

236 하나의 고분으로 된 단독분과 달리 여러 고분이 연결된 적석목곽분의 형태는 표형분과 연접분으로 구분되고 있다. 하지만 두 형태를 구분할 때 기존의 연접분이란 용어가 고분을 연이어 붙였다는 의미로 연결 방향과 범위를 알 수 없다는 모호함이 있어서 '떼 지어 한곳에 모인 고분'이라는 의미로 범위의 한계성을 구분하고자 군집분을 사용하고자 한다.

B와 F, G지구의 양상으로 A, C, D, E지구의 고분단위를 살펴보면 A지구에서는 52호분 주변으로 2기의 고분이 연접되어 있다. C지구와 D지구에서는 전체적인 양상은 확인하지 못했지만 대략 C지구는 4개, D지구는 2개의 군집단위를 설정할 수 있고 B지구와 유사한 양상이 연속될 것으로 보인다. E지구는 부분적인 확장 조사로 일부 구역에서만 연접과 중복양상이 확인된다. E지구에서는 41호분, 44호분, 51호분, E1호, E3호, E4호, E5호, E6호, E7호, E13호, E14호가 단독분으로 확인되며 30-1호분 A·B곽, 40호분·E2호, E8·9호, E10·11·12호, E15·16호 등이 군집분으로 구분될 수 있다. 전체 16개의 군집단위가 확인된다.

이상의 군집단위를 종합해 보면 경주 쪽샘유적에서는 현재 67개의 군집단위가 확인된다. 이처럼 쪽샘유적의 발굴조사를 통해 적석목곽분의 명확한 고분단위를 알 수 있는 자료를 확보할 수 있었다.

본 절에서는 층서학적으로 적석목곽분의 선후 관계를 추정하였다. 중복과 연접에 의한 고분의 층서는 묘제의 선후 관계나 상하 관계를 알 수 있는 자료일 뿐만 아니라 그동안 구분할 수 없었던 적석목곽분의 개별단위와 군집단위를 구별하고, 그 범위를 설정할 수 있는 근거이다. 개별단위의 단독 배치방법과 연접 배치방법에 따라 단독분과 군집분이 구분된다. 그리고 단독분과 군집분과 관계는 결국, 고분군 내 고분의 형성과정과 그 순서를 이해하는 것에 도움이 될 것이다.

4. 編年

신라의 묘제는 목관묘 단계 - 목곽묘 단계 - 고총 단계 - 석실분 단계로 변화한다. 이것은 원삼국시대에서 삼국시대에 걸쳐 이루어진 변화로 빠르게는 기원전후에서 서기 600년까지의 시간폭을 갖는다. 고고학에서 시기 구분은 토기 변화를 중심으로 이루어지며, 묘제의 변화는 대체로 대응되는 양상이다.

표 3-26. 신라의 시기 구분안 비교와 시기설정

최종규[237]		최병현[238]			김용성[239]			이성주[240]			단계	
토기	시기	신라고분	토기	세부	분묘단계	토기단계	시기구분	생산체계		분기	단 계	
BCE 100						무문토기	무문 토기					
						무문토기 + 고식와질토기				I-1		
0 CE										I-2		
100	고식 와질토기	원삼국 (사로국) 전기: 목관묘	고식 와질 토기		I 목관묘단계	고식와질토기	삼한 전기토기	반전업적 생산체계 (연질토기)		I-3 (조Ⅱ期) I-4 I-5 (송두2) I-6 I-7	목관묘 단계 I	고식 와질 토기 단계 I
200	신식 와질토기	원삼국 (사로국) 후기 목곽묘	신식 와질 토기	1기	II 목곽묘단계	신식와질토기	삼한 후기토기		II	II-1a II-1b II-2a II-2b II-3a II-3b	목곽묘 단계 II	신식 와질 토기 단계 II
				2기		신식와질토기 + 조기신라토기						
			신라 조기 양식 토기	1기		조기신라토기				II-4a II-4b		
300	고식 도질토기	신라 조기 주부곽식 목곽묘		2기	III 고총단계	전기신라토기	고식 도질 토기	전업적 생산체계 (연질토기)	III	III-1 III-2 III-3 III-4	적석목곽묘 단계 III	고식 도질 토기 단계 III
				1기 1A기								
400				1B기								
	전기		신라 전기 양식 토기	2기		중기신라토기	신라토기		IV	I II III IV V	적석목곽분 단계 IV	신식 도질 토기 단계 IV (전기 신라 토기)
중기	신식 도질토기 전기	신라 전기 적석목곽분		3기								
500				4기								
600	후기	신식 도질토기 후기	신라 후가 석실봉토분	신라 후기 양식 토기	1기	IV 석실단계	후기신라토기				석실분 단계 V	(후기 신라 토기)
					2기							

---

237 崔鍾圭, 1983, 「中期古墳의 性格에 대한 약간의 考察」, 『釜山史學』第7輯, 釜山大學校 史學會.
崔鍾圭, 1995, 『三韓考古學研究』, 書景文化社.
238 崔秉鉉, 2011, 「신라 후기양식토기의 편년」, 『嶺南考古學』59號, 嶺南考古學會.
최병현, 2012, 「신라 조기양식토기의 설정과 편년」, 『영남고고학』63호, pp.105-156.

고총 단계는 봉분이 높아지고 규모가 거대해지는 단계이다. 이 단계는 전술한 신라묘제로 보면 크게 적석목곽묘와 적석목곽분 등 두 단계로 구분할 수 있다. 초기 적석목곽묘는 포항 남성리 Ⅰ-1호묘, 경주 구어리 Ⅱ-1호묘 등과 같은 이혈 주부곽식 적석목곽묘와 포항 마산리 적석목곽묘와 같은 동혈 주부곽식 적석목곽묘를 표지로 한다. 이들 적석목곽묘가 출현하는 시기를 기준으로 적석목곽묘 단계가 구분된다. 적석목곽분 단계는 경주 월성북고분군 내 적석목곽분의 존속 시기를 기준으로 한다.

시기별 세부 편년은 분묘에 부장된 토기류, 철기류, 목기류 등의 유물을 통해 설정할 수 있다. 유물은 다양한 속성을 가지며 시간에 따라 변화 한다. 그 중에서 토기는 제작과 폐기(즉 고분 부장) 사이의 사용기간 문제가 거의 없고 변이성이 가장 풍부하기에 이로써 파악된 변천의 양상은 정향성을 가지기 때문에[241] 편년의 기준이 될 수 있다. 따라서 세부 편년은 토기의 변화를 기준으로 설정한다.

기존 토기연구의 결과를 바탕으로 각 시기의 세부 편년과 변화상을 기존 토기 편년안과 비교하면 상대서열은 비교적 안정적이다. 다만 역연대의 설정에서 차이를 보인다. 역연대의 경우 편년자 마다 다른 기준으로 설정하기 때문에 약 50년의 연대 차이가 발생한다. 이러한 연대설정의 문제에서 경주 분지 내 묘제를 대입하는 부분에도 자유로울 수 없다. 따라서 경주 분지의 중심고분군인 경주 월성북고분군의 주요 양상을 살펴 시기별 연대와 묘제별 시간성을 확인할 필요가 있다.

최병현, 2013, 「신라 전기양식토기의 성립」, 『고고학』12-1호, pp.5-58, 중부고고학회.

최병현, 2014, 「5세기 신라 전기양식토기의 편년과 신라토기 전개의 정치적 함의」, 『고고학』 13-3호, 中部考古學會.

239 金龍星, 1997, 『大邱·慶山地域 高塚古塚의 硏究』, 嶺南大學校 大學院 博士學位論文: pp. 56-62.

金龍星, 1998, 『新羅의 古塚과 地域集團』, 춘추각.

240 이성주, 1993, 「낙동강동안양식토기에 대하여」, 『제2회 영남고고학회 학술발표회발표 및 토론요지』, 영남고고학회.

241 이희준, 2007, 『신라고고학연구』, 사회평론: p.107.

경주 월성북고분군에서 고식와질토기 단계는 명확하지 않다. 다만 목곽묘단계의 신식와질토기를 가장 이른 시기의 토기로 볼 수 있다. 이 시기 토기는 경주 인왕동고분(영남대) C지구 6호 하층에서 확인된 대부광구호와 노형토기, 경주 쪽샘 C2호 출토 노형토기이다. 이들 토기를 기준으로 서기 3세기 전엽경을 상한 연대로 설정할 수 있다. 그리고 신식와질토기는 경주 쪽샘지구 I · M지구[242]와 황남동 96-6 6호 목곽묘, 인왕동 814-4번지 목곽묘 1호, 인왕동 814-3번지 목곽묘 4호 등에서 출토되었다. 신식와질토기에 대한 연구는 비교적 안정적으로 상대서열되었다. 이 시기 와질토기의 단계를 분석한 이성주의 연구를 바탕으로 목곽묘 단계를 설정하고자 한다. 또한 경주 덕천리유적의 목곽묘단계 토기의 변화상을 기준으로 편년한 연구에서 대부광구호의 연대관을 기준으로 시기를 구분한다.

신식와질토기 이후 단계는 네 가지 정도의 연대 문제가 있다. 첫 번째는 고식도질토기의 사용 기간이다. 두 번째는 5세기 신라토기(낙동강이동양식 혹은 신라전기양식토기[243])의 상대 편년과 상한 및 하한이다. 세 번째는 일본 스에키 연대와 비교에 관한 것이다. 네 번째는 석실분의 등장 연대이다.

첫 번째, 고식도질토기 경우 경주 월성북고분군 내에서 목곽묘의 발굴이 증가하면서 점차 출토 수량이 늘어나는 추세이다. 아직 미발굴된 지역이 많아서 주변유적 출토품과 함께 비교하여 시기를 구분한다. 경주 월성북고분군에서는 월성로고분군, 인왕동 96-4와 96-6번지, 쪽샘 IM지구 수습품, 황오동 100번지 18호와 19호, 1호 제사유구 등에서 고식도질토기가 확인된다.

주변의 덕천리유적과 황성동 고분군, 동산리고분군 등에서 출토된 고배에서 몇 가지 특징이 확인된다. 신식와질토기와 다르게 고식도질토기에서 보이는 특징은

---

242 국립경주문화재연구소, 2019, 『경주 쪽샘지구 신라고분유적 XI -I · M지구 분포조사 보고서』.

243 최병현(2011, 2012, 2013, 2014)은 신라 토기를 신라의 변화양상에 대입하여 조기, 전기, 후기로 구분한다.

재질의 변화, 고배 대각 투창의 발생, 대각의 장각화, 장방형투창의 발생, 대각의 단수 변화, 유개고배의 등장, 투창의 배열 변화 등이다.

이들 속성의 변화를 기준으로 고배에 투창이 발생하는 것과 컵형토기에 파수가 부착되는 것을 고식도질토기의 시작 시기로 한다. 그 이후 시기는 고배 대각의 단수가 분할되면서 2단각, 3단각, 4단각으로 변화한다.

두 번째, 5세기대[244] 경주 분지 내의 토기 편년은 경주 월성로고분군의 출토 토기를 기반으로 한다. 토기의 편년은 대체로 고배를 대상으로 이루어진다. 고배의 편년안[245]을 비교하면 주요 대상은 경주 월성로 고분군 출토품이다. 각 편년안 중에서 이희준은 각각의 월성로고분군 편년안을 토대로 상대서열을 비교하였다. 경주 월성로는 가30호→가31호→가29호→가8호→(가5호[246])-가6호→가13

---

244 이희준(2007)의 신라토기단계이며, 최병현(2013)의 신라전기양식 토기에 해당한다.

245 金斗喆, 2007, 「三國·古墳時代의 編年觀(Ⅱ)」, 『한일 삼국·고분시대의 연대관(Ⅱ)』 제2회 국제 학술회의, 國立釜山大學校博物館·國立歷史民俗博物館.

金斗喆, 2011, 「皇南大塚 南墳과 新羅古墳의 編年」, 『韓國考古學報』80, 韓國考古學會.

金龍星, 1998, 『新羅의 古塚과 地域集團』, 춘추각.

金龍星, 2009, 『신라왕도의 고총과 그 주변』, 학연문화사.

남익희, 2015, 「고 신라토기」, 『신라고고학개론』下.

박형열, 2015, 「4~6세기 신라 고배의 문양 변천 -경주 황오동고분군 출토품을 중심으로 -」, 『영남고고학』73호: pp.72-101, 영남고고학회.

송의정, 1991, 「경주 월성로 출토유물의 분석」, 서울대학교 대학원 석사학위논문.

이성주, 1993, 「낙동강동안양식토기에 대하여」, 『제2회 영남고고학회 학술발표회발표 및 토론요지』, 영남고고학회.

李熙濬, 1998, 「4~5세기 新羅의 考古學的 硏究」, 서울大學校 大學院 博士學位論文.

이희준, 2007, 『신라고고학연구』, 사회평론.

崔秉鉉, 1981, 「古新羅 積石木槨墳의 變遷과 編年」, 『韓國考古學報』10·11, 韓國考古學會.

崔秉鉉, 1992, 『新羅古墳硏究』, 一志社.

崔秉鉉, 2011, 「신라 후기양식토기의 편년」, 『嶺南考古學』59號, 嶺南考古學會.

최병현, 2013, 「신라 전기양식토기의 성립」, 『고고학』12-1호, 중부고고학회: pp.5-58.

藤井和夫, 1979, 「慶州古新羅古墳編年試案-出土新羅土器中心-」, 『神奈川考古』6.

246 경주 월성로 가5호는 이희준의 경우(2007) 직렬투창고배가 확인되는 점에서 4세기 전엽(이희준

호 순[247]으로 변화를 한다. 신라토기가 성립된 가13호 이후에는 경주 월성로 고분
군 가지구 11-1호와 나지구 14호 출토 고배가 경주 황남대총 남분 출토품과 경주
황남대총 북분 사이에 위치하거나 북분과 동일한 시기[248]에서 확인되는 것으로 볼
수 있다. 더불어 고배의 경우 문양을 통해 시기가 구분되기도 한다. 문양은 점열문,
파상문, 집선문, 삼각집선문, 거치문, 격자문, 사격자문, 이조침선문, 삼각집선+원
점문(컴파스문) 등이 나타난다. 이중에서 점열문이 사라지는 시기와 이조침선문이
집중되는 시기, 삼각집선+원점문(컴파스문) 등이 나타나는 시기에 주목해 볼 수 있
다. 경주 월성로 고분군 가-11-1호는 집선문계열의 문양이 혼합되어 나타나는 시
기로 박형열은 문양을 통한 신라고배의 편년에서 문양을 5단계로 구분하면서 경주
월성로 고분군 가지구 11-1호를 3단계(440-470년)에 해당하는 것으로 보았다[249].

월성로 가-13호 이후 경주지역 5세기대 고배는 경주 황남동 110호분→ 황남대
총 남분 → 경주 월성로 가-11-1호 → 경주 월성로 다-2호→ 경주 월성로 다-5호
순으로 변화한다. 변화는 대각의 형태와 투창의 배열방식, 투창의 개수, 뚜껑의

그림 3-54. 경주지역 고배의 변천(이희준 2007 改變)

2007: p125)으로 보고, 최병현의 경우(2013) 1Ab기의 형식으로 보고 서기 4세기 중엽으로 편년한다.
247 이희준, 2007, 『신라고고학연구』, 사회평론.
248 최병현, 2013, 「신라 전기양식토기의 성립」, 『고고학』12-1호, pp.5-58, 중부고고학회.
    최병현, 2014, 「5세기 신라 전기양식토기의 편년과 신라토기 전개의 정치적 함의」, 『고고학』 13-3
    호, 中部考古學會.
249 박형열, 2015, 「4~6세기 신라 고배의 문양 변천 -경주 황오동고분군 출토품을 중심으로-」, 『嶺南考
    古學』73, 嶺南考古學會: pp.92-97.

유무[250], 문양[251], 배신과 대각의 수치변화[252]에서 확인된다. 특히 대각의 형태변화는 특징적이다. 김용성[253]은 나팔(喇叭)형, 팔(八)자형, 11자형, 절두(截頭)A형, 범(凡)자형으로, 이희준[254]은 팔자형, 절두방추형, 절두원추형 등으로 구분한다. 그리고 남익희[255]는 원통형, 나팔형, 八자형, 절두원추형으로 정리하였다. 이 과정에서 고배는 점차 크기가 작아지며 대각이 반전되는 양상이 확인된다.

토기의 변화는 크게 3단계 혹은 4단계로 구분된다. 이희준은 이동 양식 교호투창고배를 기준으로 할 때 4세기 중엽에 성립한 후 6세기 중엽에 단각고배가 등장하기까지 크게 네 단계의 변화를 겪은 것으로 생각하였다[256]. 제 1단계(황남동 110호분)는 이동양식 고배가 형성되는 단계로, 곡선적인 팔자형 대각, 배부의 직립 뚜껑받이 미형성, 3단구성이 많고, 제 2단계(황남대총 남분, 월성로 가-11-1호)는 절두원추형의 교호투창과 이단 대각, 직립하거나 약간 내경한 뚜껑받이의 형성과 대각도치형 꼭지, 제 3단계(월성로 다-2호, 월성로 다-5호)는 상대적으로 홀쭉한 형태의 대각, 늦은 시기에는 배부와 대각의 높이가 같아지며 표준화가 지터지고, 사격자문, 이중거치문 등 여러 문양의 유행, 제 4단계(호우총)는 단각화가 진행되는 단계로 개와 배부를 결합한 형태가 구형을 띠는 것이 특징이라고 보았다.

이성주[257]의 경우 5세기대의 고배 편년 안으로 보면 Ⅰ기(400~425) 월성로

---

250 金龍星, 1996, 「土器에 의한 大邱・慶山地域 古代墳墓의 編年」, 『韓國考古學報』 35: pp. 79-151.

251 이희준, 1997, 「토기에 의한 신라고분의 분기와 편년」, 『한국고고학보』 36.
　　이희준, 2007, 『신라고고학연구』, 사회평론.

252 이성주, 1993, 「낙동강동안양식토기에 대하여」, 『제2회 영남고고학회 학술발표회발표 및 토론요지』, 영남고고학회.

253 金龍星, 1996, 「土器에 의한 大邱・慶山地域 古代墳墓의 編年」, 『韓國考古學報』 35: pp. 79-151.

254 이희준, 1997, 「토기에 의한 신라고분의 분기와 편년」, 『한국고고학보』 36.
　　이희준, 2007, 『신라고고학연구』, 사회평론.

255 남익희, 2015, 「고 신라토기」, 『신라고고학개론』 下: p. 14.

256 이희준, 2007, 『신라고고학연구』, 사회평론: p. 73.

257 이성주, 1993, 「낙동강동안양식토기에 대하여」, 『제2회 영남고고학회 학술발표회발표 및 토론요

가-13호, 복천동 21호 - Ⅱ기(425~450) 복천동 39호, 복천동 10·11호 - Ⅲ기 (450~500) 월성로 나-9호, 월성로 나-14호, 월성로 가 11-1호 - Ⅳ기(500~525) 월성로 가-15호 - Ⅴ기(525~550) 월성로 가-18호의 순으로 편년하였다.

이와 같은 순서는 고배의 전체높이, 대각높이, 저경 등의 속성으로 분석한 주성분분석을 통한 결과이다. 그는 낙동강 동안양식 토기에서 2단투창고배의 변화과정은 그릇크기의 축소 그중에서도 대각높이의 축소방향 쪽으로 진행된다고 결론을 도출했다[258].

이러한 변화는 고배의 크기가 점차 축소되는 양상으로 정리할 수 있다. 고배의 크기는 경주 쪽샘유적 C10호 출토 유물의 분석 자료[259]를 참고하면 5개의 군집으로 구분할 수 있다. 〈표 3-27〉에서 보듯이 5개의 군집은 기고가 17.7~22.1cm인 1군, 16.1~17.5cm 2군, 12.3~15.6cm 3군, 8.9~10.7cm 4군, 8.5cm 이하 5군으로 구분된다.

표 3-27. 신라 고배의 기고 비교(박형열 2018 표2 개변)

구분	주요 유구	기고범위
1군	경주 월성로 가-6호 C10호	17.7~22.1cm
2군	경주 월성로 가-13호 울산 조일리 39호 경주 계림로 1호 경주 계림로 37호 경주 사라리 13호	16.1~17.5cm
3군	경주 쪽샘 A-1호 경주 계림로 33호 경주 계림로 7호 C16호	12.3~15.6cm
4군	경주 월성로 가-15호 경주 월성로 가-18호	8.9~10.7cm
5군	경주 월성로 나-6호	8.5cm 이하

이 기고의 분류에서 1군은 경주 월성로 가-6호에 해당하며 고식도질토기이며, 신라토기가 본격적으로 시작되는 2군에서부터 크기가 점차 줄어들어 3군인 쪽샘

지』, 영남고고학회.

258 이성주, 1993, 「낙동강동안양식토기에 대하여」, 『제2회 영남고고학회 학술발표회발표 및 토론요지』, 영남고고학회: pp.38-39.

259 박형열, 2018, 「Ⅴ. 경주 쪽샘유적 C10호와 C16호 출토 토기의 특징과 연대 설정」, 『경주 쪽샘지구 신라고분유적 Ⅸ -C10호 목곽묘·C16호 적석목곽묘-』, 국립경주문화재연구소: pp.367-376.

C16호에서는 대형(A)과 소형(B)으로 크기가 분할되고[260], 6세기대의 4군에서는 소형화되는 것으로 이해된다.

이러한 변화양상을 토대로 하면 이성주의 분류에서 월성로 가-11-1호는 그의 분류 Ⅲ-2보다 앞설 가능성이 있다.

결국, 이성주의 편년안은 월성로 가-13호 - 복천동 21호 - 복천동 39호 - 복천동 10·11호 - 월성로 가 11-1호 - 월성로 나-14호 - 월성로 나-9호 - 월성로 가-15호 - 월성로 다-1호의 순이다. 5세기 전반의 자료는 경주 월성북고분군에서 출토된 자료를 추가할 필요가 있다.

하한은 경주 월성로 가지구 18호, 가지구 1호, 나지구 6호, 경주 인왕동 고분군 (협성주유소 부지) 6호 적석목곽묘 등이 거론될 수 있다. 여기에서 주목되는 토기는 고배로 고배의 대각단이 반전된 형태를 띤다. 대각이 반전된 이후에는 대각이 작아지고 굽형으로 변화한다. 결과적으로 고배의 대각이 반전되는 시기는 대체로 6세기 전엽[261]에서 6세기 중엽[262], 늦게 보면 530년 전후로 편년[263]할 수 있다.

세 번째 스에키 연대와의 비교는 신라토기의 초기 연대와 관련된다. 특히 월성로 가-13호 출토품과 월성로 나-13호 출토품이 비교의 대상이다. 경주 월성로

---

260 박형열, 2018, 「Ⅴ. 경주 쪽샘유적 C10호와 C16호 출토 토기의 특징과 연대.설정」, 『경주 쪽샘지구 신라고분유적 Ⅸ -C10호 목곽묘·C16호 적석목곽묘-』, 국립경주문화재연구소: pp.368-369.

261 金龍星, 1996, 「土器에 의한 大邱·慶山地域 古代墳墓의 編年」, 『韓國考古學報』35: pp.79~151.
이희준, 1997, 「토기에 의한 신라고분의 분기와 편년」, 『한국고고학보』36.
이희준, 2007, 『신라고고학연구』, 사회평론.
최병현, 2013, 「신라 전기양식토기의 성립」, 『고고학』12-1호, pp.5-58, 중부고고학회.
최병현, 2014, 「5세기 신라 전기양식토기의 편년과 신라토기 전개의 정치적 함의」, 『고고학』13-3호, 中部考古學會.

262 이성주, 1993, 「낙동강동안양식토기에 대하여」, 『제2회 영남고고학회 학술발표회발표 및 토론요지』, 영남고고학회.

263 박형열, 2015, 「4~6세기 신라 고배의 문양 변천 -경주 황오동고분군 출토품을 중심으로-」, 『嶺南考古學』73, 嶺南考古學會: p.95.

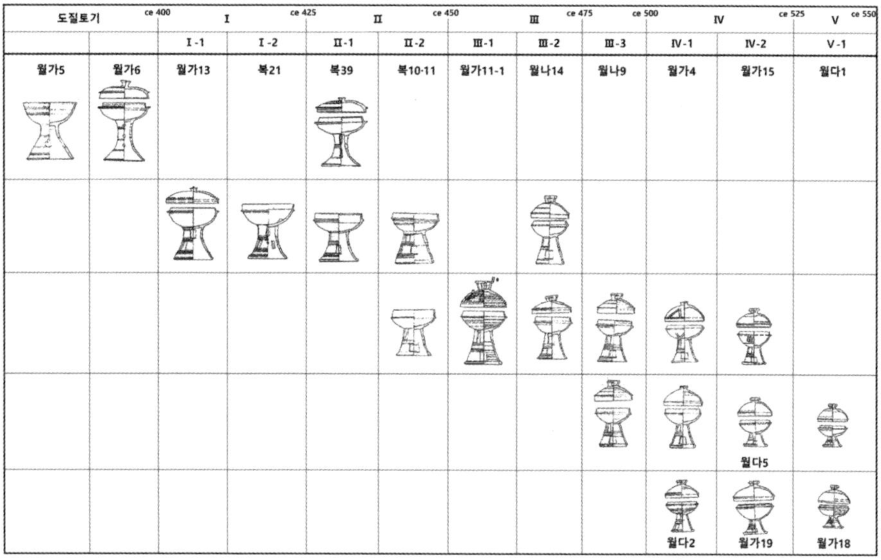

도질토기	ce 400		I	ce 425		II	ce 450		III	ce 475	ce 500	IV	ce 525	V	ce 550
		I-1	I-2	II-1	II-2	III-1	III-2	III-3	IV-1	IV-2	V-1				
월가5	월가6	월가13	복21	복39	복10-11	월가11-1	월나14	월나9	월가4	월가15	월다1				
										월다5					
									월다2	월가19	월가18				

그림 3-55. 5세기 고배의 변천 (이성주 1993 필자 재편집)

가-13호는 TG232 · 231단계, 월성로 나-13호는 TK73단계로 보는 견해[264]가 있다. 즉, 스에키 TG232 · 231단계와 TK73단계는 신라토기의 초기 연대와 비교할 수 있다. 스에키의 연대는 어떻게 보느냐에 따라 조금씩 다르게 나타나지만 대체로 스에키 요지의 순서는 TG232호→TG231호→ON231호→(濁り池窯)→TK73호로 정리된다[265]. 절대연대의 경우 연륜연대를 바탕으로 TG232 · 231단계는 서기 389년으로 비정되며 4세기 후엽 경으로 보는 견해가 다수이다. TK73단계는 서기 412년경 혹은 이보다 이른 시기로 비정 된다[266]. 필자도 이것은 비교적 타당한 것으로

264 박천수, 2006, 「新羅加耶古境의 編年 -日本列島 古境과의 竝行關係를 中心으로-」, 『日韓古墳時代 の年代觀』〈歷博國際研究集會〉, 國立歷史民俗博物館 · 韓國國立釜山大學校博物館.
  박천수, 2010, 『가야토기-가야의 역사와 문화』, 진인진
265 최병현, 2013, 「신라 전기양식토기의 성립」, 『고고학』12-1호, 중부고고학회: p.35.
266 宇治市街유적 溝 SD302에서는 벌목연대 389년인 목제품과 초기 스에키가 공반된다. 그리고 佐紀遺

보아 월성로 가-13호의 연대를 4세기 후엽으로 보는 견해를 따르고자 한다. 또한 월성로 가-13호는 삽자루형 인수의 경판비와 공반되고 있어서 4세기 후엽 초[267] 혹은 4세기 후엽 늦은 시기[268]로 보는 견해를 인정한다.

네 번째는 경주 월성북고분군에서 석실분이 축조되는 시기에 대한 것이다. 이 시기는 대체로 후기 신라토기로 보는 인화문토기의 등장과 관련된다. 인화문토기는 삼각집선문과 컴퍼스문 등을 도장으로 찍는 것으로 시작된다. 이러한 문양의 발현은 삼각집선문과 컴퍼스문이 도장(스템프)형식으로 시문구가 변화하는 시점에 대한 견해의 차이에서 연구자 별로 다르게 보고 있다. 최병현[269]은 6세기 중반, 宮川禎一[270]은 6세기 말엽, 홍보식[271]은 630~650년, 이동헌[272]은 621~660년으로 본다. 삼각집선문이 소멸하는 시기를 6세기 말로 보는 점과 수적형문과 원문류를 시문하는 단계를 인화문의 본격적인 발생단계로 보는 것은 모두 비슷하다. 각각의 편년안에서 차이가 있지만 수적형문이 나타나는 시기를 6세기 말[273]에서 7세기 전반[274]으로 보고

蹟 SD6030 상층에서는 벌목연대 412년인 미완성 목제품과 초기 스에키가 출토되었다. 현재 이 두 유구에서 공반된 스에키의 형식과 비교하여 토기의 편년을 하고 있다. 물론 두 유구는 유로라는 점에서 동시 폐기물로 증명하기 어렵다는 견해(김두철 2006; 신경철 2009; 홍보식 2012)도 있다. 그러나 유로의 동일층에서 공반된다는 점에서 목제품과 토기의 시간적 격차를 크게 보는 것도 무리가 있는 것으로 판단된다. 따라서 본고에서는 宇治市街유적 溝 SD302와 공반된 스에키가 TG232 · 231 단계에 해당한다고 보고 佐紀遺蹟 SD6030 상층에서 확인된 스에키는 TK73단계로 보고자 한다.

267 이희준, 1996,「경주 월성로 가-13호 積石木槨墓의 연대와 의의」,『석오윤용진교수 정년퇴임기념논집』.

268 최병현, 2013,「신라 전기양식토기의 성립」,『고고학』12-1호, 중부고고학회: p.43.

269 崔秉鉉, 1987,「新羅後期樣式土器의 成立 試論」,『三佛金元龍敎授停年退任記念論叢』I 考古學 篇.

270 宮川禎一, 1993,「新羅印花文陶器變遷の劃期」,『古文化談叢』第30集(中), 九州古文化硏究會.

271 홍보식, 2001,『6~7세기대 신라고분 연구』, 부산대학교 대학원 박사학위논문.

272 이동헌, 2008,「인화문 유개완 연구」, 부산대학교 대학원 석사학위논문.

273 崔秉鉉, 1987,「新羅後期樣式土器의 成立 試論」,『三佛金元龍敎授停年退任記念論叢』I 考古學 篇.

274 宮川禎一, 1993,「新羅印花文陶器變遷の劃期」,『古文化談叢』第30集(中), 九州古文化硏究會.
　　홍보식, 2001,『6~7세기대 신라고분 연구』, 부산대학교 대학원 박사학위논문.

있기 때문에 대략 600년을 전후한 시점에 인화문이 본격적으로 시문된 것으로 이해된다. 그래서 이 이전에 삼각집선문과 컴퍼스문(반원점문)이 유행한 것으로 보인다.

표 3-28. 경주 월성북고분군의 분기설정과 편년

획기	분기	연대	단계	분묘	묘제 유형	특징
I	-	-	목관묘	탑동 20-3·4번지 목관묘		목관묘
II	1	2C 4/4	목곽묘	울산 하대 44호	Db	목곽묘 출현 방형 구조
	2	3C 1/4		황성동 강변로 1호 울산 하대 43호, 덕천리 19호	Db	장방형 구조
	3	3C 2/4		인왕 814-4 목1호 황성동 강변로 12호 덕천리 120호, 포항 옥성리 나 108호	Db	-
	4	3C 3/4		인왕 814-3 목4호 덕천리 80호	Db	-
	5	3C 4/4		황성동 강변로 19호 인왕 95-6 6호 목	(Da1), Db	세장방형 등장
III	1	4C 1/4	적석 목곽묘	황성동 590 DE 67 황성동 590 DE 51, 쪽샘 B7	(Ca1), (Cb), Da1, Db	이혈구조 등장, 동혈구조 공존, 세장방형 구조
	2	4C 2/4		동산리 34 구어리 II-1호	(Ca1), Cb, Da1, Db	-
	3	4C 3/4		쪽샘 L17호 월성로 가-5호 황성동 590 DE 48	Ca1, Cb, Da1, Db	-
	4	4C 4/4		쪽샘 C10호 월성로 가-13호 월성로 가-6호, 옥성리 가35호, 황성동 590 105호	Ca1, Cb, Da1, Db	-
IV	1	5C 1/4	적석 목곽분	황남동 109호 3·4곽 쪽샘 A1, C16	A, Ba1, Ca1, Cb, Db	적석목곽분 성립, 병렬구조 등장
	2	5C 2/4		황남대총 남분 쪽샘 B2	A, Ba1, Ba2, Ca1, Cb, Db, Ea, Eb	석곽출현, 연접배치
	3	5C 3/4		금관총, 황남대총 북분 쪽샘 B1, B6	A, Ba1, Ba2, Ca1, (Ca2), Cb, Db, Ea, Eb	남북방향, 족부부장
	4	5C 4/4		서봉총, 월성로 가-4호 쪽샘 B3	A, Ba1, Ba2, Ca1, Ca2, Cb, Db, Ea, Eb	규격파괴, 변형, 소형화
	5	6C 1/4		천마총 월성로 가-1호, 쪽샘 B4	A, Ba1, Ba2, Ca1, Ca2, Cb, Db, Ea, Eb	소형화
		6C 2/4	석실분	금령총, 호우총 월성로 가-18호		
V	-	-		황남동 151호분, 보문리 합장분 석실분	Ba1, Ba2, Ca1, (Ca2), Cb, Db, Ea, Eb	석실출현

이동헌, 2008, 「인화문 유개완 연구」, 부산대학교 대학원 석사학위논문.

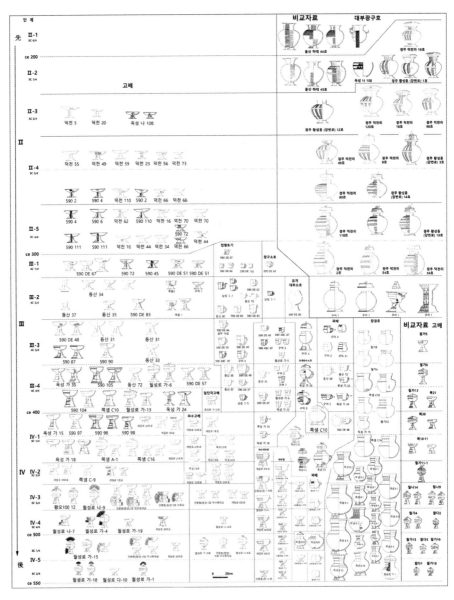

그림 3-56. 3~6세기 경주 분지 토기의 기준 편년안

인화문토기의 시기적인 문제를 고려하면 인화문토기가 확인되는 신라 후기토기는 기형적으로 황룡사 창건기토기보다 이른 단계에 출현하는 것으로 생각된다. 따라서 투창이 없는 단각고배[275]가 확인되는 경주 방내리 67호 출토품을 기준으로 신라 후기토기가 시작되는 것이다. 시기는 황룡사 창건기 토기를 6세기 후반 전기로 비정하는 연대관[276]을 바탕으로 그 이전인 6세기 2/4분기로 볼 수 있다. 따라서 본 연구에서는 이 시기를 Ⅳ단계의 하한으로 설정하고, 이후 Ⅴ단계의 연대는 최병현의 신라 후기토기 연대[277]를 따른다.

이렇게 보면 적석목곽분 연대의 기준이 될 수 있는 황남대총 남분의 축조연대는 5세기 2/4분기에 해당한다. 이러한 결과는 다량의 고구려계 유물이 황남대총 남분에서 출토되는 것과 비교하여 서론에서 전술한 중원고구려비의 재검토된 건립연대(서기 397년)를 고려하면 시기적인 내용이 기록과 일맥상통한 것으로 볼 수 있다. 남분의 피장자를 비정하는 것은 다소 무리가 있지만 왕릉이라면 실성(歿 417년)으로 볼 수 있다. 또한 축조연대를 대략 430년경 이후로 볼 수 있어서 왕족으로 생몰년이 기록된 미사흔(歿 433년)이나 생몰년 기록은 없지만 갈문왕으로 추존된 복호일 수 있다.

이상으로 각 단계의 시기를 구분하면 〈표 3-29〉에서 보듯이 목곽묘 단계(Ⅱ)는 2세기 4/4분기에서 3세기 4/4분기, 적석목곽묘단계(Ⅲ)는 4세기 1/4분기에서 4세기 4/4분기, 적석목곽분단계(Ⅳ)는 5세기 1/4분기에서 6세기 1/4분기이다. 이후 석실분이 등장하면서 점차 적석목곽분이 줄어들고 석실분으로 대체된다.

---

275 단각고배는 대체로 6세기 중엽의 중반에서 7세기 초반 사이의 연대를 가진다.
　　朴普鉉, 1998, 「短脚高杯로 본 積石木槨墳의 消滅年代」, 『新羅文化』15: p.92.
276 崔秉鉉, 2011, 「신라 후기양식토기의 편년」, 『嶺南考古學』59號, 嶺南考古學會: p.166.
277 崔秉鉉, 2011, 「신라 후기양식토기의 편년」, 『嶺南考古學』59號, 嶺南考古學會.

표 3-29. 신라 중심고분군 묘제의 존속기간

시기 묘제				지상식 적석목곽분 A	지하식 적석목곽분 B		적석목곽묘 C			목곽묘 D		석곽묘 E	
획기	분기	연대		A	Ba1	Ba2	Ca1	Ca2	Cb	Da1	Db	Ea1	Eb
II	1	2C	4/4										
	2	3C	1/4								1		
	3		2/4										
	4		3/4										
	5		4/4										
III	1	4C	1/4										
	2		2/4								2		
	3		3/4				쪽L17		1				
	4		4/4							월가6			
IV	1	5C	1/4	1	1		1		2		3		
	2		2/4										1
	3		3/4	2	2	1	2		3	월가5-1		1	2
	4		4/4	3a		2	3	인(경)적1		월가4		2	
	5	6C	1/4	3b	3	3	4	월나6	4	월가1	4	3	3
			2/4			4	5	5	5				
V	1		3/4										

IV章 新羅 中心古墳群의 配置와 形成過程

경주 분지의 중심고분군은 월성북고분군이며, 이는 신라의 최고위층 고분군으로 인식된다. 이 고분군의 형성과정을 파악하는 것은 신라 고분군의 형성과정에 대한 기준을 제시하는 자료를 마련하는 것이 된다. 지금까지 월성북고분군은 산별적인 발굴조사로 인해 전체적인 고분군의 형태와 그 형성과정이 베일에 싸여 있었다. 기존 연구에서 고분군의 형성에 대해 여러 의견이 나왔지만, 특정 대형 고분을 중심으로 그 변화양상을 파악해 왔다는데 한계점이 있다고 생각된다. 또한 대형 고분에 대한 역연대의 차이는 고분군의 형성과정에서도 이견을 만든다. 이러한 차이 이외에도 월성북고분군 내에서 발굴 위치가 부정확한 유구에 대한 고찰 없이 진행된 연구가 대부분을 차지하고 있다는 점도 문제가 된다. 즉, 경주 월성북고분군의 전체 모습을 확인하지 않고, 단순히 대형 고분의 배치 양상에 대해 논의한다는 것은 무의미한 해석을 반복하는 일이 될 수 있다.

따라서 경주 월성북고분군의 전체 유구 배치 양상을 확인하면서, 고분들이 어떤 관계를 가지고 분포하는지 살펴보고자 한다. 그 이후에 시기별 월성북고분군의 형성과정과 그 양상을 정리해 보도록 하겠다.

1. 地形的 特徵

신라 중심고분군인 경주 월성북고분군은 대표적인 선상지 지형에 입지한다.

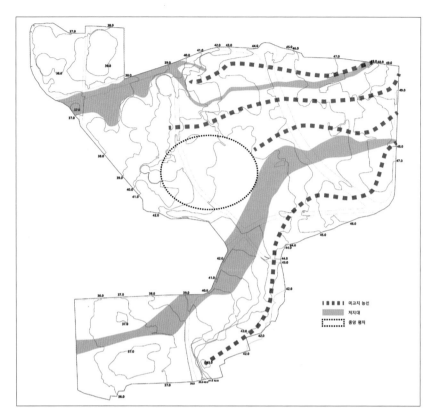

그림 4-1. 경주 월성북 고분군의 지형 및 등고도 1

경주 선상지는 경주시 암곡동에서 발원하여 남남서류하는 덕동천이 추령에서 발원하여 서북서류하는 북천과 덕동호 부근에서 만나 보문을 지나면서 규모가 큰 하안단구성 선상지를 만들고, 다시 명활산 북쪽의 협곡을 빠져나와 부채골 형태의 전형적인 선상지를 형성한다. 적석목곽분은 경주선상지의 선단부 저위면에 최종빙기 퇴적물인 황등색 역층 위에 조성되었다[278]. 이곳 지형은 약간의 미고지와

---

278 황상일·윤순옥, 2014, 「경주지역 적석목곽분 형성에 미친 자연환경의 영향」, 『한국지형학회지』 제21권 제3호: pp. 18-20.

미저지로 구분되고[279], 용천천과 습지에 의해 분리되는 공간의 경계부분에 대형분이 자리하고 있다[280].

경주 월성북고분군의 형성은 고분군의 북동쪽 높은 지대에서 시작된다. 해발고도는 49m 지점으로 고분군 내에서 가장 높다. 이곳에서 고분군 내 미고지의 능선은 네 개로 나뉘어 서쪽 방향으로 뻗었다. 이 중에서 가장 남쪽에 위치한 미고지는 남서쪽 방향으로 능선이 전개되고 있으며, 경주 분지 내에서 남천과 서천의

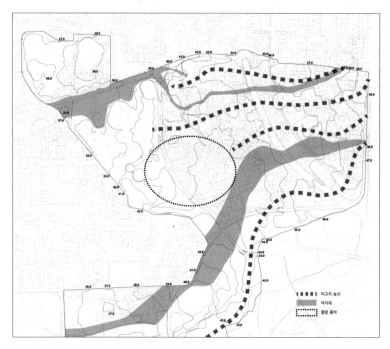

그림 4-2. 경주 월성북 고분군의 등고도 (2005년 지적도, 필자개변)

279 박형열, 2016a, 「신라 지상식 적석목곽분의 발생에 대한 일고찰」, 『嶺南考古學』75號: pp. 73-103.
　　박형열, 2017, 「경주 쪽샘유적 적석목곽분의 특징과 과제」, 『문화재』 50권 4호.
　　심현철, 2018, 「경주분기의 고지형과 대릉원 일원 신라고분의 입지」, 『문화재』 51-4.
280 심현철, 2018, 「경주분기의 고지형과 대릉원 일원 신라고분의 입지」, 『문화재』 51-4.
　　심현철, 2020, 『新羅 積石木槨墓 研究』, 釜山大學校 大學院 博士學位論文: pp. 27-29.

그림 4-3. 경주 월성북 고분군의 지형도 (1954년 항공사진, 필자개변)

분수령의 역할을 하였던 것 같다.

　미고지 능선 사이의 공간은 저지대이다. 북쪽의 저지대 구간은 좁게, 남쪽의 저지대 구간은 비교적 넓게 형성되어 있다. 아마도 북쪽 부분은 미고지 능선 세 개의 간격이 좁고, 서쪽방향으로 갈수록 해발 49m에서 37m로 급격히 낮아지기 때문에 좁은 저지대 구간이 형성된 것으로 보인다. 남쪽은 이해 반해 완만한 경사이다. 비교적 북쪽보다는 길게 남서쪽으로 고도가 점차 낮아지기 때문에 나타나는 현상으로 생각된다. 미고지 능선이 끝나는 서쪽 중앙부는 경사도가 낮은 완만한 지형을 이루며, 이 부분을 중앙 평지로 구분할 수 있다.

　고분은 지형적으로 미고지의 능선을 따라 형성된다. 1954년 항공사진(국토정보지리원 1954)에서도 남쪽의 저지대에는 고분이 확인되지 않는다. 결국 적석목곽분은 미고지, 이외 묘제는 저지대에 축조한 것으로 입지의 차이가 있다.

2. 時期別 分布

이상의 내용과 앞장에서 살펴본 시기별 묘제의 변화양상을 바탕으로 경주 월성 북고분군의 시기별 형성과정을 정리하면 다음과 같다. 고분군의 형성과정을 살 피는 과정에서 한 세기를 4분기로 나누어 살펴보았다. 경주 월성북고분군에서는 목관묘단계의 분묘가 쉽게 확인되지 않는다. 그 이유는 황오동 100유적[281]과 같이 목관묘 상부에 적석목곽분과 적석목곽묘 등이 축조되면서 파괴되었기 때문이다. 확인되는 수량은 적지만 3세기대 유구가 확인되는 점에서 2세기대 목관묘 단계 가 존재했을 가능성은 충분하다. 또한 최근 이 일대의 발굴이 증가하면서 4세기 대 분묘의 양도 증가하고 있다. 하지만 현재 5세기대 고분의 발굴에만 집중되어 4 세기 이전 분묘의 발굴은 수량적으로 부족한 것이 사실이다. 따라서 시기적으로 4세기 이전을 분기 단위로 하여 형성과정을 파악하기는 쉽지 않다. 그래서 4세기 이전은 100년 단위로 살펴보고 5세기에서 6세기의 변화상은 분기단위로 정리하 였다. 월성북고분군에서 확인하지 못한 3~4세기대 고분군의 형성과정은 황성동 고분군의 변화상에 빗대어 살펴본다. 경주 월성북고분군[282]의 형성과정을 시기별 로 구분하면 다음과 같다.

---

281 東國大學校 慶州캠퍼스 博物館, 2008, 『慶州 皇吾洞100遺蹟 I 』.

282 몇 개의 고분군은 위치가 기존 연구와 보고서에서 잘못 기재되어 있어서 바로 잡았다. 일제강점기 에 조사된 황남동고분군과 황오리고분은 그 위치가 부정확하여 기록을 참조하여 표기하였으며, 계림로고분군은 보고서 도면의 오류가 있어서 1983년 지적도(1976년 측량)를 바탕으로 수정하였 다. 미추왕릉지구 1에서 12구역은 보고서의 지번을 근거로 위치를 표기하였다. 황남동고분군의 경우 1926년도에 발굴되었지만 자료가 사진으로만 남아 있어서 일제강점기 유리건판을 참고하였 다. 황남동고분군에는 갑총, 을총, 병총을 포함하여 약60여기의 고분이 확인되었으며, 갑총은 현 92호분의 서편, 을총은 91호분으로 두 기의 석실분이고, 병총은 90호분 서편에 위치한다. 그리고 이외의 고분은 소형 적석목곽묘로 91호분 동편에 위치한 미추왕릉 12구와 동일한 양상을 띤다. 황오리고분은 98-3번지 고분으로 불리지만 현재 지번이 98-11번지에 잘못 표기되어 있어서 철길 동편으로 수정하였다. (부록1 참조)

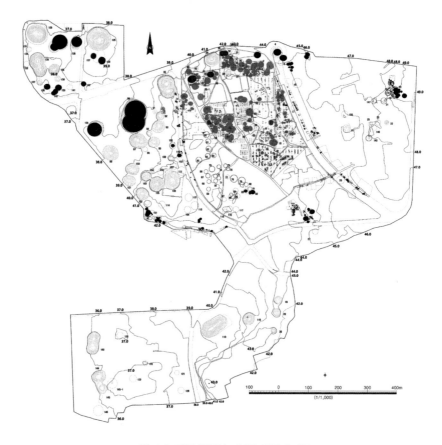

그림 4-4. 경주 월성북고분군 유구배치도

3세기에 나타나는 유구는 쪽샘 C2호, 인왕동 814-4 목곽 1호, 4호 등이다. 유구가 확인되지는 않지만 쪽샘 I · M지구[283]와 인왕동 고총군 C군 6호묘 하층 출토 광구장경호와 노형토기[284] 등이 있다. 이들을 통해서 경주 월성북고분군에 3세기대 분묘가

---

283 박형열, 2019, 「Ⅴ.고찰 2.경주 쪽샘 I · M지구 출토 유물의 분포양상과 의의」, 『경주 쪽샘지구 신라고분유적 XI』: pp. 380-387.

284 구자봉, 1997, 「경주인왕동고총군의 목곽묘 출토토기 소개」, 『한국고대의 고고와 역사』, 학연문화사.

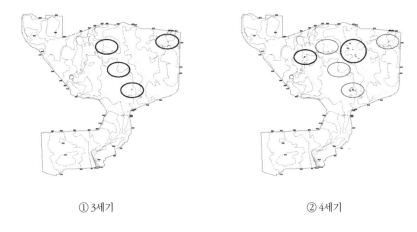

①3세기　　　　　　　②4세기

그림 4-5. 경주 월성북 고분군 형성과정 1

존재하였다는 것을 알 수 있다. 현재까지 확인된 유물을 통해 3세기대의 양상을 살펴보면, 고분군의 북동부(20호분 주변)와 남부(첨성대(27호분) 주변), 북부(54호분 주변)에서 확인된다. 초기 목곽묘가 확인되는 이 부분은 미고지의 능선에 위치한다.

4세기에는 북쪽 부분을 중심으로 유구가 나타나고, 이전 시기에 분묘가 조성되는 범위를 크게 벗어나지 않는다. 월성로 가-29호, 가-30호, 가-5호, 가-6호, 황남동 95-6 6호 목곽묘 등이 확인되고, 4세기 후엽경에 쪽샘 C10호, 월성로 가13호 등이 있다. 이들 분묘는 이전 단계의 미고지의 능선을 따라 지속된다.

5세기 전반에 A형 지상식 적석목곽분이 고분군의 서쪽에 출현한다. 이 부분은 기존 목곽묘(D형)와 적석목곽묘(C형)의 분포밀도가 낮은 지역으로 이들 고분과 이격된 구역을 묘역으로 설정한 것으로 보인다.

Ba1형 적석목곽분은 북쪽 미고지와 중앙의 평지에서 확인된다. 이것은 5세기 초기 황남동 109호 3·4곽, 황남동 110호분, 계림로 32호 등이 고분군의 서쪽에 위치하고 여기에서부터 중앙 평지로 확산된다. 중형분 이하의 Ba1형 적석목곽분은 중앙 평지 북동쪽에서도 확인되는데, 황오동 14호분, 16호분 등이다. 이들 고분은 4세기대 월성로 가-13호 서쪽 미고지 능선에 분포한다.

5세기 후반에는 A형 적석목곽분이 동북쪽과 서북쪽으로 확산된다. 이러한 현상은 3/4분기에 시작되므로 2/4분기의 중앙 평지에 중대형 이하의 Ba형 적석목곽분이 넓게 분포하는 것과 차이를 보인다. 4/4분기에는 확산된 고분을 중심으로 후행 고분이 연접되면서 고분의 밀도가 상승한다. 이러한 현상은 조사되지 않았지만, 남쪽과 서남쪽에도 비슷한 모습을 띠는 것으로 생각된다. 그리고 기존에 고분군이 형성되

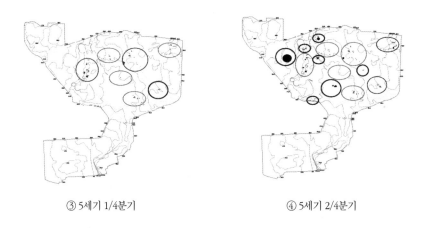

③ 5세기 1/4분기   ④ 5세기 2/4분기

그림 4-6. 경주 월성북 고분군 형성과정 2

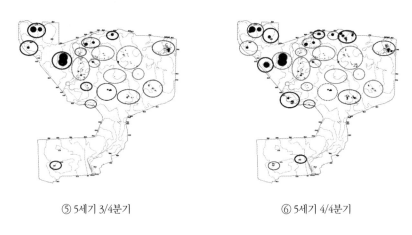

⑤ 5세기 3/4분기   ⑥ 5세기 4/4분기

그림 4-7. 경주 월성북 고분군 형성과정 3

어 있던 구역에는 지속적으로 축조가 증가된다. A형 적석목곽분만 놓고 본다면 5세기 초에 형성된 서쪽구역을 기준으로 선형적인 확산이 이루어지는 모양이다.

  6세기 전반에는 구역단위로 설정된 부분에서 고분의 밀도가 뚜렷하게 증가 된다. 서쪽에는 대형 Aa형 적석목곽분을 중심으로 형성된 구역단위에 중대형과 중형의 A와 Ba1형 적석목곽분이 자리하고, 그 주변으로 소형 Ca1형 적석목곽묘가

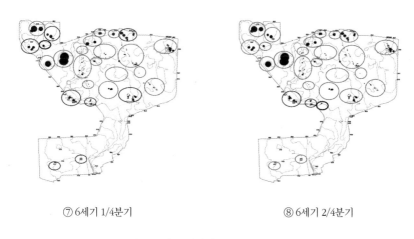

⑦ 6세기 1/4분기   ⑧ 6세기 2/4분기

그림 4-8. 경주 월성북 고분군 형성과정 4

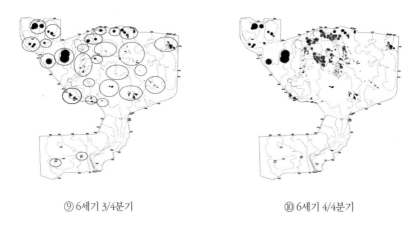

⑨ 6세기 3/4분기   ⑩ 6세기 4/4분기

그림 4-9. 경주 월성북 고분군 형성과정 5

다곽분이나 다곽묘의 형태로 위치한다. 그리고 고분군의 중앙 평지에는 중형이나 중소형 B형 적석목곽분과 C형 적석목곽묘가 넓게 자리한다. 이때 이들 고분이 축조되는 양상은 앞서 살펴본 적석목곽분의 형성과정과 같은 원리로 조영된다. 쪽샘유적의 발굴현황을 보면 Da형 목곽묘의 수량이 증가하는 것으로 보이지만 목곽묘에 대한 자료가 적어서 정확한 수량은 알 수는 없다. 다만 쪽샘 G지구의 남편과 A지구, B지구 남편, I·M지구 남서편 등의 목곽묘 분포양상을 통해 중앙 평지와 북쪽 미고지의 Ba1형과 Ba2형 적석목곽분과 같은 매장구역이 있었을 가능성을 짐작할 수 있다. 6세기 후반에는 석실분이 고분군의 가장자리에 들어선다. 그 이후 경주 월성북고분군의 확장이 중단되고 내부 공간은 포화상태에 이른다.

이상의 경주 월성북고분군의 형성과정을 정리하면 4세기까지는 미고지를 중심으로 구역을 달리한 네 개의 공간에 선형적인 분묘의 확산이 보인다. 이러한 확산은 4세기 후엽부터 선형확산보다는 일정 묘역 공간에 분묘가 들어서는 모습이다.

A형 지상식 적석목곽분의 경우 5세기 4/4분기까지 선형적인 확산이 이뤄지고, 6세기 1/4분기에는 선행하는 고분에 후행하는 적석목곽분이 폭발적으로 증가된다. 선행하는 고분이 마치 일정한 구역의 기준점과 같은 역할을 하는 것이다. 구역단위의 확산 현상은 5세기 전반 이후 선형적인 확산 이후 그 주변에서 나타나는 현상이다. 다시 말하면 하나의 대형분을 중심으로 중형분과 소형분이 하나의 구역 내에 분포함을 의미한다.

이러한 결과를 정리하면 두 가지를 확인할 수 있다. 하나는 적석목곽분에 구역단위가 있다는 점이다. 대형분이 가장 서쪽에 위치하며, 그 동편으로 중대형이나 중형분이 자리한다. 대형분의 동남편에는 소형분이나 다곽분, 혹은 다곽묘가 확인된다. 또 다른 하나는 적석목곽분 이후 등장하는 석실분이 경주 월성북고분군의 가장자리를 따라 축조되는 현상이다. 이것은 고분군의 확장과정에서 고분군의 외연을 따라 6세기대 적석목곽분과 적석목곽묘가 축조되는 것과 마찬가지로 경주 월성북고분군의 묘역이 포화상태에 접어들었다는 것을 보여주는 사례로 생각된다.

3. 群集의 樣相

1) 고분군의 분포 특징

고분군의 분포양상을 확인하기 위해 유구 분포조사가 진행되고 있는 쪽샘유적을 대상으로 살펴보았다. 쪽샘유적 적석목곽분의 입지는 타 묘제와 구역을 달리하며 형성되는 독특한 특징이 관찰된다. 이러한 특징은 지형과 관련되어 있을 가능성이 높다. 쪽샘유적의 지형은 남동쪽(I지구)이 해발 44.6m(N:360068.5 E:219596.5) 내외, 북서쪽(E지구)이 해발 40.08m(N:360328.5 E:219336.5) 내외로 남동쪽이 높다. 특히, 적석목곽분이 조성된 구지형은 낮은 미고지로 이루어진 범람형 선상지이다.

그림 4-10. 쪽샘유적 적석목곽분의 분포와 입지

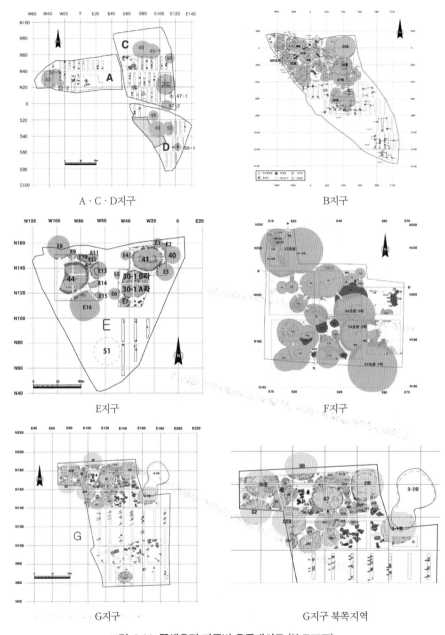

A · C · D지구

B지구

E지구

F지구

G지구

G지구 북쪽지역

그림 4-11. 쪽샘유적 지구별 유구배치도 (縮尺不同)

이처럼 남동쪽에서 북서쪽으로 지형이 낮아지며 세 곳의 미고지와 두 곳의 미저지가 확인된다. 대체로 적석목곽분은 미고지에 형성된다. 미저지의 경우 목곽묘군과 석곽묘군이 분포하고 있으며 B지구 남동쪽과 G지구 남쪽은 목곽묘군이 밀집되어 있다.

표 4-1. 경주쪽샘유적 적석목곽분 제원

연번	지구명	유구명	장축	단축	연번	지구명	유구명	장축	단축
1	A지구	52호분	22.79	22.53	74	E지구	E8★	18.84	9.36
2	A지구	52-1호분★	14.29	11.73	75	E지구	E9★	7.00	6.89
3	A지구	52-2호분★	9.51	8.98	76	E지구	E10★	8.85	4.97
4	B지구	51호분	(25.5)	(25.5)	77	E지구	E11★	8.55	6.63
5	B지구	54호 갑총	(20.3)	(16.91)	78	E지구	E12★	9.18	4.58
6	B지구	54호 을총	(15.4)	(11.75)	79	E지구	E13★	13.31	12.26
7	B지구	55호분	(14.2)	(10.32)	80	E지구	E14★	9.91	4.65
8	B지구	56호분	(23.46)	(22.51)	81	E지구	E15★	7.66	7.42
9	B지구	57호분	(15.54)	(11.4)	82	E지구	E16★	23.04	22.63
10	B지구	58호분	(20.24)	(13.48)	83	F지구	33-1호분	(19.2)	(18.6)
11	B지구	B1	(9.0)	(6.0)	84	F지구	33-2호분	(21.2)	(7.6)
12	B지구	B2	(11.20)	(6.0)	85	F지구	33-2호분 서곽	-	-
13	B지구	B3	(10.4)	(4.8)	86	F지구	34호분 1곽	22.5	22.0
14	B지구	B4	-	-	87	F지구	34호분 2곽	17.8	(12.4)
15	B지구	B6	-	-	88	F지구	34호분 3곽	17.6	(8.6)
16	B지구	B33	12.95	9.34	89	F지구	F1	(4.2)	3.8
17	B지구	B34	13.36	(10.21)	90	F지구	F2	(15.0)	(14.2)
18	B지구	B35	(10.14)	(7.94)	91	F지구	F3	12.2	4.8
19	B지구	B79	10.75	(7.43)	92	F지구	F4	8.4	7.4
20	B지구	B80	(9.26)	1.94	93	F지구	F5	(10.4)	9.4
21	B지구	B81	10.41	(8.52)	94	F지구	F6	6.0	5.4
22	B지구	B88	(5.72)	(5.41)	95	F지구	F7	5.4	4.1
23	B지구	B89	(6.52)	(3.54)	96	F지구	F9	4.4	(2.8)
24	B지구	B90	(7.31)	(5.37)	97	F지구	F10	(4.8)	(4.2)
25	B지구	B96	(8.8)	(7.4)	98	F지구	F11	-	-
26	B지구	B97	14.31	(10.68)	99	F지구	F12	-	-
27	B지구	B99	(15.77)	(15.46)	100	F지구	F13	(10.5)	(10.3)
28	B지구	B100	(19.46)	(17.24)	101	F지구	F14	(10.1)	2.3
29	B지구	B101	(16.49)	(13.23)	102	F지구	F16	10.4	10.4
30	B지구	B102	-	-	103	F지구	F17	(12.0)	8.5
31	B지구	B103	11.57	(5.0)	104	F지구	F18	10.1	9.2
32	B지구	B104	7.49	(4.13)	105	F지구	F21	(10.0)	(7.8)

33	B지구	B105	(9.46)	(7.58)	106	F지구	F22	(3.3)	3.0
34	B지구	B106	-	-	107	F지구	F34	-	-
35	B지구	B107	-	-	108	G지구	35호분	22.46	17.55
36	B지구	B108	-	-	109	G지구	2호분	20.92	19.72
37	B지구	B109	(4.38)	(4.08)	110	G지구	3-1호분	23.16	19.24
38	B지구	B115	14.22	11.34	111	G지구	G1	4.6	4.27
39	B지구	B116	(10.96)	(5.0)	112	G지구	G2	19.9	15.45
40	B지구	B117	(14.62)	(11.49)	113	G지구	G3	8.94	8.51
41	B지구	B118	(13.61)	(13.31)	114	G지구	G4	8.38	8.35
42	B지구	B119	(14.44)	(11.42)	115	G지구	G5	6.23	6.23
43	B지구	B120	7.7	(6.04)	116	G지구	G6	20.85	17.22
44	B지구	B129	-	-	117	G지구	G7	19.41	14.96
45	B지구	B132	(6.35)	(5.1)	118	G지구	G8	5.99	4.9
46	B지구	B133	(6.35)	(5.1)	119	G지구	G9	(4.74)	3.0
47	B지구	B134	-	-	120	G지구	G10	4.61	2.31
48	B지구	B135	-	-	121	G지구	G11	11.1	8.85
49	B지구	B136	(9.37)	(8.26)	122	G지구	G12	(7.47)	(6.79)
50	B지구	B137	(10.28)	(9.28)	123	G지구	G13	(9.8)	(8.89)
51	C지구	45호분	22.91	21.72	124	G지구	G14	(7.1)	(4.82)
52	C지구	45-1호분★	19.12	18.52	125	G지구	G15	4.22	4.0
53	C지구	46호분	12.86	12.85	126	G지구	G16	5.56	4.58
54	C지구	47호분	25.84	25.09	127	G지구	G17	(5.39)	4.62
55	C지구	47-1호분★	4.84	4.83	128	G지구	G18	(5.04)	(3.11)
56	C지구	47-2호분★	14.34	14.25	129	G지구	G19	(5.15)	(3.96)
57	D지구	48호분	13.06	13.02	130	G지구	G20	(4.11)	(3.7)
58	D지구	49호분	21.96	19.71	131	G지구	G21	4.77	4.73
59	D지구	50호분	17.31	13.62	132	G지구	G22	4.21	3.9
60	D지구	50-1호분★	9.43	8.65	133	G지구	G23	21.45	18.57
61	E지구	30-1호분 A곽★	20.19	14.11	134	G지구	G24	8.78	8.22
62	E지구	30-1호분 B곽★	20.20	16.15	135	G지구	G25	14.62	11.46
63	E지구	40호분	13.70	13.62	136	G지구	G26	5.0	4.07
64	E지구	41호분	24.13	18.76	137	G지구	G27	(12.29)	9.75
65	E지구	44호분	28.20	23.34	138	G지구	G28	10.69	(8.5)
66	E지구	51호분	23.34	21.35	139	G지구	G29	9.28	5.2
67	E지구	E1★	7.64	6.89	140	G지구	G30	(12.69)	(11.01)
68	E지구	E2★	5.88	4.77	141	G지구	G31	5.5	5.15
69	E지구	E3★	14.58	13.85	142	G지구	G32	15.16	12.86
70	E지구	E4★	8.10	7.79	143	G지구	G113	10.2	9.19
71	E지구	E5★	4.79	4.61					
72	E지구	E6★	9.75	9.58			★ = 임의지정번호		
73	E지구	E7★	3.35	2.39			범례	복원직경	잔존직경

그러나 B지구[285]에서 보면 B연접분(적석목곽분)은 목곽묘를 파괴하고 축조되었다. 따라서 황오동 100유적[286]에서 보이는 것과 같이 미고지 지역은 유구가 상하층으로 구성된 것이 특징이다. 재정리하면 목곽묘와 석곽묘가 미저지에 집중되어 분포하는 것처럼 보이지만 경주 월성북고분군에서 목곽묘와 석곽묘는 전면에 고루 분포한다. 반면에 적석목곽분은 미고지를 중심으로 선택적 입지를 가진다.

지형적인 분포양상과 함께 중형분과 소형분의 분포 또한 특징적이다. 중형분과 소형분의 분포는 선축된 고분이 가장 크고, 후축한 고분은 선축고분과 크기가 같거나 더 작은 크기이다. 그리고 그 사이에 작은 고분이 중복되는 양상이다.

특히, E지구 44호분에서는 주변의 적석목곽분이 44호분의 호석 곡률에 따라 배치된 것처럼 보여 주목된다. 마치 44호분을 중심으로 배장묘군[287]을 형성한 것으로도 볼 수 있다. 하지만 E지구의 경우 부분적인 확장이 이루어져서 추가적인 확장을 통한 주변 조사가 필요하다.

2) 고분군의 형성 원리

적석목곽분이 월성북고분군에서 군집을 형성하는 과정은 다음과 같다. ① 일정 거리를 두고 산별적으로 위치 선정, ② 선행 고분에 연접하여 후행 고분 축조, ③ 추가 고분도 연접하여 축조, ④ 연접과 상관없는 중복 고분이 축조되면서 고분의 연접이 중단되는 5가지의 과정을 거쳐 적석목곽분 군집이 형성된다. 이때 선행 고분의 위치에 따라 구역이 설정되며, 군집단위를 이룬다. 이것은 고분군의 확

---

285 국립경주문화재연구소 · 경주시, 2016, 『慶州 쪽샘地區 新羅古墳遺蹟 Ⅵ -B지구 시 · 발굴조사 보고서-』.
    국립경주문화재연구소 · 경주시, 2016, 『慶州 쪽샘地區 新羅古墳遺蹟 Ⅶ -B지구 연접분 발굴조사 보고서-』.
286 東國大學校 慶州캠퍼스 博物館, 2008, 『慶州 皇吾洞 100遺蹟 Ⅰ』.
287 김용성, 2009, 『신라왕도의 고총과 그 주변』, 학연문화사.

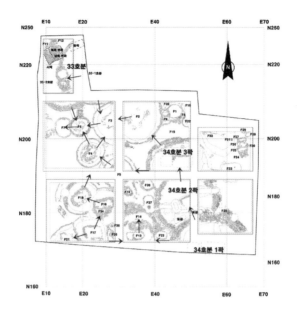

그림 4-12. 쪽샘 F지구 적석목곽분의 선후관계

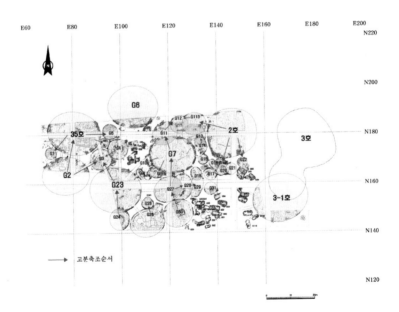

그림 4-13. 쪽샘 G지구 적석목곽분의 선후관계

장이 고분군 형성 초기에 이루어진 후 고분군 내의 공간을 메워가며 후행 고분이 축조되는 양상을 띠는 것이다. 고분군 형성 중간단계는 군집단위의 고분이 형성되고, 마지막 단계에는 중복된 고분으로 인해 밀집된 형태의 고분군은 만들어져 고분군이 포화상태에 이른다.

현재까지의 조사에서는 목곽부 조사가 이루어지지 않아서 목곽부가 조사된 B지구 일부를 제외한 단독분과 군집분의 축조 시기는 알 수 없다. 다만 G지구의 조사[288] 결과 호석외부 역석층의 층위양상을 통해 적석목곽분의 축조 선후관계를 확인할 수 있다.

연접과 중복양상으로 F, G지구의 고분 간 선후관계를 정리하면 다음과 같다. F지구의 경우 34호분 1 · 2 · 3곽이 F13 · 14호분보다 선행하고 F2 · 3호분과 F5호분보다 선행한다. F17 · 21호분은 F13 · 14호분과 F16 · 18호분보다 선행한다. 그리고 F16 · 18호분은 F5호분보다 선행한다. F5호분은 F4호분 보다 선행하고, F4

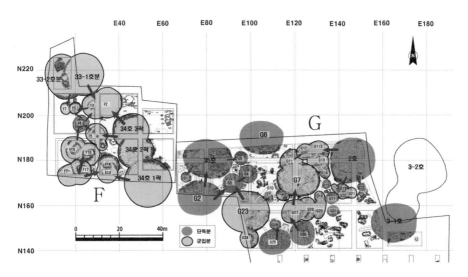

그림 4-14. 단독분과 군집분으로 본 쪽샘 F와 G지구의 적석목곽분 간 선후관계

---

288 국립경주문화재연구소 · 경주시, 2015,『慶州 쪽샘地區 新羅古墳遺蹟 Ⅴ -G地區 分布調査 報告書-』

호분은 F2·3호분과 F6·7호분보다 선행한다. 북쪽의 33호분(33-1·33-2)도 F2·3호분과 F6·7호분보다 선행하므로 F지구에서 가장 후행하는 적석목곽분은 F6·7호분이다.

　G지구는 남서쪽의 G2호가 G35호분과 G3호분보다 선행하고 G24·23호분이 G3호분보다 선행한다. G35호분은 G1호과 G5호분보다 선행한다. G6호는 선후관계를 알 수 없지만 단독분으로 추정된다. G24호 동편의 G25호는 G26호보다 선행하고 동편의 단독분인 G30호는 G27·28·29·(G16)호분보다 선행한다. G27·28·29·(G16)호분은 G7·8·11호분보다 선행하고 G7·8·11호분은 G113·12·14·13호분보다 선행한다. G지구 북동편의 2호분은 G113·12·14·13호분과 G15호분, G18·19·20·21호분, G22호분보다 선행한다. G17호와 G31호는 단독분이고 남동편의 3-1호분은 3-2호분과 연접된 3호분이다.

　F와 G지구의 적석목곽분 간 선후관계를 단독분과 군집분의 관계로 정리하면

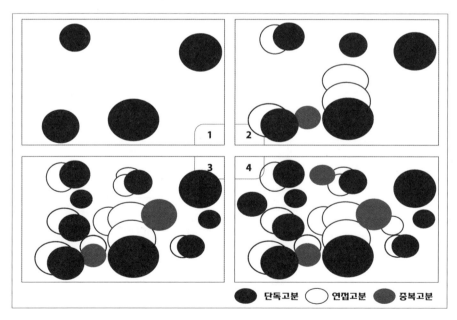

그림 4-15. 적석목곽분의 형성과정별 모식도

그림 14와 같다. 그림 14에서 보면 F와 G지구에서 적석목곽분이 축조될 때에는 단독분과 군집분의 첫 번째 고분이 중복되지 않고 일정 공간 이격되어 축조된다. 그 후에 군집분의 연접이 일어나며 이미 자리 잡은 적석목곽분 사이의 빈 공간에 후행 고분이 축조되는 양상을 보인다.

이를 바탕으로 B연접분, 갑총과 을총 등의 B지구, 41호분과 44호분의 E지구 등을 포함하여 쪽샘유적 내 적석목곽분의 형성과정을 정리하면 군집분이 이루어지는 과정은 대략 4단계로 나타난다.

첫째, 월성북고분군 내 미고지에 일정 간격을 두고 단독분이 조영되기 시작한다. 둘째, 단독분에 연이어 추가분이 연접된다. 셋째, 고분과 고분 사이의 공간에 단독분이 조영되고 연접된 군집분 상부에 중복하여 단독분이 축조된다. 기존의 고분에는 추가로 연접이 이루어진다. 넷째, 고분과 고분사이의 공간에 단독분이 조영되며 공간이 포화상태가 된다. 이후 더 이상의 적석목곽분의 조영은 중단되고 제사시설 혹은 보수작업이 진행된다. 모식도의 네 번째 상황을 연접과 중복이 끝난 군집단위로 재정리하면 적석목곽분의 형성과정별 모식도와 같이 13개(a~m)의 군집단위가 설정된다.

이와 같이 쪽샘유적 내 적석목곽분의 형성과정을 추적하여 적석목곽분의 개별 단위와 군집단위를 파악할 수 있었다. 고분의 단위 설정은 월성북고분군 내 고분 형성이 전반적으로 어떤 순서에 의해 이루어졌는지 이야기할 수 있는 근거가 될 수 있다.

경주 월성북고분군은 그동안 남쪽의 119호분에서 북쪽으로 106호분, 98호분, 125호분, 130호분, 134호분으로 축조순서가 이동한다는 것[289]과 동쪽에서 서쪽으로 고분이 축조된다는 것[290]으로 견해가 분립하였다. 이제는 양편의 견해를 어느

---

289 김용성, 2009, 『신라왕도의 고총과 그 주변』, 학연문화사: pp.87-109.

290 최병현, 2014, 「경주 월성북고분군의 형성과정과 신라 마립간시기 왕릉의 배치」, 『韓國考古學報』

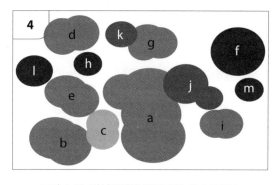

그림 4-16. 적석목곽분 군집단위 개념 모식도

정도 수용할 수 있을 것으로 기대된다. 또한 고분이 누세대적으로 축조가 이루어진다는 점은 잘 알려져 있다. 누세대적으로 축조된다는 개념에서 보면, 고분에 계속 맞닿아 축조하여 군집분을 형성하는 것은 아마도 동일 가계의 친족집단이 하나의 가족묘를 형성하는 것과 같다.

경주 월성북고분군은 친족집단이 가족묘를 형성하여 공간적인 분리가 설정되고 그 위치에 순차적이며 누층적으로 적석목곽분과 이하의 묘제들이 축조되는 양상이다. 아직 발굴이 진행중에 있지만 쪽샘유적에서 확인되는 적석목곽분의 축조과정과 고분군의 형성과정을 통해 적석목곽분이 연접된 고분의 군집인 군집분과 독립된 고분인 단독분으로 구성되어 있음이 확인되었다. 그리고 군집분과 단독분이 서로 이격되거나 중복된 형태로 고분군이 형성되었다는 것도 알 수 있었다. 결과적으로 개별 군집분의 첫 번째 고분과 단독분이 축조된 시기를 파악하게 되면 전체 월성북고분군 내 각 고분의 순서와 형성과정 등은 명확해진다.

나아가 고분군의 분포패턴을 이해할 수 있다. 고분군의 분포패턴은 영남지역에서 정치체의 규모나 내부조직을 파악할 수 있는 자료가 된다[291]. 다음 절에서는 중심과 주변고분군의 분포패턴을 비교하고자 주변 고분군 내 형성과정을 살펴보도록 하겠다.

第90輯, 49-3: pp. 123-131.

최병현, 2016, 「신라 전기 적석목곽분의 출현과 경주 월성북고분군의 묘제 전개」, 『문화재』 49-3: p. 173.

291 李盛周, 1998, 『新羅・伽倻社會의 起源과 成長』, 學研文化社: p. 39.

4. 周邊 古墳群과의 比較

경주 분지 주변지역 고분군의 형성과정을 살펴보는 과정에서 경주 덕천리 고분군과, 황성동 고분군, 월산리 고분군은 신라고분과 고분군 패턴의 확산과정을 보여주는 좋은 자료이다. 경주 황성동 고분군의 경우 서기 1세기대의 목관묘에서부터 7세기 석실분까지 넓은 시기폭을 가지며 다채로운 묘제가 사용되고 있는 것이 특징이다. 따라서 경주 월성북고분군의 형성과정에서 나타나는 제 요소들이 황성동 고분군에 어떻게 반영되고 있는지 확인할 수 있으며, 중심고분군의 근교에 형성된 고분군의 변화상을 보여주는 자료로 평가할 수 있다. 그리고 경주 덕천리고분군과 월산리고분군의 경우 경주 분지의 서남쪽 내남면에 위치하고 있으며, 두 유적 간 거리는 그리 멀지 않다. 하지만 덕천리고분군은 본고에서 분류한 Ba1형과 Ba2형 적석목곽분과 Ca1형 적석목곽묘 등이 축조되는 양상이 보이고, 월산리고분군은 산록을 이용하여 Ca1형의 적석목곽묘와 Ea1, Eb형 등의 석곽묘가 확인된다. 이것은 A와 B형으로 분류되는 상위계층의 묘제가 확인되지 않는 것으로 경주 분지의 외곽 하위 고분군의 형성과정을 보여주는 사례이다. 본 절에서는 다음의 순서로 고분군의 분석과 특징을 파악하고자 한다.

1) 경주 황성동 고분군

경주 황성동 고분군(그림4-17, 표4-2, 표4-3)은 월성북고분군에서 직선거리로 약 35km 북쪽에 위치한다. 생활유적부터 생산유구, 분묘유구 등 다양한 성격의 유구가 밀집 분포하는 유적이다. 이 중에서 분묘유구는 1985년에서 2015년 사이에 발굴 조사되었으며, 약 11개의 유적에서 768기의 분묘가 확인된다. 축조 시기도 기존의 연구[292]를 참고하면 서기 1세기에서부터 8세기까지 지속적으로 분묘의 묘

---

292 황성동은 목관묘단계부터 석실분단계까지 분묘와 생산, 취락 등이 장기간 존속된 복합유적이다.

역으로 사용되었음을 알 수 있다(표 4-2, 표4-3).

그러나 규모에 비해 황성동고분군에서는 A형의 대형 적석목곽분이 확인되지 않는다. 그러기 때문에 황성동고분군은 월성북고분군에 비해 다소 낮은 등급의 고분군으로 분류된다. 하지만 지속적으로 고분군이 성장하면서 석실분단계까지 사용되는 모습을 보인다. 이런 점에서 경주 분지의 평지에서 상위 위계의 고분군인 경주 월성북고분군과 동일 시기에 형성된 중하위 위계의 고분군이라는 점에 주목하여 살펴볼 필요가 있다.

황성동고분군은 <그림 4-17>에서 보듯이 대규모의 크기 때문에 전체적인 고분의 형성과정이 연구되지는 못하였다. 하지만 목관묘와 목곽묘, 적석목곽묘, 적석목곽분, 석곽묘, 석실분 등이 시기별로 고분군의 공간에서 확장되므로 긴 시간 동안의 고분군의 성장 과정을 살필 수 있는 고분군이라는 장점이 있다. 따라서 앞서 설정한 시기에 맞추어 황성동고분군의 형성과정과 변화양상에 대해 살펴보고자 한다. 더불어 황성동고분군에서 확인되는 고분군의 형성과 특징이 앞서 살펴본 경주 월성북고분군과 비교하여 어떤 차이와 관계를 가지는지 찾아보도록 하겠다.

특히 분묘에서는 목관묘에서 목곽묘로 전환되는 양상과 신라식 목곽묘의 출현양상이 뚜렷하게 확인되어 주목되었다. 사로국 단계의 사회상을 보여주는 자료로 연구가 진행되었으며, 최병현(2018: 73-78)은 황성동유적의 분묘를 분석하여 사로국 전기에 두 개의 집단이 상호 접촉하고 교류하다가 점차 융합되어가기 시작한다고 판단하였다. 하지만 황성동에서 보이는 일부 특정한 고분은 주변지역과 마찬가지로 개별적으로 존재한 유력 개인묘(최종규 1991)이었다고 판단하였다. 비록 중심 고분군은 아니지만 분묘공간이 지속적으로 사용되었다는 점에서 분포양상을 확인할 필요가 있다.

안재호, 1996,「경주 황성동 분묘군에 대하여」,『신라문화』12: pp. 121-127.

이재흥, 2001,「목관계 목곽묘의 등장과 배경」,『영남문화재연구』14: pp. 7-18.

이재흥, 2009,「경주 황성동 원삼국시대 분묘의 변천과 성격」,『嶺南文化財研究』22, 嶺南文化財研究院: pp. 45-67.

이희준, 2009,「경주 황성동유적으로 본 서기전 1세기~서기 3세기 사로국」,『신라문화』38집.

최경규, 2006,「삼한시대 경주 황성동집단의 공간구성과 성격」,『영남고고학』39.

최병현, 2018,「원삼국시기 경주지역의 목관묘 목곽묘 전개와 사로국」,『중앙고고연구』27: pp. 29-103.

최종규, 1991,「무덤에서 본 삼한사회의 구조 및 특징」,『한국고대사논총』2, 한국고대사회연구소.

표 4-2. 경주 황성동 일대 분묘유구 현황표 1

연번	유 적 명	유구	수량(기)	소계	위 치	발굴연도	출 처
1	황성동 고분 I	목곽	1	1	경주 황성동 583-2	1985	국립경주박물관 1995
2	황성동 고분 II	목관	1	3	경주 황성동 513-3	1993	국립경주박물관 2002
		목곽	2				
3	황성동 고분 III	목곽	53	66	경주 황성동 545	1994	국립경주박물관 2002 동국대 2002, 경주대 2003
		옹관	13				
4	황성동 고분 IV	목곽	2	3	경주 황성동 601-2	1994	국립경주 문화재연구소 1995
		옹관	1				
5	황성동 고분 V	목관	7	29	경주 황성동 634-1 일대	1997	국립경주 문화재연구소 1998
		목곽	7				
		토광	10				
		옹관	5				

표 4-3. 경주 황성동 일대 분묘유구 현황표 2

연번	유 적 명	유 구	수량(기)	소계	위 치	발굴연도	출 처
6	황성동(강변로)	목관	4	84	경주 황성동 884-8 일대	2000~2001	한국문화재보호재단 2003
		목곽	20				
		적석목곽	25				
		석곽	17				
		석실	2				
		옹관	16				
7	황성동 881-1유적	적석목곽	6	10	경주 황성동 881-1	2007	신라문화유산연구원 2009
		석곽	3				
		옹관	1				
8	황성동 575번지 유적	목관	16	138	경주 황성동 575	2007	영남문화재연구원 2010
		목곽	74				
		석곽	7				
		석실	4				
		옹관	37				
9	황성동 590번지 유적 (A~C구역)	목곽	112	269	경주 황성동 590	2007~2008	신라문화유산연구원 2014, 2015, 2016, 2017a, 2017b
		적석목곽	8				
		석곽	100				
		석실	49				
10	황성동 590번지 유적 (D·E구역)	목곽	122	157	경주 황성동 590	2007~2008	한국문화재보호재단 2015
		적석목곽	3				
		석곽	13				
		석실	10				
		옹관	10				
11	황성동 590번지 유적 (F구역)	목곽	1	8	경주 황성동 590	2015 (0302-0430)	신라문화유산연구원 2017c
		적석목곽	7				
		합계		768			

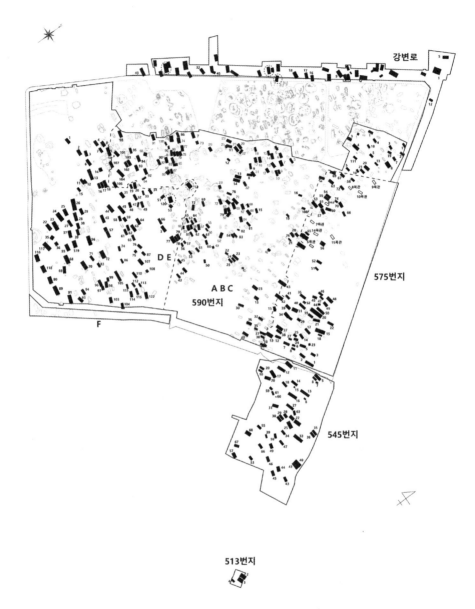

강변로

575번지

590번지

A B C

D E

F

545번지

513번지

그림 4-17. 경주 황성동유적 유구배치도

황성동고분군은 1세기경 축조되기 시작한다. 이후 2세기까지 목관묘가 고분군의 북쪽(575번지)에 밀집하여 축조되며, 동쪽에서 서쪽으로 고분군이 확장된다. 2세기 말엽에서 3세기 초 경에 황성동 강변로 1호 목곽묘를 시작으로 대형 목곽묘가 분포되기 시작하며, 고분군의 서쪽 경계부분까지 확장된 모습을 보인다. 그 후 3세기에는 목곽묘가 고분군 내 기존에 축조된 목관묘 주변에서 축조되기 시작하

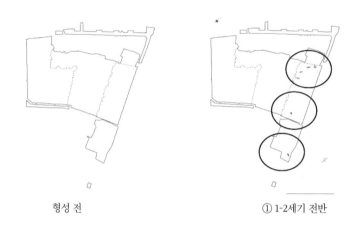

형성 전   ① 1-2세기 전반

그림 4-18. 경주 황성동 고분군 형성과정 1

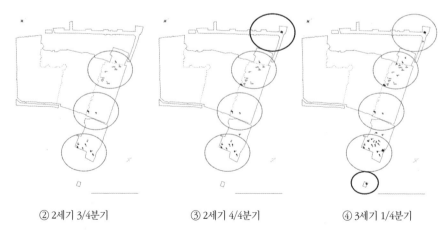

② 2세기 3/4분기   ③ 2세기 4/4분기   ④ 3세기 1/4분기

그림 4-19. 경주 황성동 고분군 형성과정 2

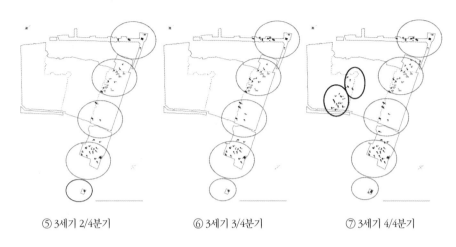

⑤ 3세기 2/4분기   ⑥ 3세기 3/4분기   ⑦ 3세기 4/4분기

그림 4-20. 경주 황성동 고분군 형성과정 3

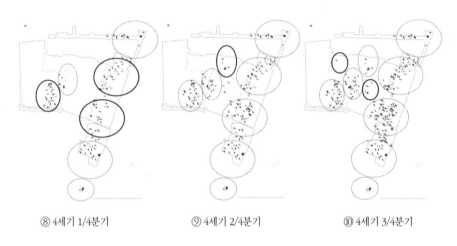

⑧ 4세기 1/4분기   ⑨ 4세기 2/4분기   ⑩ 4세기 3/4분기

그림 4-21. 경주 황성동 고분군 형성과정 4

여 구역을 형성한다. 구역은 고분군의 북쪽에서 크게 4개의 군집으로 나타난다. 3세기 중엽경에는 황성동 590번지 D지구인 서남쪽에 목곽묘가 축조되기 시작한다.

4세기에는 서남쪽지역에 분묘군이 형성된다. 서남쪽에 있는 분묘군은 시간이 지나면서 점차 범위를 확장하여 북서쪽으로 확장한다. 그리고 4세기 후엽경에는 또다시 서남쪽으로 확장하여 새로운 분묘군을 형성한다. 북쪽 분묘군과 서남쪽 분묘군 사이에도 점차 고분의 밀도가 높아진다.

5세기에는 고분군의 전면에 고분의 밀도가 증가하는 양상이다. 미발굴된 황성동 590번지 서편은 Ba1형 적석목곽분이 다수 확인된다. 월성북고분군의 고분군 형성과정을 생각하면 이 시기에 적석목곽분이 황성동 고분군의 서편에 위치하면

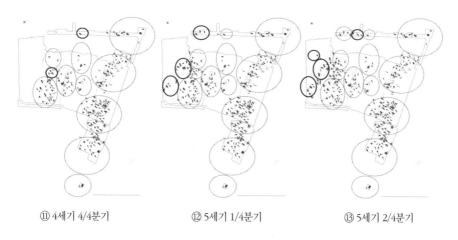

⑪ 4세기 4/4분기　　　⑫ 5세기 1/4분기　　　⑬ 5세기 2/4분기

그림 4-22. 경주 황성동 고분군 형성과정 5

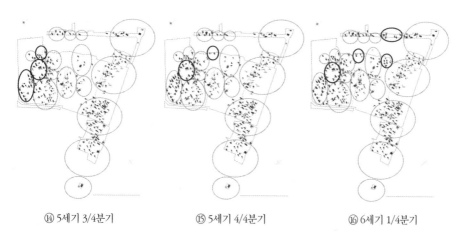

⑭ 5세기 3/4분기　　　⑮ 5세기 4/4분기　　　⑯ 6세기 1/4분기

그림 4-23. 경주 황성동 고분군 형성과정 6

서 나타나는 것으로 볼 수 있다. 이러한 현상의 근거는 5세기 중엽경 강변로유적에서 북동쪽과 남서쪽 분묘군 사이에 적석목곽분이 나타나는 것이다. 이 적석목곽분은 미발굴된 것이어서 정확한 확장방향은 알 수 없다. 하지만 경주 월성북고분군과 마찬가지로 적석목곽분이 고분군의 서편 공지에 공간을 확보하고 그 주변에 밀집분포하는 점에서 월성북고분군의 중소형 적석목곽분 밀집구역과 비슷한

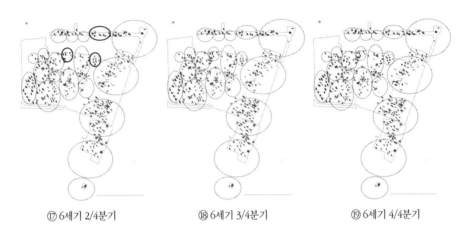

⑰ 6세기 2/4분기　　　　　⑱ 6세기 3/4분기　　　　　⑲ 6세기 4/4분기

그림 4-24. 경주 황성동 고분군 형성과정 7

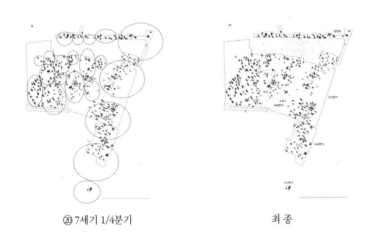

⑳ 7세기 1/4분기　　　　　　　　　　최 종

그림 4-25. 경주 황성동 고분군 형성과정 8

양상이라 할 수 있다. 이와 더불어 5세기 중엽에는 Ea1형의 석곽묘가 고분군의 북동쪽에서 중앙부까지의 범위에 나타나고 있다. 즉 4세기대의 목곽묘(주로 Db형)가 서남쪽에서 북서쪽으로 범위가 확장되던 것과 달리 역방향으로 확장되고 있는 것이다.

6세기에는 고분군의 확장은 관찰되지 않고 고분군 내 분묘의 밀도가 증가한다. 그리고 6세기 중엽부터는 석실분이 점차 적석목곽분이 밀집된 구역의 동편에 나타나기 시작하고 그 동쪽으로 확장된다.

이상으로 황성동고분군의 고분군 형성과정을 정리하면 3세기 중엽경까지는 고분군의 동남쪽에서 북쪽에 걸쳐 분포하며 네 개의 그룹으로 구역이 나누어진 형태이다. 3세기 중엽 이후부터 서남쪽으로 고분군이 확장되고 다시 4세기대에 서남쪽에서 북서쪽으로 고분군이 확장하면서 미고지를 따라 두 갈래의 고분군으로 분리된다. 그 이후 5세기대에 고분군의 서쪽에 적석목곽분이 들어서고 이 구역에 밀집되어 자리 잡는다. 이때 목곽묘와 적석목곽묘는 4세기대의 확장양상과 달리 내부에서 밀도가 증가되는 현상을 보인다. 5세기 중엽 이후 등장한 석곽묘는 서쪽에서 동쪽으로 점차 범위를 확장한다. 6세기에는 전체적인 고분군의 범위 확장은 관찰되지 않으며, 석실분이 적석목곽분의 동쪽에 분포하는 밀도가 증가한다.

2) 탑동고분군

탑동고분군은 경주 월성의 서남쪽 남천 건너에 있다. 월성북고분군 146호분에서 남쪽으로 약 500m 지점이며, 오릉을 포함하여 남천과 맞닿아 있다. 이 일대는 교동 94-3번지 일원 유적[293], 탑동 6-1번지 유적[294], 탑동 6-6번지 유적[295], 탑동 20

---

293 신라문화유산연구원, 2016, 『경주 교동 94-3번지 일원 유적』.
294 한국문화재재단, 2020, 「81. 경주 탑동 6-1번지 유적」, 『2018년도 소규모 발굴조사 보고서』.
295 한국문화재재단, 2020, 「82. 경주 탑동 6-6번지 유적」, 『2018년도 소규모 발굴조사 보고서』.

번지 유적과 20-6번지 유적[296], 탑동 20-1번지 유적과 탑동 20-2 · 5번지 유적[297], 탑동 21-1번지 유적[298], 탑동 21-3 · 4번지 유적[299], 탑동 21번지 유적[300], 탑동 56-8 · 14번지 유적[301], 탑동 37번지 유적[302], 탑동 50-2번지 유적[303], 탑동 50-4번지 유적[304], 탑동 50-5번지 유적과 탑동 50-1번지 유적[305] 등과 같이 소규모 발굴조사를 통해 삼국시대 분묘군이 확인되었다. 그래서 고분군의 전모가 아직 드러나지 않았다. 그렇지만 중심고분군인 월성북고분군의 남쪽에 근접해 있는 점에서 두 고분군의 관계와 중심고분군의 경계가 될 수 있는 점에서 현재까지의 양상으로 고분군의 형성과정을 살펴보도록 하겠다.

296 한국문화재재단, 2018, 「1. 탑동 20번지 유적 경주 탑동 20-6번지 유적」, 『2016년도 소규모 발굴조사 보고서 ⅩⅣ(본문1) -경북5-』.

　　한국문화재재단, 2018, 「1. 탑동 20번지 유적 경주 탑동 20-6번지 유적」, 『2016년도 소규모 발굴조사 보고서 ⅩⅣ(본문2) -경북5-』.

297 한국문화재재단, 2017, 「경주 탑동 20-1번지 유적 경주 탑동 20-2 · 5번지 유적」, 『2015년도 소규모 발굴조사 보고서 ⅩⅧ -경북6-』: pp. 1-526.

298 한국문화재보호재단, 2011, 「경주 탑동 21-1번지 단독주택 신축부지 내 문화유적 국비지원 발굴조사」.

299 韓國文化財保護財團, 2011, 「4. 경주 탑동 21-3 · 4번지 유적」, 『2010년도 소규모 발굴조사 보고서 Ⅳ -경북2-』: pp. 133-331.

300 금오문화재연구원, 2019, 『慶州 塔洞 21番地 遺蹟』.

301 서라벌문화재연구원, 2019, 『38. 경주 탑동 56-8 · 14번지 유적』: pp. 1-115.

302 서라벌문화재연구원, 2019, 『경주 탑동 37번지 유적』.

303 서라벌문화재연구원, 2020, 「경주 탑동(50-2번지) 단독주택 신축부지 내 유적(국비) 정밀발굴조사 약보고서」.

304 춘추문화재연구원, 2020, 「경주 탑동(50-4번지) 단독주택 신축부지 내 유적 소규모국비지원 매장문화재 정밀발굴조사 약보고서」.

305 춘추문화재연구원, 2020, 「경주 탑동(50-5번지) 단독주택 신축부지 내 유적 소규모국비지원 매장문화재 정밀발굴조사 2차 학술자문회의 자료집」.

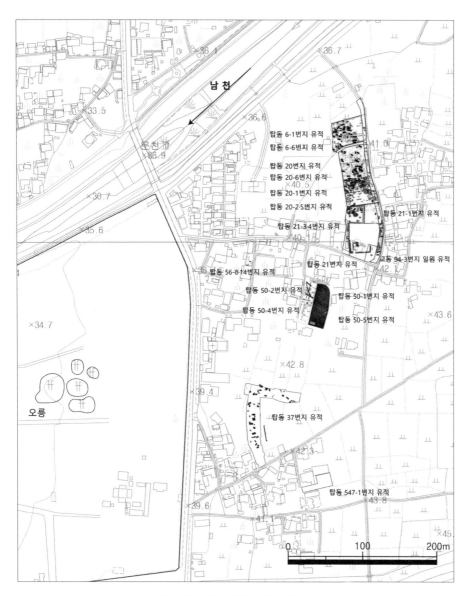

남천

돈천교
×36.9

탑동 6-1번지 유적
탑동 6-6번지 유적

탑동 20번지 유적
탑동 20-6번지 유적
탑동 20-1번지 유적
탑동 20-2·5번지 유적

탑동 21-1번지 유적

탑동 21-3·4번지 유적

교동 94-3번지 일원 유적

탑동 56-8·14번지 유적
탑동 21번지 유적

탑동 50-2번지 유적
탑동 50-1번지 유적

탑동 50-4번지 유적
탑동 50-5번지 유적

오릉

탑동 37번지 유적

탑동 547-1번지 유적

0   100   200m

그림 4-26. 경주 탑동고분군 유적배치도 (2020년)

표 4-4. 경주 탑동고분군 유구 편년 일람표

묘제시기	적석목관분	적석목곽묘			목곽묘	석곽묘		목관묘
	B	Ca1	Ca2	Cb	Db	Ea1	Eb	G
1C								1C中 탑20-목관3
2C								2C中 탑21_3·4-목관
3C								
4C 전								
4C 3/4					탑6_1-목4			
4C 4/4					탑6_1-목2			
5C 1/4		탑20_1-적목5 탑6_1-목3			탑6_1-목8 탑6_1-목1 탑37-목1			
5C 2/4		탑20-적목5 탑20_1-적목4 탑6_6-적목9 탑37-적목11	탑20-적목17		탑20-목2 탑20_1-목2 탑37-목4 탑37-목9 탑6_1-목14	탑6_6-석1		
5C 3/4	탑20-적목3 (주구)	교동94_3-3적목 탑20-적목10 탑20-적목1 탑20-적목1-1 탑20-적목9 탑20_1-적목1 탑6_1-적목1 탑6_6-적목1 탑6_6-적목10 탑6_6-적목4 탑6_6-적목5 탑37-적목1 탑37-적목9		탑21-목곽 탑20-적목8 탑20_1-적목8 탑37-적목2 탑37-적목3	탑20-목1 탑56_8·14-목 탑37-목11			
5C 4/4	Ba2 탑6_1-적목7	교동94_3-2적목 탑20-적목12 탑20-적목4 탑6_1-목10 탑6_1-적목8 탑6_6-목3 탑6_6-적목6 탑6_6-적목11 탑56_8·14-적목1 탑37-적목10 탑37-적목13	탑56_8·14 -적목2	탑21-적목2 탑20-적목11 탑37-적목4 탑37-적목14	Da1 탑37-목12 Db 탑20-목3 탑20_1-목3 탑6_1-목9	탑6_1-석3 탑6_1-석1 탑37-석4 탑37-석7 탑37-석19		교동94_3-토광
6C 1/4	Ba1 탑21-적목1	탑20-적목13 탑20-적목15 탑20_1-적목3 탑20_1-적목14 탑20_1-적목2 탑20_1-적목9 탑20_1-적목12 탑6_1-적목10 탑6_1-적목6 탑6_1-적목5 탑6_1-적목4 탑6_1-목4 탑6_6-적목7 탑6_6-적목12 탑37-적목12 탑37-목13	탑20_1-적목10	탑6_6-적목8 탑37-적목18	교동94_3-목곽 탑37-목15 탑37-목10	탑6_1-석2 탑6_1-석4 탑37-석16 탑37-석15 탑37-석5 탑37-석10 탑37-석11 탑37-석12	탑6_6-석2	
6C 2/4		탑20-적목16 탑6_1-적목3 탑37-적목6	탑6_6-적목13			탑20-석2		

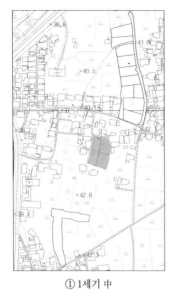

① 1세기 中   ② 2세기 中

그림 4-27. 탑동고분군의 시기별 변천 1

　탑동고분군에서 현재 가장 이른 분묘는 20번지 유적 목관묘(3호)로 1세기 중엽이고, 2세기 중엽에는 21-3ㆍ4번지 목관묘(1호)가 그 남쪽에 자리한다. 탑동고분군 중에서 일부만 조사된 이유도 있겠지만 그 이후부터 4세기 전엽까지 분묘의 조성은 아직 뚜렷하지 않다.

　4세기 3/4분기에 6-1번지의 북쪽 단에 분묘가 조성된다. 이후 4/4분기까지 그 주변에 묘가 만들어진다. 5세기 1/4분기에 20-1번지에 5호 적석목곽묘가 축조된 이후 5세기 2/4분기에 본격적으로 고분군이 조성되는 것으로 보인다. 2/4분기에는 다수의 적석목곽묘가 일정 간격 이격되어 나타난다. 이후 3/4분기에 선축묘를 중심으로 후축묘가 만들어진다. 이러한 경향은 6세기 2/4분기까지 지속된다. 이와 같이 탑동고분군 북쪽의 6-1번지에서 20-1번지까지의 범위에 집중되어 분묘가 조성된다.

　그리고 남쪽에서는 5세기 1/4분기 탑동 37번지에 1호 목곽묘를 시작으로 분묘

③ 4세기 3/4분기

④ 4세기 4/4분기

그림 4-28. 탑동고분군의 시기별 변천 2

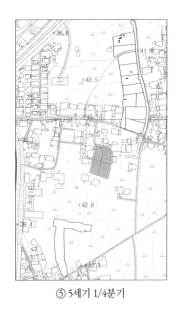

⑤ 5세기 1/4분기

⑥ 5세기 2/4분기

그림 4-29. 탑동고분군의 시기별 변천 3

⑦ 5세기 3/4분기   ⑧ 5세기 4/4분기

그림 4-30. 탑동고분군의 시기별 변천 4

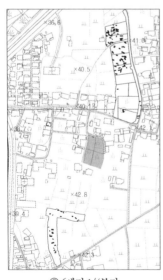 

⑨ 6세기 1/4분기   ⑩ 6세기 2/4분기

그림 4-31. 탑동고분군의 시기별 변천 5

가 조성된다. 2/4분기까지는 일정 간격을 두고 4호, 9호, 14호 등의 목곽묘가 들어
선다. 그 이후에 6세기 2/4분기까지 선축묘를 중심으로 소규모 단위로 분묘가 증

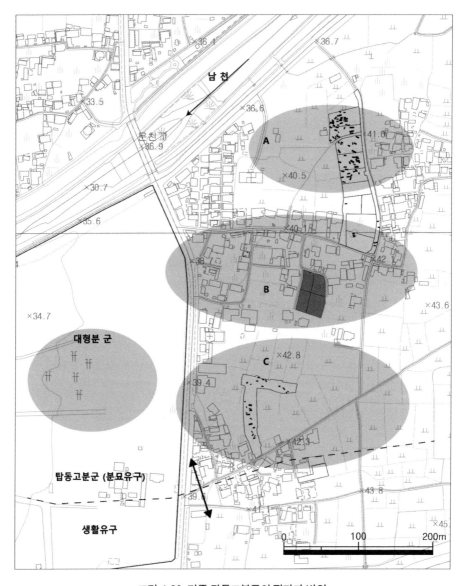

그림 4-32. 경주 탑동고분군의 집단과 범위

가하는 양상을 보인다.

이상과 같이 탑동고분군에서 분묘의 조성은 북쪽과 남쪽구역으로 공간이 구분되어 나타나는 것으로 볼 수 있다. 한편 이들 사이의 공간은 탑동 21번지, 탑동 56-8·14번지의 결과로 미루어 5세기 3/4분기 이후 분묘가 증가하였을 것으로 보인다. 더불어 현재 발굴조사 중인 50-1, 50-2, 50-4, 50-5번지의 분묘 양상을 통해 북쪽과 남쪽 구역과 마찬가지의 변화양상을 가질 것으로 예상된다.

따라서 탑동고분군은 A, B, C 세 곳의 구역으로 구분되어 조성되는 것으로 생각되며 그 서편에 오릉을 포함한 대형분 군이 있었을 것이다(그림 4-32. 참조). 이 중에서 20번지 3호 적석목곽분 출토 금동관 및 위세품 일괄을 통해 북쪽 집단의 위계가 높았을 가능성이 있다.

탑동고분군은 37번지 남편으로 탑동 400-1번지 유적[306], 탑동 514-4번지 유적 [307], 탑동 493-3번지 유적[308], 탑동 734번지 유적[309], 탑동 726-1번지 유적[310], 탑동 719-1 일원 유적[311] 등에서 통일신라시대 건물지, 수혈, 구 등이 확인된다. 이것으로 보아 탑동고분군은 탑동 37번지 유적 남쪽을 경계로 그 북편의 고분군과 남편의 생활유적 공간으로 구분되는 것으로 보인다.

이상의 내용으로 보아 5세기대 고분군이 집중적으로 조성되고 구역별 성장모델을 띤다. 이런 점에서 교동고분군과 유사한 고분군 성장을 보이며, 탑동고분군은 중심고분군의 남쪽 경계에 위치한 고분군으로 볼 수 있다.

---

306 중앙문화재연구원, 2010, 「경주 탑동 단독주택 신축부지 내 경주 탑동 400-1번지 유적」.

307 신라문화유산연구원, 2019, 「78. 경주 탑동 514-4번지 유적」, 『2017년도 소규모 발굴조사 보고서』.

308 화랑문화재연구원, 2016, 『경주 탑동 493번지 유적』.

309 계림문화재연구원, 2016, 『경주 탑동 734번지 유적』.

310 韓國文化財保護財團, 2011, 「5. 경주 탑동 726-1번지 유적」, 『2010년도 소규모 발굴조사 보고서 Ⅳ -경북2-』: pp. 333-379.

311 신라문화유산연구원, 2016, 『경주 탑동 719-1 일원 유적·경주 노서동 26-1 유적』.

3) 경주 덕천리 고분군

경주 덕천리고분군[312]은 내남면 덕천리 392-1번지 일원에 자리한다. 적석목곽분 5기가 조사되었으며 Ba1형 지하식 적석목곽분 2기(4호, 5호), Ba2형 지하식 적석목곽분 1기(1호), Ca형 지하식 적석목곽묘 2기(2호, 3호) 등이다.

소규모 유적이지만 경주 남쪽에서 적석목곽분이 확인되었다는 점에서 의미가

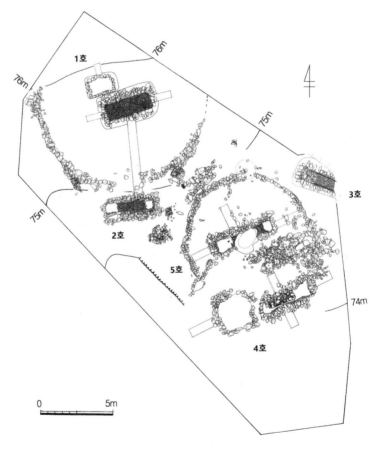

그림 4-33. 경주 덕천리고분군 유구배치도 (筆者 再編輯)

---

312 中央文化財硏究院·慶州市, 2005, 『慶州 德泉里古墳群』.

있다. 시기는 토기의 연대를 기준으로 5세기 중엽에서 6세기 초엽까지로 볼 수 있으며, 중복된 층위관계와 출토유물을 통해 본 고분의 상대서열은 4호(Ba1형) → 5호(Ba1형) · 2호(Ca1형) → 3호(Ca1형) → 1호(Ba2형)의 순이다.

경주 월성북고분군에서 보이는 적석목곽분의 연접양상과 묘제가 확인된다. 하지만 주곽의 폭이 좁은 것은 특징적이다. 5호와 2호의 동혈주부곽식은 월성북고분군 Ba1형보다 교동 94-3번지 3호와 같은 Ca형 적석목곽묘에서 보이는 형태이다.

4) 경주 월산리 고분군

경주 월산리 고분군[313]은 산지성 고분군으로 경주 월성북고분군과 달리 산의 경

표 4-5. 경주 월산리 고분군 (경주휴게소 부지) 시기별 고분구분

分期	該當遺構	小計
5C 2/4	32, 45, **125**, **127**	4
5C 3/4	14, 31, 42, 46, 50, 54, 59, 72, 73, 114, **126**, 128, 131	13
5C 4/4	11, 27, 28, 30, 33, 34, 35, 36제사, 39, 43, 56, 57, 71, 108, 112, 115, 130, 132, 134, 138, 146	21
6C 1/4	1, 2, 9, 18, 26, 29, 32-1, 36, 52, 53, 64, 77, 84, 86, 87, 91, 109, 116제사, 117, 129, 135, 140, 142, A2목곽	24
6C 2/4	3, 4, 16, 21, 23, 24, 49, 55, 62, 65, 66, 67, 80, 81, 92, 95, 97, 100, 101, 104, 105, 107, 118, 119, 141, 144, A1목곽, B8, B13, B14	30
6C 3/4	20, 25, 48, 61, 63, 68, 69, 70, 96, 103, 110, 120, B2, B3, B5, B16, B17, B18, B19, B20, B21	21
6C 4/4	6, B6, B9, B26	4
7C 1/4	B1, B4, B11, B27, B28	5
	總計	122

時期不明	5, 10, 15, 17, 19, 22, 37, 39제사, 40, 41, 47, 51, 58, 60, 66제사, 74, 75, 76, 78, 79, 82, 83, 85, 88, 89, 90, 93, 94, 98, 99, 102, 106, 111, 113, 114제사, 116, 121, 122, 123, 124, 133, 136, 137, 139, 143, 145, 147, 148, B10, B15, B23, B24	52

---

313 國立慶州文化財研究所, 2003, 『慶州月山里遺蹟』.

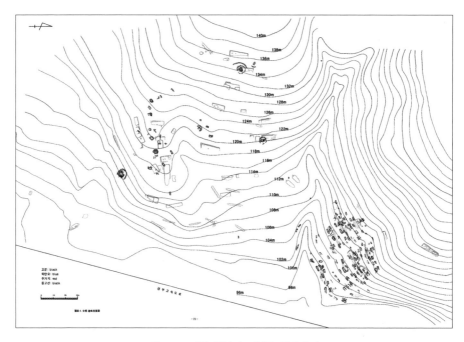

그림 4-34. 경주 월산리 고분군 유구배치도

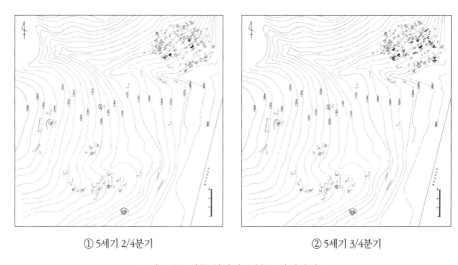

① 5세기 2/4분기　　　　　　　　　　② 5세기 3/4분기

그림 4-35. 경주 월산리 고분군 형성과정 1

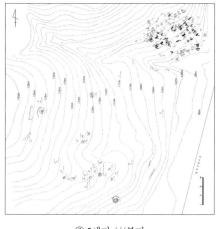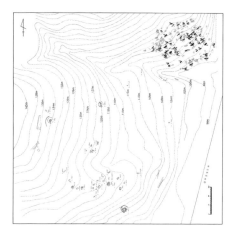

③ 5세기 4/4분기   ④ 6세기 1/4분기

그림 4-36. 경주 월산리 고분군 형성과정 2

사면에 고분군을 형성하였다. 월산리 고분군에서는 총 174기의 분묘가 확인된다. 이중에서 시기를 알 수 있는 유구는 122기이며, 52기는 시기를 파악하기 어렵다. 따라서 고분군의 형성과정을 살피고자 시기를 알 수 있는 분묘를 대상으로 분포 양상을 확인하였다. 토기를 기준으로 경주 월산리고분군의 시기별 고분은 다음과 같다.

경주 월산리 고분군에서는 5세기 중엽경부터 분묘가 확인된다. 북쪽의 남사면에 위치한 A지구 중턱에서 분묘가 나타난다. 그 이후 점차 좌우로 확장되며 5세기 후엽경에는 여러 줄의 열상으로 축조된 것 같은 모습이다. 이러한 특징은 선행하는 분묘 이후 후행하는 분묘가 좌우에 축조되기를 반복하다가 일정 거리가 이격된 분묘가 나타나고 이 새로운 분묘를 중심으로 앞선 과정이 반복적으로 진행되는 것이다. 이러한 현상을 반복하면서 고분군 내 A지구 전면에 분묘가 들어선다. 6세기 중엽경에는 A지구에서 남쪽으로 이격되어 위치한 B지구에 분묘가 나타난다.

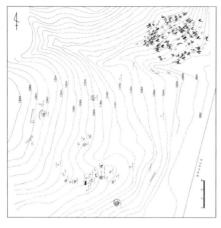
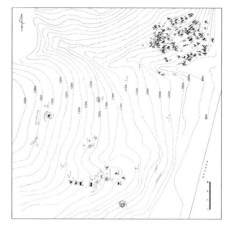

⑤ 6세기 2/4분기　　　　　　　　　　　⑥ 6세기 3/4분기

그림 4-37. 경주 월산리 고분군 형성과정 3

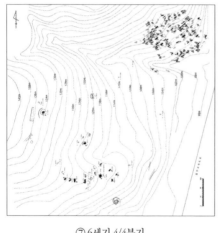
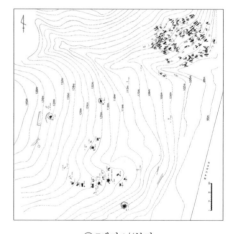

⑦ 6세기 4/4분기　　　　　　　　　　　⑧ 7세기 1/4분기

그림 4-38. 경주 월산리 고분군 형성과정 4

　그리고 A지구에서 확인되는 양상과 같이 분묘의 좌우로 확장되는 형태가 반복적으로 나타나며 6세기 후엽에서 늦게는 7세기 초엽까지 A지구의 분묘 확장 패턴이 확인된다. 그러나 조금 다른 점은 6세기 후엽에 등장한 석실분의 경우 고분군

밀집지역과 떨어져 독립된 형태를 띠는 것이다. 이러한 현상은 경주 월성북고분
군의 적석목곽분이 나중에 독립된 공간에서 확인되는 것과 비슷하다. 이와 같은
장제에서의 변화는 5세기대 집단의식을 중심으로 하는 장의문화에서 6세기 중엽
이후 독립된 개인을 중심으로 하는 장의문화로의 변화과정에서 나타나는 현상으
로 볼 수 있다.

V章 新羅 古墳群의 變遷 樣相과 相互 關係

1. 新羅 中心古墳群의 變遷 樣相

경주 분지의 신라 고분군은 5세기대 지상식 적석목곽분(A형)이 축조되면서 고분군의 형성 방식이 변화하였다. 그러나 중심고분군 이외의 황성동고분군이나 덕천리고분군, 월산리고분군 등에서는 A형의 지상식 적석목곽분이 나타나지 않는다. 이들 고분군에서는 Ba1형인 지하식 적석목곽분 이하의 묘제가 확인된다. 이러한 현상은 고분군 간에 차등적인 관계가 존재하였다는 것을 보여준다.

경주 월성북고분군에서는 5세기 이후 적석목곽분이 목곽묘를 파괴하고 상층에 축조되는 사례도 있어서 3-4세기 고분군의 형성 방향과 5세기 이후 고분군의 형성 방향이 달랐을 가능성이 있다. 본 절에서는 고분군 형성과정의 성장모델을 살펴보고 경주 월성북고분군에서 확인되는 양상을 비교하여 고분군이 형성되면서 어떠한 변화가 있는지 살펴보도록 하겠다.

1) 고분군의 형성과정에 대한 성장모델

고분군의 분석은 유적 내 분석과 유적 간 분석으로 나누어 살펴볼 수 있다. 유적 내 분석의 경우 고분군을 축조해 갔던 집단의 사회조직과 그것의 장기적 변동을 설명하는 것에 목적을 두며, 유적 간 분석은 지역 간의 통합이나 위계화 과정을 해명하는데 목적을 둔다. 본 연구에서는 고분을 축조해 갔던 집단의 사회조직과 그것의 장기적 변동을 설명해 보기 위해서 유적 내 분석을 하였다.

신라 고분군의 형성과정에 대한 연구는 중심보다는 지방고분군에 대해서 연구되었다. 정치체의 지배집단이 축조해 나간 고분군이 중심고분군이라는 개념[314]에서 경주 월성북 고분군은 신라의 중심고분군이라고 할 수 있다. 하지만 기존 연구가 경주 월성북고분군 보다 경주 주변의 지방 하위고분군을 대상으로 이루어졌던 까닭은 아마도 경주 월성북고분군의 전체 면모가 드러나지 않았기 때문이다. 따라서 본고에서 밝힌 경주 월성북고분군의 묘제구성, 묘제변화, 고분군의 형성과정을 통해 신라 중심고분군으로서 경주 월성북고분군의 변화과정과 주변고분군의 형성에 미친 영향을 살펴볼 수 있을 것이다.

중심과 지방의 하위고분군 간의 상호관계를 알아보기 위해서는 고분군에 나타나는 패턴에 대한 기준을 설정해야 한다. 복잡하게 뒤엉킨 고분군의 묘제 변화에서도 일정한 성장과정이 확인되는 것은 신라 고분군에서 고분군 간 유사한 형태를 보여주는 것이므로 주목할만하다.

고분군 내에서 묘제 별로 공간이 분할되고 그 공간이 확장되는 모습은 고분군을 구성하는 사회조직의 변화를 담고 있다. 경주 분지 일대 고분군에서 보이는 변화는 3~4세기경부터 고분군 내의 묘역 구분과 집단의 차이가 발생했을 가능성도 있다[315]. 다시 말하면, 고분군 내에서 묘제 간의 구역이 구분되거나 확장양상이 달랐으며, 이러한 차이는 신분차이, 시기적 변화 등과 연관된다.

신라 고분군의 시기별 분포양상을 통한 고분군 내 형성과정을 정리한 논문[316]을 참고하면 무작위 성장모델, 선형 성장모델, 구역별 성장모델 등 세 가지로 고분군의 성장모델을 정리할 수 있다. 무작위 성장모델은 매장할 구성원이 발생하게 되면 고분군의 전체 영역 안에서 위치를 무작위로 선택하여 고분을 축조하는

---

314 李盛周, 1993, 「1-3세기 가야 정치체의 성장」, 『韓國古代史論叢』 5: pp. 69-209.

315 박형열, 2016, 「경주 덕천리고분군 목곽묘 단계의 시공간적 특징으로 본 계층과 집단」, 『한국고고학보』100집.

316 李盛周·孫徹, 2005, 「GIS를 이용한 新羅古墳群 空間組織의 分析」, 『韓國考古學報』第55輯: 93-94.

방식이다. 선형 성장모델은 일정한 방향으로 고분을 축차적으로 설치하면서 고분군의 영역이 확대되는 방식을 일컫는다. 구역별 성장모델은 여러 개의 구역으로 미리 분할하고 시간이 지남에 따라 매장 구성원이 생기면 각 섹터를 채워나가는 것이다.

표 5-1. 고분군의 형성과정에 대한 성장모델

성장모델	전제조건	성장방식	모식도	비고
무작위	정해진 공간	매장할 구성원이 발생하게 되면 고분군의 전체 영역 안에서 위치를 무작위로 선택하여 고분을 축조하는 방식		- 전체 영역 안에서 밀도 증가 - 고분군은 성장하지만 그 분포는 고르지 않음
선형	정해진 공간	일정한 방향으로 고분을 축차적으로 설치하면서 고분군의 영역이 확대되는 방식		- 정해진 공간을 순차적으로 채움 - 공간이 ① 빈 공간을 찾아 밀도 증가 ② 역방향으로 공간 재확장 ③ 다른 고분군을 묘역공간으로 설정(이동)
구역별	정해진 공간	여러 개의 구역으로 미리 분할하고 시간이 지남에 따라 매장 구성원이 생기면 각 섹터를 채워나가는 방식		- 사회집단 내부에 현실적으로 각 구역을 배타적으로 점유하고 매장공간으로 사용하는 하위 집단들이 존재하는 모델

본고에서는 세 가지 고분군의 성장모델이 복합적으로 나타난다. 왜냐하면 시기적으로 고분군을 조영하는 집단의 묘제 도입과 발생, 묘제별 성장모델의 차이 등이 복합적으로 보이기 때문이다. 따라서 경주 월성북고분군의 복합적인 성장양상은 묘제별로 성장모델이 시기적으로 다르게 나타나며, 사회조직의 변화와 연관성이 있다.

2) 신라 중심고분군의 변천

3~4세기와 5~6세기 고분의 분포 양상이 다른 것은 사회 내부의 변화 및 묘제의 장의문화의 변화와 관련되었기 때문이다.

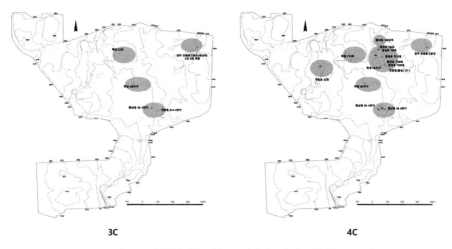

3C 4C

그림 5-1. 경주 월성북고분군 3세기와 4세기 고분 분포도

3세기대 목곽묘군은 미고지의 능선에 자리한다. 무작위나 구역별 성장 모델과 유사한 형태로 분포한다. 하지만 수량이 적어서 정확히 어떤 성장의 모델이다라기 보다는 미고지의 능선을 따라 선별적으로 목곽묘가 축조되는 것으로 이해된다. 확장 양상은 4세기대 분포상을 보면 명확해진다. 즉 4세기대에는 고분군이 서편으로 확장된 모습을 보인다. 북동쪽의 인왕동 고분군 또한 서편으로 범위가 넓어진다. 전반적으로 목곽묘의 범위는 3세기대 형성된 분포지보다 서쪽으로 이동한 모습이다. 확장 후에는 목곽묘가 내부에 채워지면서 고분군의 전체적인 모습을 만들어 나간다. 정리하면 3~4세기 고분군의 확장은 북동쪽에서 점차 서쪽으로 전체 범위가 넓어지는 현상[317]을 보이고 이러한 성장모습은 고분군의 선형 성장모

---

317 범위와 수량의 차이가 있지만 3~4세기 고분군이 동쪽에서 서쪽으로 이동하는 양상은 기존 연구

델로 볼 수 있다.

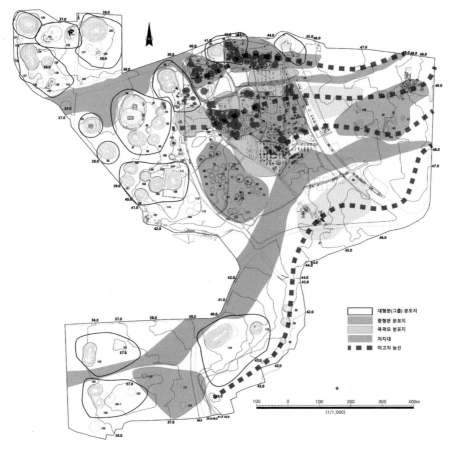

그림 5-2. 경주 월성북고분군 5세기대 묘제별 구역도

5세기는 경주 중심지에 고분이 집중적으로 조성되기 시작한다. 이 시기에는 묘

(김용성 2009; 최병현 2014)에서도 유사하게 확인할 수 있다. 김용성, 2009, 『신라 왕도의 고총과
그 주변』, 학연문화사: pp. 99-109, 최병현, 2014, 「경주 월성북고분군의 형성과정과 신라 마립간시
기 왕릉의 배치」, 『한국고고학보』제90집: pp. 126-131.

제에 따라 분포구역이 구분된다. A형 지상식 적석목곽분을 비롯한 대형분은 고분
군의 서쪽에 위치하고 중형분 이하의 Ba1이나 Ba2형 등의 적석목곽분은 월성북
고분군의 미고지에 형성된다. 그리고 Ca1형 적석목곽묘나 Db형 목곽묘 등은 미
고지 능선 사이의 저지대를 중심으로 군집을 이루어 분포한다.

대형분의 분포양상에는 몇 가지의 특징이 있다. 〈그림 5-2〉에서 보듯이 대형
분은 월성북고분군의 서쪽 가장자리에 위치한다. 황남대총, 90호분, 39호분, 125
호분, 130호분, 134호분, 143호분, 119호분 등 대형분을 중심으로 군을 형성하며
분포한다. 고분의 연접 또한 두 고분 이상은 확인되지 않는다. 쪽샘 B연접분, 황
오동 16호분, 황오동 34호분 등 두 기 이상의 중소형분이 연접되어 군집분을 이루
는 것과는 다르다. 따라서 황남대총과 같은 두 기의 대형분이 연접되어 군집된 표
형분은 특징적이다. 이상과 같이 대형분의 분포 특징으로 그룹을 설정하면 내부
묘제의 구성요소에 따라 1에서 5까지 다섯 가지의 유형이 분류된다(표 5-2 참조).

표 5-2.경주 월성북고분군 5세기대 대형분 그룹

시기 내용	IV-1	IV-2	IV-3	IV-4	IV-5
구성	대형분 집단	대형분+중형분집단 +다곽분	대형분+중형분집단 +(다곽묘)	대형분+중형분집단	대형분 단독
대형분특징	단독분	표형분	표형분	단독분	단독분
유형	1	2	3	4	5
주요고분	106	98	119, 90, 134, 143	125, 39, (130)	155
모식도					

범례
● 대형분
○ 중소형분
⊕ 다곽분(묘)

1유형은 대형의 단독분 몇 기가 밀집된 형태를 이룬다. 2유형은 대형의 표형분
1기와 그 주변에 중형분 다수, 다곽분 등으로 구성된다. 3유형은 대형의 표형분과

그 주변에 중형분이 있고, 90호분과 같이 다곽분이나 다곽묘(계림로 48~53호)가 확인되는 경우가 있다. 4유형은 대형의 단독분과 그 주변에 중형분이 배치된다. 5유형은 대형의 단독분 한 기가 독립적으로 축조된다.

각 유형의 분포양상을 확인하면 1유형은 중앙 평지의 서편에 위치하고, 100호. 105호, 106호 등이 밀집된 단독분으로 구성된다. 2유형은 황남대총으로 그 일대

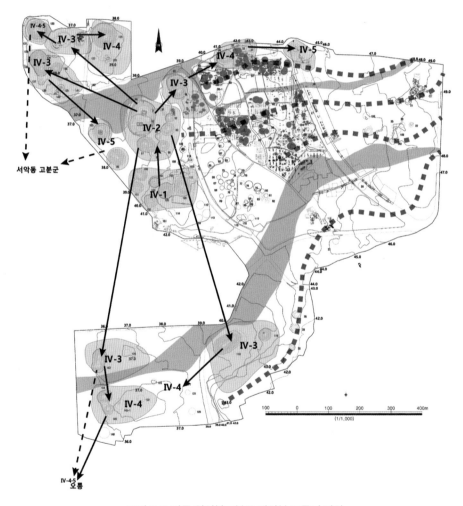

그림 5-3. 경주 월성북고분군 대형분 그룹의 변천

에 일정한 군을 형성한다. 3유형은 B유형을 중심으로 사방으로 확산되며, 90호, 134호, 119호, 143호 등이 주변의 중소형분과 군을 이룬다. 이들은 대형의 표형분이 구역의 서편에 위치하고 그 동남쪽에 중소형분이 자리한다. 4유형은 3유형의 동편으로 확장되어 나타나며, 39호, 125호분 등이 이에 해당한다. 그리고 5유형은 천마총과 같이 단독의 대형분이 독립적으로 위치하는 것으로 월성북고분군의 가장자리를 따라 고분이 축조되지 않은 공지에 자리하는 것으로 생각된다.

이러한 분포양상은 고분군 중심부를 예로 들자면 대형분 그룹이 서쪽에서 동쪽으로 선형적인 이동을 통해 확장을 한다. 이것은 구역별 확장양상과 선형적 확장양상이 결합된 고분군 확장 양상이다. 더불어 중형분은 한정된 구역 내에서 밀도가 증가되며 구역별 성장모델을 띤다. 이러한 5세기대의 확장 루트는 3~4세기대 동쪽에서 서쪽으로 확장되는 방향과 다른 역방향의 확산이다.

김용성[318]은 월성북고분군의 조묘구역 변천상을 다루면서 월성로 주변의 동측 고분군과 계림로 주변의 서측고분군의 서로 다른 집단으로 구분하였다. 황남동 109호분 3·4곽을 필두로 미추왕릉지구 5구 1호, 6호, 17호, 21호 등이 축조된 이후 동측고분군보다 서측고분군의 규모가 커지며, 본격적으로 적석목곽분으로 발전해가는 양상으로 이해하였다. 또한 이것이 서측고분군의 축조집단이 우세해져 중심집단이 대체되는 것으로 보았다. 이러한 현상은 곧 앞서 살펴본 대형분 집단의 등장과 동일하게 볼 수 있다. 그리고 조묘구역은 정해진 구역 내에서 고분의 밀도가 증가하는 양상으로 해석할 수도 있어서 구역별 성장모델과 유사한 것으로 생각된다.

결국 대형분은 묘역이 조성되지 않았던 공지에 선택적으로 입지한다. 그래서 이미 3세기 이후 형성된 동편 지역 대신 서편에 대형분이 자리하게 된 것이다. 그

---

318 김용성, 2009, 「신라왕궁 고분군의 조영과정」, 『신라왕도의 고총과 그 주변』, 학연문화사: pp.87-109.

리고 고분군의 서편 가장자리를 따라 대형분이 확산되고 점차 고분군의 바깥 경
계를 넘어 대형분이 축조된다. 대표적으로 황남동 143호와 오릉이다. 오릉은 현
재 동쪽 지역의 대규모 발굴에서 다수의 적석목곽묘와 목곽묘가 확인된다. 그래

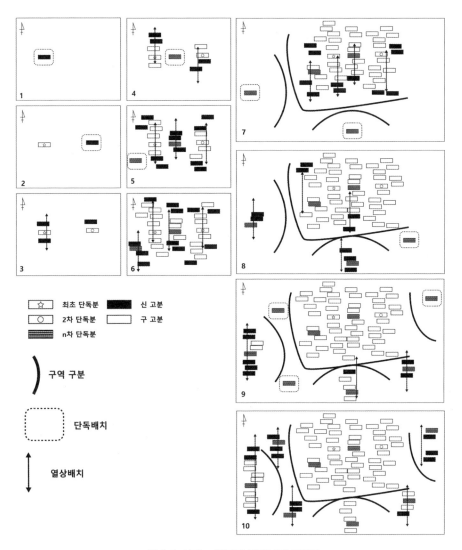

그림 5-4. 신라 고분군의 형성과정 모식도

서 오릉을 포함한 이 일대를 탑동고분군이라고 지칭한다. 오릉을 기준으로 본다면 IV-4기나 IV-5기에 나타나는 현상이며, 중소형 Ca형 적석목곽묘와 Db형 목곽묘 등은 월성북고분군의 중앙 평지에 조성된 중소형분 밀집지역과 유사한 분포이다. 이후 남산의 서편 산록을 따라 고분군이 이어지고, 월성북고분군을 대신하여 계획적으로 계층간 공간이 구획된 서악동으로 중심고분군이 이전한다(그림 5-3).

Ba형 중소형분과 C형 적석목곽묘, D형 목곽묘, E형 석곽묘 등의 형성과정은 경주 황성동과 월산리고분군의 형성과정을 통해 드러난다. 경주 덕천리, 황성동, 월산리 등과 같은 경주 주변부 고분군의 형성과정은 다음과 같이 10단계로 정리된다(그림 5-4).

1단계는 새로운 고분이 축조된다. 2단계는 기존 고분과 이격되어 새로운 고분이 축조된다. 3단계는 새로운 고분이 기존 고분과 평행하게 열상으로 인접하여 축조된다. 4단계는 열상을 이루는 군집 이외에 새로운 고분이 축조된다. 이러한 현상이 반복적으로 5~6단계를 거치면서 고분군은 범위 면에서 팽창한다.

처음 기획된 일정한 묘역을 채워 묘지가 포화상태가 되면 7단계와 같이 기존 고분군의 범위와 단거리로 이격된 공지에 새로운 고분이 만들어 진다. 8단계에는 2~4단계와 같은 양상이 반복된다. 9단계에는 기존 구역과 새로운 구역 사이에 새로운 고분이 축조되고 10단계에는 열상으로 배치하는 축조가 반복적으로 이루어지면서 고분군이 포화상태에 이른다. 10단계 이후에는 포화상태에 이른 고분군과 장거리로 이격된 공지에 새로운 고분군이 형성된다.

이와 같이 장축방향과 평행하게 인접하여 후행 고분이 축조되는 열상배치는 신라 고분에서 보이는 공통적인 특징이다. 또한 중소형분 뿐만 아니라 대형분인 A형과 Ba1형이 연접되면서 표형분이나 군집분을 이루는 것도 같은 원리라고 생각한다.

2. 新羅 古墳群의 相互 關係

본 절에서는 중심과 주변지역 고분군의 상호 간의 관계에 관해 살펴보고자 한다. 긴 시기 동안 연속적인 고분군의 형성과정을 보이는 곳도 있지만 짧은 시기의 변화를 보이는 곳도 있다. 이들 고분군이 변화하는 동안 중심 고분군과 어떤 상대적 관계를 가지고 있는지 살펴보고 신라 고분군의 형성과정에서의 공통점과 차이점을 비교하고자 한다. 그리고 고분군의 입지에서 평지와 산록이라는 차이도 관찰되는데 이것은 6세기 이후 중심고분군이 산록으로 이동하는 것 관련하여 살펴볼 필요가 있다. 이와 같은 내용으로 고분군 형성과정과 묘제의 변화, 출토유물의 관계 등을 종합하면 중심과 주변지역 고분군은 서로 영향을 주고받기 때문에 상호보완적인 관계로 볼 수 있다.

1) 경주 중심과 주변지역 고분군의 변화과정 비교

경주 중심고분군의 변화과정은 3~4세기와 5~6세기의 양상이 다르게 전개된다. 3~4세기에는 동쪽에서 서쪽으로 고분군의 범위가 확장하면서 성장한다. 5~6세기에는 서쪽에서 동쪽으로 대형분의 구역단위가 이동하면서 넓어진다.

즉, 5세기 전엽 경부터 대형분을 중심으로 한 구역단위가 설정되고 이 구역단위를 중심으로 대형분 그룹이 기존 고분이 없던 공지인 고분군의 서쪽에 자리한 후 점차 고분군의 가장자리를 따라 이동한다. 그리고 중소형분과 목곽묘군, 석곽묘군은 일정한 구역에 축조된다. 그러면서 기존 3~4세기에 조성된 목곽묘의 범위와 겹쳐 고분이 상하로 중복된다. 이와 같은 양상은 월성북고분군의 주변고분군 양상과 별반 다르지 않다. 경주 황성동고분군의 경우도 월성북고분군과 유사한 양상이 관찰된다.

표 5-3. 경주지역 고분군의 성장 특징과 모델

	경주 월성북고분군		경주 황성동고분군		경주 탑동고분군		경주 덕천리고분군		경주 월산리고분군
특징 / 시기	-묘지 공간의 한정 -위계에 따른 묘지 설정	특징 / 시기	-장기적 범위의 광역 확대	특징 / 시기	-중심고분군의 하위 고분군	특징 / 시기	-소규모 고분군	특징 / 시기	-묘지 공간의 한정 -장기적 누적
3C 이전	-미확인	목관묘 단계	-지점을 중심으로 형성	목관묘 단계	-지점을 중심으로 형성	5C 이전	-미형성	3~4C	-미형성
4C ~	-3C 전반부터 축조시작 -동북쪽에서 서쪽으로 확장 -미고지 능선을 따라 4개 지점에 형성	3~4C 목관묘 단계	-동북쪽에서 서남쪽으로 확장 :분묘들이 열상으로 남북방향으로 축조됨 :선형적 성장 모델양상을 보임	4C 목관묘 단계	-3C 미형성 -4C 3/4 축조시작				
5C 전반	-최상위분의 독립구역형성 :최상위분의 지형적 선점 -중하위분의 주연배치 -중소형분 독립구역 형성 -목곽묘 독립구역 형성	5C 전반	-서쪽에 적석목곽분이 축조됨 -구역별로 고분의 밀도 증가	5C 전반	-분묘들이 열상으로 남북방향으로 축조됨	5C 전반	-고분이 산사면에 축조시작	5C 전반	-A구역에 축조 시작 -산사면
5C 후반	-최상위분 독립구역의 확장 :서쪽에서 동·북·남쪽으로 확장 -독립구역이 이동 :대형 Aa형 적석목곽분 중심 -중소형분	5C 후반	-분묘 수 폭증 -목곽묘 분포지역에 석곽묘가 축조됨	5C 후반	-구역 내 고분 밀도 증가	5C 후반	-구역 내 고분 밀도 증가	5C 후반	-구역별 성장
6C 전반	-구역별 고분 밀도 증가	6C	-목곽묘가 자리한 구역에 석실분이 축조됨	6C 전반	-구역 내 고분 밀도 증가	6C 전반	-구역 내 고분 밀도 증가	6C	-이전 시기와 역방향 성장 -남서쪽 B구역으로 확대
6C 후반 이후	-선축분들의 가장자리로 석실분들이 축조됨			6C 후반	-주변부로 확장된 것으로 추정	6C 후반	-주변부로 확장된 것으로 추정	6C 중엽 이후	-남서쪽 확대 증폭 -고분군 가장자리 잔여공간까지 포화

	중소형분	선형 성장(4C) → 구역별 성장(5C)	성장 모델 변화	선형 성장(4C) → 구역별 성장(5C)	성장 모델 변화	구역별 성장 (5C)	성장 모델 변화	구역별 성장 (5C)	성장 모델 변화	구역별 성장 (5C)
성장 모델 변화	대형분	선형+구역별성장 (복합성장 5C) 원인: 위계적인 분화								
성장 패턴 요약		미고지 능선-동쪽에서 서쪽으로 확대-서쪽과 중앙평지에 대형분과 중소형분이 독립구역을 형성-목곽묘군은 저지대(미저지)에 형성-대형분 독립구역의 선형 확장·중소형분과 목곽묘군은 빈도증가-선축분 가장자리 배치-포화상태	성장 패턴 요약	동북쪽 낮은 구릉-서남쪽으로 확대-서북쪽으로 확대-빈도증가-포화상태	성장 패턴 요약	구역 한정-빈도증가	성장 패턴 요약	구역 한정-빈도증가	성장 패턴 요약	남서-동북쪽 확대-유지-폭증-역방향(남서쪽) 확대-가장자리 잔여공간 채움-포화상태

경주 덕천리고분군과 월산리고분군은 5세기대에 새롭게 조영되는 고분군이다. 두 고분군에서는 전형적인 구역별 성장이 확인된다. 하지만 두 고분군은 입지와

묘제에서 차이가 있다. 덕천리 고분군은 산록에 자리하며, Ba1형과 Ba2형, Ca형 등이 소규모[319]로 고분군을 형성하였다. 월산리 고분군은 산사면에 자리하고 있으며, Ca형과 Cb형, Ea형, Eb형 등이 확인된다.

이와 같이 경주 중심과 그 주변 고분군은 입지, 묘제 구성에서 차이를 보이고, 고분군의 성장모델은 시기별로 유사한 양상으로 변화하는 것으로 이해할 수 있다.

표 5-4. 경주 이외 지역 고분군의 성장 특징과 모델

	부산 복천동고분군[320]		경산 임당유적[321]		대구 시지-욱수[322]		포항 학천리고분군[324]
특징 시기	-묘지 공간의 한정 -위계에 따른 묘지 설정	특징 시기	-장기적 범위의 광역 확대	특징 시기	-단시기 다수 고분 누적	특징 시기	-묘지 공간의 한정 -장기적 누적
3C 이전	-현재 시가에 분포 추정	목관묘 단계	-두 개의 분리된 낮은 구릉	5C 이전	-중심구릉 사면에 한정 축조 -일정지역에서 단계적으로 확대되지 않음	3~4C	-남서쪽에서 동북쪽으로 확대
4C ~ 5C 전반	-3C 후반부터 추정 가능 -묘지 공간의 엄격한 설정 -최상위묘의 지형적 선점 -중하위묘의 주연배치 -단계적 확대 성장 :4C전반 - 구릉 하위면 집중 :4C후반 - 구릉 중위면 확대 :5C전반 - 구릉 상위면 확대	3~4C 목관묘 단계	-중앙의 구릉으로 집중				
		5C 전반	-중앙의 구릉으로 집중	5C 전반	-분포 범위의 급속한 확대 (북)	5C 전반	-증가 속도 지체 -밀도 증가폭 감소
5C 후반 이후	-묘지 공간이 위로 확대되지 않음 -선축묘들의 가장자리로 분묘들이 흩어지는 현상임	5C 후반	-분묘 수 폭증 -중앙에서 서쪽과 남쪽으로 확대	5C 후반	-분포 범위 변화 미미 -고분 밀도 증가	5C 후반	-고분 축조 급증 -밀도 폭증
		6C	-목관묘가 자리한 서남부 공간을 완전히 메움	6C 전반	-중앙구릉 동편 범위 확대	6C	-이전 시기와 역방향 성장 -북동쪽에서 남서쪽으로 확대
				6C 후반	-분포 범위 변화 미미 -고분 밀도 증가	6C 중엽 이후	-남서쪽 확대 증폭 -고분군 가장자리 잔여공간 까지 포화
성장 모델 변화	선형성장(4C) → 구역별성장(5C) 원인: 위계적인 분화	성장 모델 변화	선형성장(4C) → 구역별성장(5C)	성장 모델 변화	선형성장(4C) → 구역별성장(5C)	성장 모델 변화	선형성장(4C) → 구역별성장(5C)
성장 패턴 요약	구릉 하위면-중위면 확대-상위면 확대-선축묘 가장자리 배치-포화상태	성장 패턴 요약	두 개의 낮은 구릉-중앙 집중-역방향 확대-포화상태	성장 패턴 요약	중심구릉-확대-유지-확대-유지-포화상태	성장 패턴 요약	남서-동북쪽 확대-유지-폭증-역방향(남서쪽) 확대-가장자리 잔여공간 채움-포화상태

---

319 경주 덕천리고분군은 현재 확인된 범위에서 기술 하였지만, 전체 규모가 드러나지 않아서 추후 변동이 가능하다.

320 李盛周 · 孫徹, 2005, 「GIS를 이용한 新羅古墳群 空間組織의 分析」, 『韓國考古學報』第55輯: p.88.

321 張容碩, 2001, 「慶山 林堂遺蹟의 空間構成에 대한 硏究」, 嶺南大學校 大學院 碩士學位論文.
　　張容碩, 2002, 「林堂遺蹟의 空間構成과 그 變化」, 『韓國上古史學報』37: pp.53-85.

경주 이외 지역의 고분군과 비교하면 경주 중심과 그 주변에서 확인되는 고분군의 성장모습과 유사하다. 경주 이외 지역에서는 이성주의 연구 결과를 바탕으로 살펴볼 수 있다. 그는 경주 이외 고분군이 4세기가 끝날 때까지 선형적 성장을 하다 구역별 성장을 하는 것으로 보았다. 이러한 변화는 중하위 고분군에서만 두드러지게 나타나며 5세기 어느 시점에서 전환되는 것으로 보았다[324].

부산 복천동고분군의 성장패턴은 경주 월성북고분군의 성장패턴과 유사하다. 그리고 경산 임당유적과 대구 시지-욱수동고분군, 포항 학천리고분군의 양상은 경주 황성동고분군과 대응된다. 반면 경주 덕천리고분군과 월산리고분군은 5세기 이후 형성된 고분군으로 선형적인 성장모델보다는 구역별 성장모델에 가까운 모습을 보인다. 이것은 경주 중앙과 주변부의 고분군 형성을 잘 보여주는 사례라 할 수 있다.

경주 분지의 중심고분군인 경주 월성북고분군과 그 주변의 황성동, 덕천리, 월산리 등의 고분군은 유사한 성장과정을 거치면서도 입지와 묘제의 구성에서 차이를 보이며 형성된다. 그리고 묘제별로 성장 모습이 다른 것도 있다. 그렇다면 이들 고분군은 동일 시기에 서로 어떤 관계에 있기에 비슷하면서도 다른 양상이 나타나는 것일까. 결국, 규모와 특성이 다른 묘제를 사용한다는 점에서 고분군의 위계와 피장자의 신분적인 격차가 예상된다.

2) 경주 중심과 주변지역 고분군의 상호 관계

경주 분지 고분군과 지방 고분군 간의 상호 관계를 알 수 있는 방법은 피장자의 신분을 파악하여 비교하는 것이다. 피장자의 신분은 묘제의 종류와 깊은 관련성을 가지므로 Aa형 지상식 적석목곽분이 경주에 집중되어 있는 점에 대한 의문도

---

322 金昌億, 2000, 「三國時代 時至聚落의 展開過程과 性格」, 『嶺南考古學』27號: pp. 85-124.
　　金斗喆, 2002, 「時至聚落遺蹟에 대한 약간의 檢討」, 『嶺南文化財研究』15: pp. 25-54.
323 李盛周・孫徹, 2005, 「GIS를 이용한 新羅古墳群 空間組織의 分析」, 『韓國考古學報』第55輯: pp. 77-103.
324 李盛周・孫徹, 2005, 「GIS를 이용한 新羅古墳群 空間組織의 分析」, 『韓國考古學報』第55輯: p. 99.

풀 수 있는 자료가 된다.

피장자의 신분을 파악하는 방법으로 고분에 부장된 위세품의 조합상을 통해 복식품 정형을 연구한 이희준의 견해[325]는 참고할만하다. 그는 12개로 복식유형을 구분하였다. 태환이식과 세환이식은 성별을 나타낼 수 있는 특정유물과 동반하여 출토된다고 언급하였다. 이를 바탕으로 복식유형을 성별에 따라 구분하여 12개의 복식유형을 남·녀 세트로 분류한 뒤, 6개의 등급으로 나누었다. 이러한 복식품의 정형과 등급분류안은 신라 고분의 위계를 구분하는 기준으로 사용되었다.

하지만 중요한 점은 복식품의 구성에서 유물이 나타내는 성격이 다르다는 점이다[326]. 지금까지의 연구를 바탕으로 보면, 1차적으로 이식에 따라 성별이 구분된다. 이는 본 연구에서 진행한 분석에서도 확인된다. 이식은 복식품 정형에서 가장 기본적인 요소이며 주환의 크기에 따라 세환이식과 태환이식으로 구분된다. 사실 세환이식과 태환이식의 차이보다는 이들과 구성되는 유물조합상에서 차이가 분명하기 때문에 성별을 가르는 기준유물[327]이 된다. 세환이식은 장식대도, 성시구, 갑주 등의 무구류와 조합상을 이루고, 태환이식은 중공구곡옥과 조합된다. 그리고 태환이식의 조합은 마구류 중에서 등자가 확인되지 않는 점이 특징이다. 이처럼 이식의 조합상에 따라 성별을 구분짓는 성격이 뚜렷하다.

---

325 이희준, 2002, 「4·5세기 신라고분 피장자의 복식품 착장정형」, 『한국고고학보』 47: pp.63-92.
326 '부장유물=피장자의 사회적 기능'에 대한 상징성으로 이해된다(朴普鉉, 1992, 「積石木槨墳類型의 樣相」, 『嶺南考古學』10: p.67). 박보현은 유물의 조합상으로 적석목곽분의 유형을 분류하고 마구, 무구, 농공구류의 양상에 따라 5가지의 속성을 구분하였다. 그리고 적석목곽분에 나타나는 종적 신분서열과 횡적 기능집단에 대해 정리하였다. 5세기에는 무구류와 농공구류가 세트를 이루는 통합성을 지닌 종적 질서가 편제되는 단계로 보고, 6세기는 마구와 무구의 세트 및 무구류만 부장하는 것으로 무사적 성격을 강하게 나타내는 것으로 보았다. 이와 같이 부장유물의 세트나 개개의 단위는 다양한 성격으로 해석될 수 있으며, 이를 통해 신라 사회의 구조를 파악할 수 있을 것이다.
327 하대룡(하대룡, 2019, 「적석목곽묘 피장자의 성별 재고 -성별이형성을 기초로 한 천(釧)의 계측적 분석을 중심으로-」, 『韓國考古學報』第111輯: pp.298-343.)에 의해 천을 통한 성별의 분류안도 제시되어 성별을 나타내는 착장유물에 대한 시각을 넓혔다.

관식과 관모는 모관으로 분리되는데, 뒤에서 서술하겠지만 관인의 신분을 나타내는 것으로 이해된다. 왜냐하면 관식과 관모가 특정 조합상과 결합되는 양상을 보이기 때문이며, A형 지상식 적석목곽분을 제외하고 성별에서 남성과 관련되어 확인되기 때문이다. 이것은 백제의 은화관식과 같은 성격을 지닌 유물로 평가할 수 있다. 이상과 같이 성별과 신분을 나타내는 성격을 지닌 유물을 장신구류에서 제외하면 대관, 식리, 대장식구, 경식, 지환, 천이 남는다. 이들 여섯 가지의 유물이 조합되는 양상에 따라 부장유물의 질적차이를 보이므로 피장자의 위계를 나타내는 것이다. 따라서 이 여섯 개의 유물을 기준으로 조합상을 분류해 보았다.

　경주 월성북고분군에서는 대관, 식리, 대장식구, 경식, 지환, 천의 조합에 따라 〈표5-5, 표5-6, 표5-7, 표5-8〉에서 보듯이 12가지의 양상으로 분류된다. 복식 1유형은 대관+식리+대장식구+경식+지환+천+(이식)이고, 복식 2유형은 식리+대장식구+경식+지환+천+(이식), 복식 3유형은 대관+대장식구+경식+지환+천+(이식), 복식 4유형은 대관+대장식구+천+(이식), 복식 5유형은 대관+경식+지환+천+(이식), 복식 6유형은 대장식구+경식+지환+천+(이식), 복식 7유형은 대장식구+경식+천+(이식), 복식 8유형은 대장식구+경식+(이식), 복식 9유형은 대장식구+지환+천+(이식), 복식 10유형은 경식+지환+천+(이식), 복식 11유형은 지환+천+(이식), 복식 12유형은 6가지의 유물이 확인되지 않으며 기본 부장유물인 이식이 확인된다.

　따라서 이들 유형에는 기본적으로 이식이 포함되며, 유물의 종류가 줄어들면서 유형의 차이가 나타난다. 또한 유물의 희소성과 상징성을 기준으로 12유형을 6개의 등급으로 구분할 수 있다(표5-9, 표5-10). 대관과 식리는 신분적 위계의 상징성이 있으므로 높은 등급으로 분류할 수 있는데 이 중에서 1차적으로 식리가 희소성이 대관보다 높으므로, 대관과 식리가 조합되는 것을 분류할 수 있다. 2차는 식리가 없는 대관과 조합되는 것이고, 3차는 대장식구, 4차는 경식, 5차는 지환과 천이다. 정리하면 대관과 식리가 있는 복식 1과 2유형을 ㉮등급, 대관이 있는 복식 3, 4, 5유형을 ㉯등급, 대장식구가 있는 복식 6, 7, 8, 9유형을 ㉰등급, 경식이 있는 복식 10유형을 ㉣등급, 지환과 천이 있는 복식 11유형을 ㉤등급, 이식만 확인되는 복식 12유형을 ㉥등급으로 구분 할 수 있다. 더불어 이들 유물이 없는 고분은 ㉦ 등급으로 구분할 수 있을 것이다.

이와 같이 경주 월성북고분군에서는 부장된 장신구류의 조합상을 통해 6개의 등급이 확인된다. 지방 고분군에서는 중앙의 경주 월성북고분군과 달리 모든 등급의 위세품 조합상이 확인되지 않는다. 그리고 중앙에서 보이는 조합상보다 적은 종류가 확인되기도 한다. 이를 지방 고분군 중 신라 고분이 확인된 강릉, 경산 대구, 성주, 양산, 의성 창녕을 대상으로 확인하였다. 경산, 대구, 의성에서는 경주와 달리 복식유형에서 유물 종류가 적은 변형된 유형이 확인된다. 복식유형 3과 4의 경우 경주에서는 태환이식과 연결되는 것과 다르게 세환이식과 연결되기 때문에 성별의 차이가 있을 가능성도 있다.

표 5-5. 경주지역 신라고분군 출토 위세품의 유형과 등급 1
(■:착장, ▣:비착장, □:출토여부, ♠:역심엽형(대장식구), ▨:유리제(천))

연번	지역	유구명	장신구류												무구류		마구류					유리기	유형	등급
			위계						신분		성별													
			대관	식리	대장식구	경식	지환	천	관식	관모	장식대도	세환이식	태환이식	중공구곡옥	성시구	갑주	등자	재갈	안교	운주	행엽			
1	경주	황남대총 남분	■	■	■	■	▣		▣	▣	■	■			■	■	■	■	■	■	■	■	1	㉮
2	경주	황남대총 북분	■	■	■	■	■	■	▣		▣		■	■			■	■	■	■	■	■		
3	경주	천마총	■	■	■	■	■	■	▣		■	■					■	■	■	■	■	■		
4	경주	금관총	■	■	■	■	■	■	▣	▣	■	■			■	■	■	■	■	■	■	■		
5	경주	서봉총	■	■	■	■	■						■				■	■	■	■	■	■		
6	경주	금령총	■	■	■	■				▣		■					■	■	■	■	■	■		
7	경주	호우총	■	■	■	■					■	■			■		■	■				■		
8	경주	은령총	■	■	■	■						■					■	■				■		
9	경주	황오동 32-1호	■		■	■				□		■		□							■			
10	경주	황오동 16호 1곽	■		■	■				■							■	■			■	■		
11	경주	식리총		■	■	■				▣	■	■					■	■			■	■	2	
12	경주	황오동 4호분		■	■	■					■	■					■	■			■	■		
13	경주	황오동고분 북곽	■		■	■					▣		■	■					■	■	■	■	3	
14	경주	미추 7지구 5호	□		□					□		□					■	■			■	■	4	㉯
15	경주	황오동 16호 2곽	□		■						■						■	■			■	■		
16	경주	황남동 82호 서총	■		■							■							■		■	■		
17	경주	황오동 16호 8곽	■		■						■	■					■				■	■		
18	경주	인왕동 A군 1호	□							□		□									■	■	5	

표 5-6. 경주지역 신라고분군 출토 위세품의 유형과 등급 2

(■:착장, ▣:비착장, □:출토여부, ♠:역심엽형(대장식구), ▨:유리제(천))

연번	지역	유구명	대관	식리	대장식구	경식	지환	천	관식	관모	장식대도	세환이식	태환이식	중공구곡옥	성시구	갑주	등자	재갈	안교	운주	행엽	유리기	유형	등급
19	경주	노동리 4호분 (옥포총)			■	■	■	■		▣	■	■			■	■	■	■	■	■	■			6
20	경주	노서동 138호			■	■	■	■				■					■	■	■	■				
21	경주	황오동 5호			■	■	■	■					■	■										
22	경주	황오동 16호 6곽			■	■	■	▨					■	■				■			■			
23	경주	황오동 1호 남곽			■	■	■	■					■	■				■	■					
24	경주	보문동고분(1918)			□♠	□	□	□						□			■		■	■				7
25	경주	인왕동 C군 1호 (147호)			□	□		□▨	▣	□	□													
26	경주	인왕동 156-2호			□	□		□					□	□										
27	경주	인왕동 20호			■	■		■		■		■					■	■		■	■			
28	경주	황남동 82호 동곽			■	■		■▨			▣	■					■	■	■					
29	경주	황오동 54호 갑총			■	■		■					■	■			■	■		■				
30	경주	인왕동95-4 적목 2호			■	■		■			■	■												
31	경주	황오동 14호 1곽			■	■		■	▣	■	■				■								㉰	8
32	경주	황남동 110호			□	□			□	□	■	■			■		■	■						
33	경주	황오동 33호 동곽			■	■					■	■												
34	경주	인왕동 149호			■	■					■	■												
35	경주	황오동 고분 남곽			■	■					□													
36	경주	미추 D지구 1호 1곽			■♠	■					■													
37	경주	인왕동95-6 2호 적목			■	■					■	■					■	■		■	■			
38	경주	황오동 16호 4곽			■			■▨				□					■	■	■		■			9
39	경주	황남동 109호 1곽			■♠						■	■	■											
40	경주	인왕동 19호 J곽			■						■	■				■			■	■			
41	경주	쪽샘 B1호			□						□	□		■		■	■	■	■	■			
42	경주	황오동 파괴분 2곽			□						□	□				■		■	■	■			
43	경주	미추C지구11호			■♠						■												
44	경주	황오동 16호 11곽			■						■		■		■	■	■					
45	경주	인왕동95-6 1호 적목			■						■	■				■	■	■	■	■			

연번	지역	유구명	대관	식리	대장식구	경식	지환	천	관식	관모	장식대도	세환이식	태환이식	중공구곡옥	성시구	갑주	등자	재갈	안교	운주	행엽	유리기	유형	등급
46	경주	황오동 54호 을총			■			▣	■	■					■									
47	경주	노서동 215호			■	■	■				■													
48	경주	인왕동 19호 C곽			■	■					■	▣												
49	경주	미추 9구역 A호 1곽			■						■						■	■	■	■				
50	경주	미추 A지구 3호 1곽			■			▣	■							■	■	■	■	■				
51	경주	미추 C지구 3호			■		■				■												10	다
52	경주	인왕동 19호 E곽			■						■													
53	경주	인왕동 19호 F곽			■						■							■		■				
54	경주	인왕동 19호 G곽			■					■								■		■				
55	경주	황오동 33호 서곽			□						■		■					■		■				
56	경주	황오동 14호 2곽			■						■		■					■		■				
57	경주	인당동 B군 2호				□	□				□												11	라
58	경주	미추 7지구 7호									■	■						■						
59	경주	황오동 16호 9곽						▣	■														12	마
60	경주	인왕동815-1 적목2호									■	■			■		■	■		■	■			
61	경주	인왕동95-6 적목4호									■							■		■				
1	경주	안계리 4호 북곽	■			■					■		■							■			5	나
2	경주	보문부부(적석)	□			■	■				■						■		■				5	나
3	경주	황성동 강변로3a 34호	■								■												5-1	나
4	경주	보문부부(석실)					■				□												11	라

표 5-7. 지역별 신라고분 출토 위세품의 유형과 등급 1

(■:착장, ▣:비착장, □:출토여부, ♠:역심엽형(대장식구), ▨:유리제(천))

| 연번 | 지역 | 유구명 | 장신구류 | | | | | | | | | | | | 무구류 | | 마구류 | | | | | 유리기 | 유형 | 등급 |
| | | | 위계 | | | | | 천 | 신분 | | 성별 | | | | | | | | | | | | | |
			대관	식리	대장식구	경식	지환	천	관식	관모	장식대도	세환이식	태환이식	중공구곡옥	성시구	갑주	등자	재갈	안교	운주	행엽	유리기	유형	등급
1	강릉	초당동 B 16호	▣			■					▣		■										5	나
2	강릉	초당동 A-1호			▣			▣			■	■			■		■	■	■	■	■		9	다
3	강릉	초당동 A-2호				■	■					■	□										10	다
1	경산	임당 5B-1주곽	□		□	□	□	□						□			■	■	■				3	나
2	경산	조영 EⅡ-2호	■		■	■	■	▨				■	■				■	■	■					
3	경산	조영 EⅢ-2호	□		□	□	□			□					■	■		■			■		3-1	
4	경산	임당 2호 남	□		□	□	□			□														

5	경산	임당 7B호	□		□	□			□		□	□			■	■	■	■		■	■		3-2	
6	경산	임당 2호 북	□		□	□			□	□					■		■	■	■	■	■			
7	경산	임당 6A호	□		□	□			□	□	□				■	■	■	■	■	■	■			㉯
8	경산	임당 7A호	■			■	□	■	▣			■						■	■	■	■	■		5	
9	경산	임당 7C호	□			□	□	□ ▨				□	□				■	■	■	■				
10	경산	조영 EⅢ-8호 주곽	▣			■	□				■	■					■			■			6	
11	경산	조영 CⅡ-1호	▣			■						■					■		■	■	■			
12	경산	조영 EⅢ-3호	■			■						■					■	■	■	■	■			
13	경산	조영 EⅠ-1호			■ ♠	■	■	▣ ▨	□		■	■			■	■	■	■	■	■	■	■		6	㉰
14	경산	조영 CⅠ-1호			■	■		▣			■	■			■	■	■	■	■	■	■	■		8	
15	경산	조영 EⅠ-2호			■						■	■			■	■	■	■	■	■		■			
16	경산	조영 EⅡ-1호			□		□		□		□	□				■	■	■	■	■	■		9	
17	경산	조영 CⅠ-2호			■							□				■	■	■	■		■		10	㉱
18	경산	조영 CⅡ-2호			■						■	■			■	■	■	■	■		■			

1	대구	달성 55호	▣	■	■	■			▣	▣		■	■			■	■	■	■	■	■		1	
2	대구	달성 37호 2곽		■	□ ♠			□	□	□	□		■			■		■	■		■		2-1	㉮
3	대구	달성 51호 2곽		■	■			□		□	□						■		■	■	■			
4	대구	황상동 1호		■	■			□			■				■		■		■		■			
5	대구	달성 37호 1곽	■		■	■			▣		■					■			■	■			3-2	
6	대구	문산 3-4호	■			□				□	■					■			■				5	
7	대구	문산 1호	□							□						■			■	■				㉯
8	대구	문산 2호	□							□						■				■			5-1	
9	대구	문산 3-1호								□						■								
10	대구	문산 4-1호			□			▣	▣	□							■	■						
11	대구	달성 34호 1곽			■			□	□	■	■			■	■	■	■	■	■	■			9	㉰
12	대구	화원 성산 1호			■			■		□	■		■		■	■		■		■				
13	대구	달성 59호			□			□		□	□		■				■		■	■				
14	대구	문산 3-2호			□					□	□		■	■	■			■	■					
15	대구	불로 91호 2곽			■	■ ▨					■				■								10	㉱
16	대구	불로 91호 3곽			■						■				■									
17	대구	달성 50호 2곽								■	■				■				■	■			12	㉲

1	성주	성산동 1호			■			■		■	■		■						■				9	㉰
2	성주	성산동 57호			■ ♠					■	■				■	■	■			■				
3	성주	성산동 58호				■	■				■					■				■			12	㉲

표 5-8. 지역별 신라고분 출토 위세품의 유형과 등급 2
(■:착장, ▦:비착장, □:출토여부, ♠:역심엽형(대장식구), ▨:유리제(천))

연번	지역	유구명	장신구류 - 위계						신분		성별				무구류		마구류					유리기	유형	등급
			대관	식리	대장식구	경식	지환	천	관식	관모	장식대도	세환이식	태환이식	중공구곡옥	성시구	갑주	등자	재갈	안교	운주	행엽	유리기	유형	등급
1	양산	양산부부총(남)	■	■	■	■	■		■	■	▦	■			■		■	■	■	■	■		1	㉠
2	양산	북정리 21호(금조총)	■		■	■							▦	▦										3	㉡
3	양산	양산부부총(부인)			■	■		■	▦	▦			■											7	
4	양산	북정리 8호			□ ♠						□	□					■	■						9	㉢
1	의성	탑리 Ⅱ곽		■	■				■			■	■											2-1	㉠
2	의성	탑리 1곽	■										■											3-2	
3	의성	대리리 3호 2곽	▦		■												■	■	■	■	■		4	㉡
4	의성	대리리 2호 주변 2호	▦										■										5-1	
5	의성	탑리 Ⅲ곽			■	■					▦	■											8	
6	의성	대리리 2호 B-1호				□					□	□					■						9	
7	의성	대리리 2호 A-1호										■					■	■	■	■	■		12	㉢
1	창녕	교동 7호	□		□							■					■	■	■	■	■		3	㉡
2	창녕	계남 1호	□		■							■											4	
3	창녕	교동 12호			■	■						■					■	■	■	■	■		6	㉢
4	창녕	교동 89호			□							■					■	■	■	■	■		8	
5	창녕	교동 주차장부지				■											■	■	■	■	■		8	
6	창녕	교동 1호(동아대)			□							□					■	■	■	■	■		9	
7	창녕	계성 Ⅱ지구 1호분 1차				■		■				■											10	㉣

경산에서는 복식 3유형에서 지환이나 천이 없는 복식 3-1유형(대관+대장식구+경식+지환+천+(이식))과 복식 3-2유형(대관+대장식구+경식)이 나타난다. 대구에서는 식리와 대장식구로 구성된 복식 2-1유형과 복식 3-2유형(대관+대장식구+경식), 대관과 이식으로 구성된 복식 5-1유형이 확인된다. 의성에서도 대구와 마찬가지로 복식 2-1유형(식리+대장식구), 복식 3-2유형(대관+대장식구+경식), 복식 5-1유형(대관)이 보인다.

이상으로 지방 고분군 위세품의 조합상을 경주 월성북고분군과 비교하면 지방 고분군의 등급을 찾을 수 있을 것이다.

표 5-9. 신라 고분 복식 조합상(장신구 구성)과 등급표

유형	장신구 구성							지표유물	등급	특징
1	대관	+식리	+대장식구	+경식	+지환	+천	+이식(태·세)	대관, 식리	㉮	세환이식+장식대도+성시구+갑주 / 태환이식+중공구곡옥
2	(대관)	+식리	+대장식구	+경식	+지환	+천	+이식(세)			세환이식+장식대도+성시구
2-1		식리	+대장식구	-	-	-	+이식(세)			세환이식+장식대도+성시구
3	대관		+대장식구	+경식	+지환	+천	+이식(태)	대관	㉯	태환이식+중공구곡옥 / 등자×
3-1	대관		+대장식구	+경식	+지환	-	+이식(세)			세환이식+장식대도+갑주
3-2	대관		+대장식구	+경식	-	-	+이식(세)			세환이식+장식대도+성시구+갑주
4	대관		+대장식구	(+경식)	(+지환)	(+천)	+이식(태·세)			세환이식 / 태환이식+중공구곡옥 / 등자×
5	대관			(+경식)	(+지환)	(+천)	+이식(태·세1)			안계4북(세+중공구곡옥) / 등자× / 태환이식 / 등자×
5-1	대관						+이식(태)			태환이식+중공구곡옥 / 등자×
6			대장식구	+경식	+지환	+천	+이식(태·세)	대장식구	㉰	세환이식+장식대도+성시구+(갑주) / 태환이식+중공구곡옥 / 등자×
7			대장식구	+경식	-	+천	+이식(태·세)			세환이식+장식대도 / 태환이식+중공구곡옥 / 등자×
8			대장식구	+경식	-	-	+이식(세)			세환이식+장식대도+성시구
9			대장식구	-	+지환	+천	+이식(세)			세환이식+장식대도+성시구
10				경식	+지환	+천	+이식(태·세)	경식	㉱	세환이식+장식대도 / 태환이식+중공구곡옥 / 등자×
11					+지환	+천	+이식(태·세)	지환, 천	㉲	태환이식
12							+이식(세)	×	㉳	세환이식+장식대도

표 5-10. 지역별 고분 등급에 따른 관식과 관모의 출토유무

경주

유형	등급	관식	관모
1	㉮	■	■
2	㉮		
3	㉯		
4	㉯		■ 세
5	㉯		
6	㉰		■
7	㉰		■
8	㉰	■	■
9	㉰		■
10	㉱		
11	㉲		
12	㉳		

강릉

유형	등급	관식	관모

경산

유형	등급	관식	관모
3	㉯	■ 세	■ 세

유형	등급	관식	관모
5	㉰		■
6	㉰		■
8	㉰	■	
9	㉰		■
10	㉱		

대구

유형	등급	관식	관모
1	㉮		
2-1	㉮	■	■
3	㉯		
5	㉯		
5-1	㉯		
9	㉰		■
10	㉱		■
12	㉳	■	

성주

유형	등급	관식	관모
9	㉰	■	
12	㉳		

양산

유형	등급	관식	관모
1	㉮	■	■
3	㉯		
7	㉰	■	■
9	㉰		

의성

유형	등급	관식	관모
2-1	㉮	■	
3	㉮		
5-1	㉮		
8	㉰	■	
9	㉰		■
12	㉳		

창녕

유형	등급	관식	관모
3	㉯		■ 세
4	㉯		
6	㉰		
8	㉰	■	■
9	㉰		■
10	㉱		

경주는 〈그림 5-5〉에서 보듯이 모든 등급이 확인되고, 강릉은 ⓝ, ⓓ, ⓡ등급, 경산은 ⓝ, ⓓ, ⓡ등급, 대구는 ㉮, ⓝ, ⓓ, ⓡ, ⓑ등급, 성주는 ⓓ, ⓑ등급, 양산은 ㉮, ⓝ, ⓓ등급, 의성은 ㉮, ⓝ, ⓓ, ⓑ등급, 창녕은 ⓝ, ⓓ, ⓡ등급이 확인된다.

이 중에서 관식과 관모가 출토되는 양상을 살펴보면 흥미로운 점을 찾을 수 있다. 특히 관모에 주목해 보면 경주에서는 ㉮와 ⓓ등급에서 확인되고 강릉에서는 ⓓ등급, 경산에서는 ⓝ등급에서, 대구에서는 ㉮와 ⓓ등급에서, 양산은 ㉮와 ⓓ등급에서, 의성도 ㉮와 ⓓ등급에서 창녕은 ⓓ등급에서만 확인된다. 즉, 경산을 제외하고 보면, 모두 ㉮와 ⓓ등급에서 출토된다.

3) 적석목곽분 체제

지역	등급	복식유형											
		1	2	3	4	5	6	7	8	9	10	11	12
경주	㉮ⓝⓓⓡⓜⓑ	1	2	3	4	5	6	7	8	9	10	11	12
대구	㉮ⓝⓓⓡⓑ	1	2 / 2-1	3-2		5 / 5-1				9	10		12
의성	㉮ⓝⓓⓑ		2-1	3-2	4	5-1			8	9			12
양산	㉮ⓓⓓ	1	2	3				7		9			
창녕	ⓝⓓⓡ			3		5	6		8	9	10		
경산				3		5				9	10		
강릉				3	4				8	9	10		
성주	ⓓⓑ									9			12

그림 5-5. 지역별 위계 등급과 복식유형

지역별로 위계에 따라 등급과 복식유형의 차이가 있다. 경주에서는 모든 등급의 복식유형이 확인되는데, 이에 반해서 대구, 의성, 양산은 ㉮, ⓝ, ⓓ등급과 ⓡ등급 또는 ⓑ등급이 확인된다. 특징적인 것은 변형된 복식유형이 확인되는 점이다. 또한 창녕과 경산, 강릉에서는 공통적으로 ⓝ, ⓓ, ⓡ등급이 확인되며, 복식유형도 이와 비슷하다. 성주에서는 ⓓ, ⓑ등급이 확인된다.

지역별 등급의 차이는 해당 지역에 거주했던 계층의 신분 차이가 반영된 것으로 볼 수 있다. 그리고 주목되는 부분은 경주에서는 복식유형 3과 5가 태환이식이 출토되어 여성의 무덤으로 간주되지만, 대구와 의성에서 보이는 3-2유형은 세환이식이 출토되고, 5-1유형은 태환이식을 동반하는 것으로 경주와 차이가 있다.

정리하면 경주에서는 남성이 ㉮등급을 선호하고 여성이 ㉯등급의 복식유형을 선호하는데, 지방에서는 남성의 등급이 경주보다 한 단계 낮은 복식유형을 착용하였을 가능성도 배제할 수 없다. 즉 지방의 지배계층이 중앙의 경주지역 지배계층보다 낮은 등급의 복식유형을 사용한 것이다.

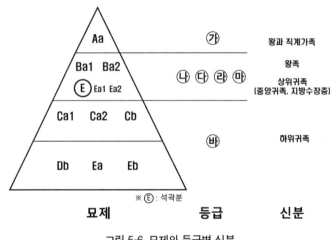

그림 5-6. 묘제와 등급별 신분

묘제별로 등급을 구분하면 A형 지상식 적석목곽분은 ㉮등급에서 보이고, Ba1형과 Ba2형 지하식 적석목곽분은 ㉯, ㉰, ㉱, ㉲등급에서 확인된다. 나머지 Ca1, Ca2, Cb, Db, Ea, Eb형 묘제는 ㉳등급으로 볼 수 있다. 또한 신분은 각각 왕과 왕의 직계가족, 왕족과 상위귀족, 하위귀족으로 구분된다.

중앙에서는 A형 적석목곽분이 왕과 왕의 직계가족에서 축조되며, 왕족과 최상위 귀족이 Ba1형과 Ba2형을 사용한다. 그 아래 계층은 Ca1형과 Ca2형, Cb형 등의 적석목곽묘와 Db형, Ea형, Eb형 등의 목곽묘 및 석곽묘를 사용하는 체제

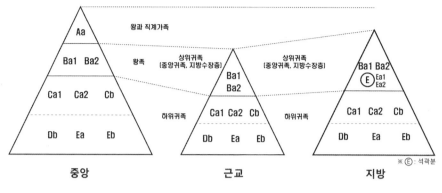

그림 5-7. 적석목곽분 체제

를 갖춘다. 중앙의 경주 월성북고분군의 근교에 해당하는 경주 황성동고분군과 덕천리 고분군에서는 상위 계층의 귀족과 하위 계층에서 차이가 확인되고, 이러한 현상은 지방의 거점 고분군에서도 마찬가지로 확인된다. 다만 Ba1형이 사용된 이후 지역성이 강한 묘제로 대체된다. 지역 묘제는 석곽구조를 한 석곽분으로 〈그림 5-7〉에서는 봉분이 낮은 Ea1형과 Eb형과 구별하여 E형[328]으로 구분하였다.

5세기대에 새롭게 조성된 고분군에서는 상위 계층과 하위 계층의 고분군이 분리되어 나타나는 양상도 관찰된다. 그 예로 경주 덕천리고분군과 월산리고분군을 들 수 있다. 두 고분군은 지척에 위치하고 있지만 묘제에서 차이를 보인다. 덕천리고분군에서는 Ba1형과 Ba2형, Ca형 등이 확인되고, 월산리고분군에서는 Ca1형과 Ea형, Eb형 등이 있다. 결국 두 고분군은 계층적인 차이가 있다는 것이다.

---

328 근교와 지방고분군에서는 E형 석곽분 이외에도 주구를 가진 적석목곽분을 확인할 수 있는데, 이러한 묘제는 봉분을 가진 고분으로 볼 수 있다. 이들 변형된 묘제는 중심고분군의 영향으로 파생된 것으로 생각되며, 근교와 지방고분군 내에서 상위계층의 묘제로 사용되었을 것으로 볼 수 있다.

경주 분지 내에서도 중앙의 경주 월성북고분군에서 거리를 두고 멀어질수록 위계가 낮은 고분군이 형성되는 것을 관찰할 수 있다. 더불어 덕천리고분군 같은 경우는 거점으로 가교 역할을 했을 가능성이 있다.

마찬가지로 지방에서도 위와 같은 현상이 동일하게 나타난다. 예를 들어 대구의 달성고분군과 문산리, 화원 성산리 고분군 등을 살펴보면 달성고분군은 위계에서 ㉠등급으로 왕의 직계가족이 거주했을 가능성이 있는데, 문산리와 화원 성산리 등은 ㉡와 ㉢등급이 최고 위계일 수 있어서 대구 달성고분군보다 하위의 지배자가 있었을 가능성이 높다.

또한 지방 고분군에서 A형의 지상식 적석목곽분이 확인되는 비중이 낮은 점은 왕이나 왕의 직계가족이 지방이 아닌 경주에 집중되었기 때문으로 생각할 수 있다. 결국 위계에 따라 사용할 수 있는 묘제가 정해져 있었다는 것이다. 지방에서는 경주의 Ba1형 지하식 적석목곽분과 유사한 형태의 고분이 상위 위계에서 사용되었으며, 각 지역의 초기 고총이 나타나는 시점의 묘제 형태가 지하식 적석목곽분의 형태를 띠고 있는 점은 이를 대변해준다.

이러한 현상을 종합하면 경주 월성북고분군을 중심으로 근교의 거점 고분군이 자리하고, 그 거점 고분군에서 다시 여러 하위 고분군이 연결된 형태를 확인할 수 있다. 그리고 지방에도 거점 고분군이 형성되는데, 경산, 의성, 창녕, 양산, 대구, 강릉 등이 거점(부심)의 역할을 수행하였으며, 각 지역의 부심에서 다시 하위 고분군이 형성되는 것이다.

이러한 신라 고분군의 상호 관계는 마치 이희준[329]의 삼한 소국 형성 과정에 대한 고고학적 접근의 틀에서 설명된 국읍과 촌의 관계와 유사한 형태를 띤다.

이와 같은 형태는 지상식 적석목곽분을 중심으로 지하식 적석목곽분, 적석목

---

329 이희준, 2000, 「삼한 소국 형성 과정에 대한 고고학적 접근의 틀 -취락 분포 정형을 중심으로-」, 『韓國考古學報』43輯: p. 130 그림 5.

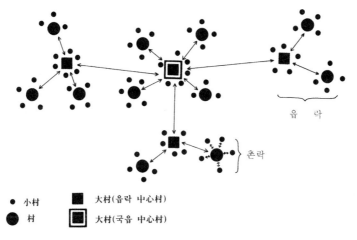

- 小村
- 村
- 大村 (읍락 中心村)
- 大村 (국읍 中心村)

읍락

촌락

그림 5-8. 취락 분포 정형 모식도 (이희준 2000: 130 그림 5 전재)

곽묘, 목곽묘, 석곽묘, 옹관묘, 토광묘 등이 차등적으로 사용되면서 신라 고분군
의 계층성과 정형을 드러내는 것과 같다. 이런 차별적인 묘제의 사용은 신라 고분
에서 하나의 체제로 정립되었다고 볼 수 있으며, 이것은 곧 적석목곽분 체제라 할
수 있다.

적석목곽분체제는 경주 일원의 범위에서 형성되기 시작하여 주변에서는 고총
체계[330]로 발전한다. 각 지역에 고총이 출현하는 시점의 분묘 형식을 기존 연구
[331]를 바탕으로 살펴보면 다음과 같다. 경산지역은 단곽식 목곽묘→동혈 日자형
주부곽식 목곽묘 → 이혈 呂자형 주부곽식 적석목곽묘 → 주부곽식 암광목곽묘
→ 明자형 암광목곽묘 → 단실 횡구식 석곽묘 → 횡혈식 석실묘로 묘제가 변화
한다. 대구지역은 수혈식 석곽묘 → 이혈 丁자형 주부곽식 판석조 석곽묘 → 단

---

330 김용성, 2009,『신라왕도의 고총과 그 주변』, 학연문화사.

331 김용성, 2009,『신라왕도의 고총과 그 주변』, 학연문화사, pp.173-199.

곽식 판석조 석곽묘·횡구식 석곽묘로 변천한다. 대구지역에서는 구암동[332]에서 적석봉토를 갖추고 있는 수혈식 석곽묘가 나타나고 있어서 특이하다. 창녕은 동혈 日자형 주부곽식 석곽묘 → (횡구식 석곽·석실) → 횡혈식 석실묘로 변화하는 것으로 알려져 있다. 특히 횡구식 석곽분이 나타난다. 횡구식 석곽분은 지방에 고총이 출현하면서 새롭게 고안된 축조방법[333]으로 등장한 것으로 볼 수 있다. 성주지역은 수혈식 판석조 석곽묘가 확인되고 있어서 대구지역과의 관계가 상정된다.

그리고 의성지역[334]은 이혈 11자형 주부곽식 적석목곽묘 → 단곽식 변형적석목곽묘 → 횡혈식 석실묘로 변화하는데, 조탑동은 낙동강상류의 상주지역과 같은 세장방형 횡구식 석곽묘가 확인되고 있어서 상주지역과의 관련성이 깊은 것으로

332　金宅圭·李殷昌, 1978,『鳩岩洞古墳發掘調査報告』, 嶺南大學校博物館.

333　강승규(2019, 「창녕지역 횡구식 석곽의 축조 방법과 출현 배경」, 『韓國考古學報』 第113輯: pp.181-184.)는 횡구식 석곽의 출현 배경을 추론한 결과로 '거대한 봉토와 매장주체시설이 설치되는 고총의 출현과 밀접한 관련이 있음을 생각할 수 있었다. 즉, 거대한 봉토를 가지는 고총이 축조됨에 따라 봉토의 규모에 걸맞은 대형 석곽이 축조된다. 특히 석곽의 높이가 높아짐으로 인해 석곽 내부로의 진입, 내부 시설의 설치, 피장자 안치, 부장품 부장 등 장례 절차 전반에서 이전에는 겪지 않았던 어려움에 직면하게 된다. 이러한 문제를 바탕으로 더 효율적인 대형 석곽의 축조 방안을 고민하고 연구한 결과, 창녕지역의 교동과 송현동 고분군을 조성한 고분 축조 기술자들에 의해 횡구식 구조의 석곽이 설계되는 것이다'라고 결론 지었다. 또한 초현기 횡구식 석곽의 규모가 대형이라는 점(曺永鉉, 1994, 「嶺南地方 橫口式古墳의 硏究(Ⅰ)」, 『伽耶古墳의 編年 硏究Ⅱ-墓制-』, 嶺南考古學會, p.63)은 횡구식 석곽의 출현 배경과 관련하여 주목되는 것으로 창녕지역에서 낙동강 연안을 따라 확산되었을 가능성을 시사하였다. 그러나 그는 횡구식 구조의 석곽이 창녕지역에서 먼저 출현한 배경은 현재로서는 명확하게 알 수 없다고 하였다. 필자는 이 점에 주목할 필요가 있다고 생각한다. 창녕지역에서 적석목곽분의 영향으로 고총이 축조된 이후 그들의 필요에 의해 변형된 고총이 만들어진다. 나아가 신라의 영역 내로 빠르게 전파되었을 가능성이 있다.

334　李熙濬, 1998,『4-5世紀 新羅의 考古學的 硏究』, 서울大學校 大學院 博士學位論文.
　　徐敬敏, 2008,「洛東江 上流地域 三國時代 土器 硏究」, 慶北大學校 大學院 碩士學位論文: pp.12-15.

알려져 있다. 상주지역[335]은 세장방형 혹은 장방형의 횡구식 석곽묘가 확인된다. 동해안지역의 울산[336]은 목곽묘 → 적석목곽묘(위석목곽묘) → 석곽묘 → 석실묘로 묘제가 나타난다. 영덕은 단곽식 적석목곽묘가 등장하고, 강릉은 수혈식 석곽묘가 확인되는 것이 특징이다.

이들 지역에서 Ba1형 적석목곽분이 등장하는 곳은 경산, 창녕, 의성, 부산, 울산, 영덕 등이다. 경산은 임당 G6호와 G5호[337], 조영 CII-2호[338], 조영 EIII-6호[339] 등이다[340]. G6호는 Ca1형 적석목곽묘로 이중곽의 구조를 가지며, 석단과 주곽의 목주혈 등으로 보아 경주 쪽샘 L17호와 동일한 구조로 생각된다. 창녕은 계남 4호[341], 교동 12호분 등이 적석목곽분으로 구분된다. 의성은 대리리 3호 2곽[342], 부

335 李熙濬, 1998,『4-5世紀 新羅의 考古學的 硏究』, 서울大學校 大學院 博士學位論文.
　　徐敬敏, 2008,「洛東江 上流地域 三國時代 土器 硏究」, 慶北大學校 大學院 碩士學位論文: pp.15-17.
　　홍지윤, 2003,「尙州地域 5世紀 古墳의 樣相과 地域政治體의 動向」,『嶺南考古學』32.
336 權龍大(2017,『蔚山地域 三國時代 古墳 硏究』, 慶尙大學校大學院 博士學位論文.)는 울산지역 삼국시대 고분을 연구하면서 묘제를 목곽묘, 석곽묘, 석실묘로 구분하였다. 자연지형에 따라 권역을 북부, 중부, 서부, 남부권으로 설정하였다. 각 권역은 고배를 기준으로 10단계로 구분하고 울산지역 고분문화가 5기의 획기로 전개된다고 보았다. 각 시기는 1기(1-3단계) 세장방형과 '呂'자형 목곽묘, 2기(3-5단계) 석곽묘 출현, 3기(5-7단계) 'ㅏ'자형 북부 출현, 'T'자형 서부 출현, 세장방형 횡구식 석실묘 남부 출현, 4기(7-9단계) 장방형 횡구식 석실묘, 다곽식 고분 출현, 5기(9-10단계) 횡혈식 석실묘 출현을 특징으로 설정하였다. 여기서 각 단계는 본고의 연대로 보면 1단계가 4C 1/4, 2단계가 4C 2/4, 3단계가 4C 3/4, 4단계가 4C 4/4, 5단계가 5C 1/4, 6단계가 5C 2/4, 7단계가 5C 3/4~4/4, 8단계가 6C 1/4~2/4, 9단계가 6C 3/4, 10단계가 6C 4/4분기와 대응한다.
337 嶺南文化財硏究院, 2001,『慶山林堂洞遺蹟 II -G地區 5·6號墳-』.
338 嶺南大學校博物館, 1999,『慶山 林堂地域 古墳群 IV - 造永 CI·II號墳- (本文)』.
339 嶺南大學校博物館, 1994,『慶山 林堂地域 古墳群 II - 造永 EIII-8號墳 外-』.
340 이재홍, 2009,「경주와 경산지역의 중심지구 유적으로 본 4~5세기 신라의 변모」,『韓國考古學報』70: pp.180-186.
341 嶺南大學校博物館, 1991,『昌寧 桂城里 古墳群 -桂南1·4號墳-』.
342 慶北大學校博物館, 2006,『義城 大里里 3號墳』.

산은 복천동 31 · 32호, 학소대 1구 1호와 1구 2호 등[343], 영덕은 괴시리 16호분[344], 울산에서 적석목곽묘는 중산동, 매곡동, 송정동, 양동[345] 등에서 확인된다. 적석목곽묘의 분포비율은 양동이 가장 많고, 이어서 매곡동, 송정동 순이다[346]. 울산지역은 경주와 맞닿아 있는 곳으로 일찍부터 북부에서 적석목곽묘가 확인된다[347]. 양동고분군은 유적의 파괴가 심하지만 Ca1형 적석목곽묘가 다수 확인되어서 태화강 이남의 남부지역의 거점이었을 가능성이 있다. 울산에서는 중산리 ⅠA-51호를 Ba1형으로 볼 수 있다.

이상과 같이 저분구에서 고총으로 발전하는 단계에 이들 묘제는 Ba1형이거나 이와 유사한 형식이다. 따라서 지방고분군의 경우 경주 근교의 고분군에서 보이는 Ba1형과 같이 지방 유력층이 사용한 것으로 볼 수 있다. 더불어 이들은 지방의 수장층일 가능성도 있지만, 신라 중앙에서 파견되었을 가능성도 높다. 그 이유는 신라 중심고분군에서 사용되는 묘제를 본받아 사용하고 있는 점과 신라의 위세품 체제[348]와 연관하여 직접적인 관련성이 있었을 가능성이 있기 때문이다.

하지만 이들 지역에서 적석목곽분이 등장한 이후에 곧 사라지고 지역성이 강한 석곽분과 같은 묘제로 대체된다. 이러한 현상을 신라의 간접지배[349] 형태로 이

---

343 釜山大學校博物館, 2001, 『東萊 福泉洞 鶴巢臺古墳』.

344 國立慶州博物館, 1999, 『盈德 槐市里 16號墳』.

345 부산대학교박물관, 1985, 『울산양동발굴조사개보』.

346 權龍大, 2017, 『蔚山地域 三國時代 古墳 研究』, 慶尙大學校大學院 博士學位論文: p.40.

347 울산지역 4세기대 묘제의 시기는 다음과 같다. 4세기 2/4분기에 중산리 ⅠA-75호 Cb형(세장방형), 다운동 바-8호 Db형(세장방형), 하삼정 가-5호(세장방형, 이혈), 하대 가-22호, 4세기 3/4분기에 중산리 ⅠA-26호 Cb형(세장방형), 중산리 615번지 22호 Db형(세장방형, 이혈), 북동 57호 Db형(세장방형, 이혈), 구미리 709번지 4호 Db형(세장방형, 이혈), 4세기 4/4분기에 중산리 Ⅷ-14호, 북동 18호 Ca형(세장방형, 동혈), 양동 24호 Db형(세장방형) 등이다.

348 이희준, 2007, 『신라 고고학연구』, 사회평론.

349 朱甫暾, 1998, 『新羅 地方統治體制의 整備過程과 村落』, 신서원: pp.43-48.
　　이희준, 1996, 「낙동강 이동 지방 4,5 세기 고분 자료의 정형성과 그 해석」, 『4 · 5세기 한일고고학』

해하기도 한다. 그렇지만 신라토기의 변화에서도 지역성이 강한 신라토기가 지역 사회에서 사용되고, 공통적인 부장품 구성 방식[350]을 가지므로 신라의 사회체제로 편입된 것으로 보아야 할 것이다. 더불어 각 지역에 Ba1형 적석목곽분이 출현한 이후 거의 동시기에 고총이 만들어지는 것은 신라 중심의 영향으로 볼 수 있다. 곧 직접지배일 가능성도 있다. 비단 지역성 강한 묘제의 사용만을 가지고 지역 집 단의 성격을 비정할 수 없다.

한 가지 살필 점은 이 시기에 각 지방거점 고분군에서는 성격이 다른 두 개 이 상의 집단이 있는 점이다. 경산지역은 금호강을 기준으로 남쪽의 임당유적과 북 쪽의 불로동고분군을 최고 위계 고분군으로 분류한다[351]. 이 중에서 지방거점인 임당유적 내에서는 조영동과 임당동이 능선을 달리하여 고분이 축조되었다. 이들 은 각각 재지계와 신라계로 구분된다[352]. 부산지역은 고소와 저소고분군이 성격

(영남고고학회 · 구주고고학회 제2회 합동고고학대회)

李熙濬, 1998, 『4-5世紀 新羅의 考古學的 硏究』, 서울大學校 大學院 博士學位論文: pp.60-67.

350 하대룡(2020, 「신라 고분의 착장 이식에 따른 부장 양상 차별화와 그 의미」, 『한국고고학보』제114 집: p.144.)은 '착장 이식을 중심으로 보았을 때에는 공통적인 부장품 구성 방식을 갖는 점이 확인 된다. 이는 적석목곽묘 축조 집단에서 시작된 복식 제도와 고총 축조를 위시한 장례 의례 규범이 지방 사회의 엘리트에 수용된 결과일 가능성이 크며, 따라서 포괄적인 사회 규범과 질서의 파급과 수용을 강력하게 시사하고 있다.'라고 지적하였다. 그는 이식의 형태에 따른 엘리트의 평면적 분 화를 밝히고자 언급한 내용이지만, 공통적인 부장 구성 방식이 지방 고분에서 확인되는 점은 동일 한 정치체제에 속했을 가능이 있다고 판단된다.

351 김용성, 1989, 「慶山 · 大邱地域 三國時代 古墳의 階層化와 地域集團」, 『嶺南考古學』6, 嶺南考古學會. 이희준, 2007, 『신라고고학연구』, 사회평론: p.278.

352 기존 연구(李熙濬, 1998, 『4-5世紀 新羅의 考古學的 硏究』, 서울大學校 大學院 博士學位論文: p.209; 이희준, 2004, 「경산 지역 고대 정치체의 성립과 변천」, 『嶺南考古學』34: pp.25-30; 이희 준, 2007, 『신라고고학연구』, 사회평론.)에서 보면 조영동집단은 철제 'U'자형 삽날과 쇠스랑 같은 농구를 통해 재지계로 보고, 임당동집단은 고분의 축조와 유물의 유사성 통해 신라와의 관련성을 제시하였다. 오랜 기간 동안 두 집단은 차별성이 있었을 수 있다는 점과 신라의 영향을 차별적으 로 받는다는 점 등 다양하게 해석되지만 임당동집단이 신라와 관련되었을 가능성이 높다고 판단 할 수 있다.

이 다른 두 집단으로 보인다. 구릉 저소 능선부에는 외절구연고배와 같은 김해지역 양식과 공통점이 있으며, 4세기 초에는 함안양식 토기류가 부장되고 4세기 중기에는 함안양식이 중위부의 대형분으로 이동한다. 그리고 구릉의 높은 곳에 대형 고분군이 형성되어 재지양식과 신라양식이 함께 나타난다. 즉, 이 시기부터 경주양식의 토기가 등장한다. 4세기 말에서 5세기 전엽에는 신라 양식의 부산식토기가 등장하고 구릉 저소 대형분 주변에 소형분이 자리한다. 의성지역은 분수계에 의해 남쪽의 위천과 북쪽의 미천유역으로 크게 구분된다. 위천유역은 금성산고분군은 대리리, 학미리, 탑리고분군으로 구성된다. 미천유역에는 조탑리, 평팔리, 후평리, 윤암리고분군이 있다. 이들 고분군은 위세품의 복식이 세트를 이루지 않는 점에서 금성산고분군보다 낮은 위계의 고분군으로 인식된다. 한편 장림리, 공정리, 고곡리고분군 등은 직경 5-10m의 소형분인 수혈식 석곽묘와 소형 횡구식 석실을 축조하는 집단으로 수계마다 분포한다[353]. 창녕은 지역 중심의 지배층 안에 적어도 두 개의 주요집단이 존재하였다. 교동과 송현동의 두 군은 각각의 중심고분으로 부를 수 있을 정도로 큰 초대형을 하나씩 가지고 있는 점이 주목된다[354]. 이것은 하나의 고분군에서 두 개 이상의 집단이 있었을 가능성을 보이는 점으로 경산 임당유적에서 보이는 양상과 유사하다. 또한 묘제의 변화로 보면 이른 시기 창녕 남쪽의 계성리고분군에서 늦은 시기 북쪽의 교동고분군으로 지역거점이 이동하였을 가능성이 높다[355].

이상의 내용으로 보면 이들 제 지역에 두 개 이상의 집단이 공존하고 있는 점이 주목된다. 특히 두 집단 중 하나는 지역의 재지계와 관련된 유물의 수량이 많고, 다른 집단은 신라계와 관련된 유물의 수량이 많다. 신라와 관련성이 높은 집단의

---

353 李在煥, 2007, 「洛東江 上流地域 橫口式石室 硏究」, 慶北大學校 大學院 碩士學位論文: pp.93-94.
354 이희준, 2007, 『신라고고학연구』, 사회평론, p.298.
355 이희준, 2007, 『신라고고학연구』, 사회평론.

경우 Ba1형의 지하식 적석목곽분과 유사한 묘제가 등장한 이후 지역성이 강한 묘제로 변화한다. 앞서 살펴보았듯이 Ba1형 지하식 적석목곽분을 신라의 왕족이나 상위귀족의 묘제로 본다면 그들이 지방거점에서 지배층으로서 역할을 하였을 가능성이 높고, 신라계 집단의 고분군이 지속적으로 축조되는 양상을 통해 이들의 신분은 누대에 걸쳐 계승되었을 것이다.

하지만 당시의 토기생산체계[356]에서 보이듯이 지역 단위의 규모를 띠고, 신라 양식의 지역성이 강한 토기류가 사용되고 있어서 경제 규모는 지역 내 범위에 한정되었을 가능성이 있다. 고분의 축조도 마찬가지로 지역 단위 내에서 이루어지기 때문에 Ba1형 지하식 적석목곽분의 영향을 받은 지역성이 강한 묘제로 변형되거나 지역 묘제가 고총으로 발전한 형태가 후속되는 것으로 볼 수 있다.

지방관리의 파견만을 직접지배의 근거로 삼을 이유는 없다. 신라 왕족의 분봉이나 상위 지배층의 분봉, 지역 수장층의 신라와의 결탁도 직접지배의 한 종류로 보아야 할 것이다. 간접지배의 네 가지 유형[357]은 지방의 자치권부여와 관련성이 있는 것으로 볼 수 있다. 여기에서 자치권부여는 소속된 집단 내에서 중앙과 분리되어 지방의 행정권리를 부여한다는 의미로 간접지배보다는 직접지배의 형태에서 나타날 수 있는 지배형태로 생각된다.

이상과 같이 신라 지방고분군에서는 5세기대 중심고분군의 묘제 변화의 영향으로 분묘체제가 바뀌고 있으며, 고분군의 성장패턴과도 대응되어 구역별 성장모델 양상을 띤다. 이러한 중심고분군과 연계되어 변화하는 지방고분군의 현상은 4세기를 전후한 적석목곽묘의 등장과 함께 시작된 것으로 생각된다. 또한 세장방

---

356 李盛周, 1998,『新羅·伽倻社會의 起源과 成長』, 學研文化社: pp. 259-400.

357 ①의례적인 공납의 대가로 완전한 자치를 허용하는 유형, ②자치를 허용하면서 유력세력에 대해 중앙이 재편하는 유형, ③유력세력을 중앙으로 이주시키는 유형, ④군사요충지에는 중앙에서 군관을 상주시키고 자치를 허용하는 유형으로 나누는 견해.
朱甫暾, 1998,『新羅 地方統治體制의 整備過程과 村落』, 신서원: pp. 43-48.

형 목곽묘의 분포범위로 볼 때 4세기 이전에 경주를 중심으로 한 사회체계가 형성되었을 가능성이 있다. 묘제의 등장과 고분군의 형성과정을 통해 경주 월성북고분군이 중심고분군으로 변화하는 시기는 4세기대로 볼 수 있다. 중심고분군에서는 쪽샘 L17호[358]와 같은 대형의 이혈 주부곽식 적석목곽묘(Ca1형)가 4세기 3/4분기 경(본고 편년안)에 출현하고 있다. 더불어 주변에는 월성로 가-5호, 가-6호, 가-13호 등이 위치하고 있어서 대략 4세기 중엽 이후부터 중심고분군이 발전하는 것으로 생각된다.

중심고분군이 발전하는 시기에 경주 근교의 고분군에서도 변화가 포착된다. 경주 근교의 고분군 형성을 살펴보면 경주의 북쪽지역에서는 경주 동산리고분군과 사방리고분군이 4세기대 새롭게 조성된다. 경주 동산리고분군[359]의 경우 34호 목곽묘를 시작으로 고분군이 형성된다. 34호는 출토유물을 통해 4세기 1/4분기로 편년할 수 있어서, 고분군의 형성은 4세기대부터 이루어지는 것으로 볼 수 있다. 사방리고분군[360]은 1호와 2호 목곽묘를 시작으로 4호 적석목곽묘(Cb), 3호 적석목곽묘(Ca) 등 4세기대에 고분군이 형성된다. 그리고 5세기 3/4분기에는 11호 적석목곽분(Ba1)이 확인된다. 두 고분군은 출토유물의 양상에서 황성동고분군 출토품과 유사하다. 이러한 현상으로 보면 경주 황성동을 기점으로 천북 동산리와 현곡 사방리에 4세기대 새롭게 고분군이 형성되는 것으로 볼 수 있다. 천북에서는 5세

---

358 쪽샘 L17호는 묘광 규모가 주곽은 길이 8.5m, 너비 4.1m, 깊이 1.0m이고, 부곽은 길이 잔존길이 2.7m, 너비 4.1m, 깊이 1.2m로 전체 길이가 약 12m에 달한다. 출토유물은 진식대금구와 마구류, 갑주, 기대류 등이 확인된다. 규모와 출토유물을 통해 4세기대 상위 계층의 무덤으로 볼 수 있으며, 왕묘일 가능성도 있다.
　　국립경주문화재연구소, 2020, 「경주 쪽샘 L17호 목곽묘 현장설명회 설명 자료집」.
359 신라문화유산연구원, 2010, 『경주 동산리유적 II-1 -삼국시대-』.
　　신라문화유산연구원, 2010, 『경주 동산리유적 II-2 -삼국시대-』.
　　신라문화유산연구원, 2010, 『경주 동산리유적 II-3 -삼국시대-』.
360 신라문화유산연구원, 2010, 『慶州 土方里 古墳群 -慶州 土方里 996-1 番地 遺蹟』.

기대 손곡 · 물천리 고분군361에서도 고분군이 축조된다.

경주 동쪽지역은 두산리 산66 고분군362, 봉길리고분군363이 있으며, 5세기를 전후한 시기에 고분군이 축조되기 시작한다. 동남쪽은 분수령을 경계로 분지 단위의 여러 소집단이 자리하였을 가능성이 있다. 조양동 일대, 구정동 일대, 죽동리 일대, 구어리 일대, 울산 중산동 일대 등이다. 동남쪽의 죽동리, 북토리, 제내리 일원은 서기전 1세기에서 서기 2세기 후반 시기로 볼 수 있는 북토리 고분군364부터 5세기대 제내리고분군365까지 형성되는 것으로 보인다.

4세기대에 죽동리와 구정동, 구어리 지역은 대형 동혈 세장방형 목곽묘와 이혈 주부곽식 목곽묘 등이 확인된다. 구정동과 죽동리지역에 이혈 주부곽식 목곽묘가 아직 확인되지 않았을 가능성이 있지만, 이혈 주부곽식 목곽묘가 동혈 주부곽식 목곽묘 보다 상위의 묘제로 본다면 구어리 지역이 동남쪽 일대의 거점이었을 가능성이 있다. 남쪽에 인접한 울산 중산리고분군과 함께 이 지역이 4세기 이후부터 상위거점의 역할을 수행하였을 것이다.

이상의 내용을 정리하면 경주에서 4세기와 5세기에 고분군의 분포 변화가 있다. 경주 중심에서는 중심고분군인 월성북고분군에서 4세기대 고분군의 범위가 확장되고, 대형 고분이 축조된다. 비슷한 시기에 북쪽에서 동산리, 사방리, 동남쪽에서 구어리 등이 새롭게 고분군으로 조성되고, 5세기대 북쪽에서 손곡 · 물천리, 동쪽에서 두산리, 봉길리, 서남쪽에서 월산리 등이 고분군으로 만들어지기 시

361 東國大學校 慶州캠퍼스 博物館, 2002,『慶州 蓀谷洞 · 勿川里(Ⅱ)-墳墓群-』.

362 신라문화유산연구원, 2019,『경주 두산리 산66 고분군-임도구간 긴급수습 발굴조사 보고서-』.

363 봉길리고분군에서는 청동기시대 주거지 2동과 삼국시대 석곽묘 113기, 목곽묘 26기, 옹관묘 3기, 석곽옹관묘 1기가 조사되었다. 5세기 2/4분기로 볼 수 있는 56호는 Ea1형 석곽묘의 구조이다. 이 와 같이 이른 시기 봉길리 고분군에서는 석곽묘가 축조된다. 3호는 Ea2형으로 병렬식 주부곽의 석곽구조이다. 慶尙北道文化財研究院, 2005,『慶州 奉吉里古墳群 -本文-』.

364 신라문화유산연구원, 2011,『경주 북토리 고분군』.

365 聖林文化財研究院, 2013,『慶州 堤內里 新羅墓群』.

작한다. 중심에서 보면 점차 내륙의 촌까지 고분군의 조성 범위가 확산되는 양상
이다. 정리하면 고분군이 중심에서 주변으로 확대되고, 집단의 규모에 따라 위계
에 맞는 묘제를 선택하여 조성되는 것이다. 다시 말해 5세기대 적석목곽분 체제
의 형성은 국읍에서부터 읍락, 촌락, 촌으로 고분군이 확대되고, 조성되는 과정의
정점을 이루는 것이다. 이때 국읍을 중심, 읍락은 지방과 근교를 구분하여 지방
거점과 상위거점, 촌락은 하위거점, 촌은 고분군으로 구분할 수 있으며, 모식도로
나타내면 〈그림 5-9〉와 같다.

시기적으로 목곽묘 단계(Ⅱ)에 지역 거점을 중심으로 고분군이 형성되고 선형
적 성장모델의 모습을 보인다. 이후 적석목곽묘 단계(Ⅲ)에 촌락 단위까지 고분군
이 확대 조성되고 점차 선형적인 성장에서 소규모 단위의 구역별 성장을 띤다. 적
석목곽분 단계(Ⅳ)에 이르러서는 촌 단위까지 고분군이 형성된다. 이러한 모습은
거점을 중심으로 한 대규모 상위집단에서부터 소규모 단위의 하위집단까지 사회
연결망을 형성하였음을 방증하는 것이다. 결국, 적석목곽분 체제의 완성은 마립
간 체계의 확립이다.

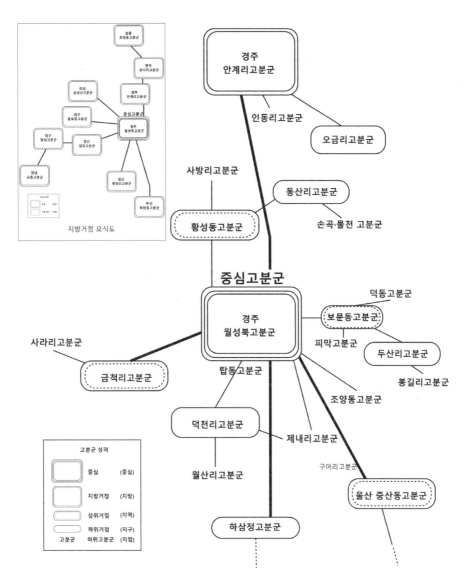

그림 5-9. 신라 5세기 적석목곽분 체제

Ⅵ章　結論

본 연구에서는 신라 중심고분군의 형성과 변화과정을 밝히고자 하였다. 고분군은 다양한 묘제로 구성되어 있으며, 이들 묘제 간의 공간적인 배치와 시간적인 선후 관계에 따라 고분군이 변화한다. 변화에서의 일정한 규칙성은 신라 중심집단의 내부구조와 연관되었을 가능성이 높다. 즉 신라 중심집단의 사회구조에 접근할 수 있는 자료로 평가할 수 있다.

그동안의 신라 고분에 대한 연구는 특정 묘제에 집중된 경향을 보였으며, 그 고분의 변화가 고분군 전체에 확대해석되는 모습도 관찰되었다. 그러나 고분군 내에는 다양한 묘제가 존재하며, 이들 간의 구성에 따라 고분군의 모습과 성격이 다르게 나타난다. 신라 고분의 대표적 묘제는 적석목곽분이다. 적석목곽분은 외형적인 규모와 부장품의 수량과 질에서 타묘제보다 탁월하기 때문에 왕묘로 인식된다. 문제는 적석목곽분과 타묘제 간의 명확한 구분이 필요하다는 것이다.

묘제는 정형화되고 제도화되어 있는 분묘의 형식이다. 신라 고분에는 상호 뚜렷이 변별되는 묘제가 있다. 이들 묘제는 시간적인 선후의 차이도 있지만 동시기 같은 고분군에 존재하는 점에서 사회구성원 간의 위계나 집단의 차이 등이 반영되었을 가능성이 있다. 결국, 위계에 따라 차등적인 고분의 규모와 부가시설, 묘역, 입지, 형성과정이 나타날 것이다.

신라의 사회구조를 확인하기 위해서는 개개의 적석목곽분이나 적석목곽묘, 목곽묘, 석곽묘 등의 묘제를 분리하여 살펴보는 것과 더불어 이들 묘제가 고분군 내에 구성되는 양상에 대한 연구가 필요하다. 이에 본 연구에서는 신라 고분군의 묘제구성과 그 변화, 그리고 고분군의 형성과정을 살펴 고분군에 반영된 사회구조에 대해 알아보고자 하였다. 나아가 신라 고분의 특징과 고분군의 형성과정에 대한 기준을 제시하는 것에 목적을 두었다.

신라 고분군에서 신라의 사회구조를 파악하기 위해서는 신라 중심고분군에 대한 조사가 먼저 이루어져야 한다. 중심고분군은 바로 경주 월성북고분군이다. 경주 월성북고분군은 적석목곽분 이외에 다양한 묘제들로 구성되었다. 이 묘제들은 출토유물을 통해 동일 시기에 조영된 것으로 보이며 묘제에 따라 구분된 관계를 통해 고분군을 형성하는 집단차이와 사회구조에 대해 접근할 수 있었다.

따라서 본 연구에서는 경주 월성북고분군의 묘제구성, 묘제변화, 고분군의 형성과정, 고분군의 변천양상과 중심과 지방고분군의 상호 관계에 대해 살펴보았다.

경주 중심고분군의 묘제는 적석목곽분(A · B), 적석목곽묘(C), 목곽묘(D), 석곽묘(E), 옹관묘(F), 토광묘(G) 등으로 구성된다. 이들 묘제는 매장시설의 재료, 봉분유무, 적석범위, 시상석유무, 주부곽 배열에 따라 14개의 세부 종류가 확인된다. 이 중에서 적석목곽분은 목곽, 적석, 봉토, 호석, 호석 전면부로 축조단위를 나누어 구성된다. 구지표면을 기준으로 매장시설과 적석의 위치에 따라 지상식과 지하식의 구조로 세분된다[366]. 다시 말하면 지상식 적석목곽분은 목곽부와 적석부가 구지표의 상면에 위치하는 구조이며, 지하식 적석목곽분은 목곽부와 적석부가 구지표의 하면에 위치하는 구조이다.

묘제별 주요 고분을 살펴보면서 각 묘제의 구조적 특징을 확인할 수 있었다. 묘제별로 간략하게 나열하면 다음과 같다. 지상식 적석목곽분(A형)은 구조적으로 봉토부, 적석부, 목곽부, 호석부로 나뉜다. 봉토부는 6단계로 구분되며 3단계의 공정으로 축조된다. 적석부는 목조가구를 통해 볼 때 3단 구조이며, 상부적석층을 포함하면 4단이다. 목조가구의 구조에 따라 적석부의 외형에서 변화가 감지

---

366 박형열, 2016, 「신라 지상식 적석목곽분의 발생에 대한 일고찰」, 『영남고고학』75호.

된다. 목조가구는 평면 장방형에서 말각방형, 그리고 (타)원형으로 변화한다. 이 때 목주의 배치는 격자형에서 방사형으로 변천하는 구조 차이가 있다. 목곽(묘곽)은 이중곽 구조이며, 곽은 부장공간의 변화에 따라 ㅂ자형에서 T자형으로 평면형태가 달라진다. 곽 내부의 부장공간의 변화는 지하식 적석목곽분(B)에서도 확인된다. 주곽의 시신이 안치되는 공간에만 시상석을 시설하는 것이 신라고분의 특징인데, 쪽샘유적 B3호에서는 시상석 위에 놓인 유물부장과 바닥면에 그대로 놓인 유물부장양상이 함께 확인된다. 즉, 시신 안치공간과 부장칸, 부곽이 차례로 놓인 것으로 생각된다. 이것은 금관총에서 보이는 구조와 유사하다. 지하식 적석목곽분은 봉분의 크기에 따라 중형분(17.5 초과~37.5m)과 소형분(5.0~17.5m 이하)이 있다. 이 크기에 따라 매장시설의 크기도 차이를 보인다. 중형분은 외곽이 4.22~5.40m이고, 소형분은 3.05~3.84m이다. 이것으로 볼 때 매장시설의 크기를 기준으로 지하식 적석목곽묘는 중대형(3.1~3.6m) 이상의 규모이다. 곽은 이중곽과 단일곽이 사용되었다. 묘광이 이단으로 굴착된 경우는 곽의 중첩과 관련된 것으로 이중곽일 가능성이 높다. 그리고 시간이 지남에 따라 묘광의 단차가 뚜렷해진다. 적석부는 묘광과 목곽 사이를 충전하는 1차 적석과 지표면 상부에 노출된 목곽 외면을 지탱하는 2차 적석으로 구분된다. 그리고 주부곽식일 경우 부곽에는 2차 적석이 없을 가능성이 있다. 또한 지상식구조와 달리 적석부에 목조가구는 없다.

적석목곽묘는 목곽 주위에 사방적석이 있는 구조로 호석이 없는 묘이다. 시상석의 유무에 따라 시상석이 있는 Ca형과 시상석이 없는 Cb형으로 구분된다. Ca형은 크기에 따라서 가(4.17~5.03m), 나(3.15~3.59m), 다(2.49~2.92m) 군이 있으며, Cb형은 가(3.67~4.38m), 나(2.91~3.66m), 다(2.55~2.96m) 군으로 나뉜다. 이들 가, 나, 다 군은 매장시설 기준 크기에서 각각 대, 중대, 중형에 속한다. 이러한 크기로 보면 적석목곽묘는 중형 이상의 규모이다. 적석부는 묘광과 목곽사이를 충전하는 역할을 한다. 목곽의 상부는 목개를 덮은 후 점토로 밀봉한다. 상부적석은 없거나 두께 50cm 내외로 얇게 형성된다. 봉분은 토층의 함몰양상으로 볼 때 목곽의 높이와 유사할 것으로 추정된다.

목곽묘는 내부에 목관이 없는 구조일 가능성이 높다. 목곽의 크기에 따라 가(3.64~4.52m), 나(3.06~3.52m), 다(2.29~2.95m), 라(1.93~2.19m)의 4개 군이 있으며, 이중곽과 단일곽의 구조가 공존한다. 바닥은 시상석이 없는 구조가 전체의 89%로 대부분이다. 목개는 종방향으로 설치하였을 가능성이 있으며, 목개 상부는 점토밀봉 후 봉분을 덮었다. 봉분의 높이는 내부 함몰토층으로 보아 60cm 내외로 크지 않거나 미미하였을 것이다.

석곽묘는 크기에 따라 가(3.70~4.13m), 나(3.27~3.58), 다(2.44~3.04m), 라(1.86~2.20m), 마(1.19m 이하)와 같이 5개의 군이 있다. 곽 내부에 주곽과 부장칸이 있는 동혈구조이다. 부장칸은 따로 구분하지 않지만, 일부 판석을 이용하여 부장칸을 구분하기도 한다. 바닥의 시상석은 전체의 74%에서 설치되었다. 곽은 개석으로 덮었다. 개석은 횡방향으로 여러 매를 연이어 설치하고 개석 사이의 틈을 잔자갈과 진흙으로 메웠다. 봉토는 목곽묘와 동일하였을 것으로 추정된다.

이상과 같이 경주 월성북고분군의 묘제를 분류하고 묘제별 구조적 특징을 확인할 수 있었다. 각 묘제의 구조적 특징은 개별단위를 구분하는 것이다. 이들 묘제는 고분군을 형성하는 구성요소의 최소 단위이다. 결국, 묘제라는 개별단위의 조합과 양태가 고분군의 변화를 해석하는 기본이므로 명확하게 구분할 필요가 있다. 따라서 이상의 구분된 묘제를 기준으로 경주 월성북고분군의 형성과정과 변화상을 살펴보고, 경주 분지 내 고분군의 양상과 중심고분군과의 관계를 정리하고자 하였다.

신라 고분의 각 묘제는 묘형과 묘곽으로 특성을 구분할 수 있다. 이 중에서 묘형은 위계적인 양상을 반영하며, 묘곽은 배치양상의 변화에 따라 상대서열을 나타낸다. 묘곽에서 확인되는 배치의 특징은 연접과 중복이다. 이 두 방법은 층위적으로도 구분할 수 있다. 중복은 상하의 수직적 층위 차이를 나타내며, 연접은 좌우의 수평적 충위 차이를 일컫는다. 따라서 이 두 관계를 살펴보면 묘제 간의 상대서열을 찾을 수 있다. 배치방법에서 확인되는 신라 고분의 특징은 매장시설의 중복이 거의 확인되지 않는다는 점이다. 즉, 매장시설을 나란히 연접하여 축조하는 양상이 짙다. 이것은 연접되거나 중복되는 묘제 간에 친연적인 관계가 형성되기 때문으로 보인다. 특히 연접은 수평적인 관계를 나타내므로 친밀도가 강한 사이를 보여주는 것으로 이해된다. 이렇듯 각 묘제 간의 중복과 연접관계를 확인함으로써 전체적인 고분군의 형성과정을 추정하였다.

고분군의 형성과정을 살펴보았을 때 월성북고분군은 3세기 전엽에 본격적으로 조성된다. 미고지의 능선을 따라 형성된 4개의 구역에서 Db형 목곽묘가 들어서고 이들 구역에서 점차 범위를 확장하면서 고분군이 형성된다. 4세기대에는 동에서 서로 이어지며, 5세기에는 위계에 따라 묘제가 정해지고 고분군에서 구역을 분할하여 차별적인 축조가 진행된다. 위계별로 구분된 고분군의 군집은 성장모델이 다르게 확인된다. 대형 지상식 적석목곽분을 기준으로 하는 대형분의 소군은 서에서 북과 동쪽으로 이동하고, 중소형분군과 중소형묘군은 구역별 성장모델이 확인된다.

선형 성장과 구역별 성장은 위계화 및 친족과 관련되어 해석된다. 이를 통해서 본 중심고분군의 3~4세기 특징은 중소형묘가 선형 성장을 보이는 위계적 발달 양상이라 할 수 있다. 5세기는 대형분이 선형 성장, 중소형분이 구역별 성장 모습을 보인다. 그래서 앞 시기와 차이가 있다. 또한 대형분은 위계적인 성장, 중소형분은 친족과 관련된 친연적인 성장으로 이해된다. 더불어 대형분은 소군을 이루고, 소군 단위는 구역별 성장으로 볼 수 있어서 선형 성장과 구역별 성장모델이 결합된 복합적인 성장 과정을 보인다. 이것은 경주형 성장모델로 분리할 수 있다.

반면 5세기 지방고분군에서는 선형적인 성장보다 구역을 설정하여 그 내부에서 성장한다. 이러한 현상은 지역 공동체적인 모습에서 친족 중심으로의 변화를 말한다. 이는 신라 사회 전반에서 구조 변화가 진행되었다는 것을 보여준다.

이것은 4세기 어느 시점까지 지역별로 내부적인 계층에 따라 고분군이 발전하는 모습을 보이다가 그 이후부터 5세기대에는 경주지역의 위계에 맞게 차등적인 구역이 나누어지고 친족을 중심으로 한 고분군을 형성하는 것이다. 즉, 적석목곽분체제 안에서 최상위 집단의 묘제인 지상식 적석목곽분을 필두로 각 위계에 따라 중앙과 지방에서 등급별 고총이 축조되는 양상을 보인다. 이와 같이 경주를 중심으로 한 주변지역 고분군의 변화는 이들 지역이 이미 신라의 영역에 포함되었음을 의미하며, 4세기 어느 단계부터 직접지배의 영향을 받고 있었다고 생각된다. 이러한 양상으로 볼 때 4세기대에 중심고분군은 중앙귀족집단의 고분군이었다. 이후 5세기대에 접어들면 고분군은 왕의 직계가족과 왕족, 중앙귀족, 상위 관리층, 하위 관리층 등이 위계에 따라 구역 분할이 이루어졌다. 이와 마찬가지로 지방에서는 5세기대 지방 수장층에서 지방 귀족층이 최고 위계를 형성한다. 결국, 신라는 지방분권사회에서 중앙집권사회로 변화하는 것이다. 이러한 사회 통합은 4세기 무렵부터 중앙으로 집중된다. 4세기 후엽에서 5세기 전엽의 지상식 적석목곽분의 등장은 이러한 사회변화를 보여주는 것이다.

경주 월성북고분군의 형성과정과 그 변화의 특징은 고분군이 적석목곽분 체제로 전환되었음을 시사한다. 이와 같이 경주 월성북고분군의 분석을 통해 신라 사회의 묘제 변화에 따른 사회구조의 변화에 대해 살펴볼 수 있었다.

참고문헌

[단행본]

강현숙, 2015,『고구려 고분연구』, 진인진.

경상북도, 2016,『신라의 건국과 성장』신라 천년의 역사와 문화 연구총서 02.

國立慶州博物館, 2001,『신비한 황금의 나라 新羅 黃金』특별전.

金龍星, 1998,『新羅의 古塚과 地域集團』, 춘추각.

金龍星, 2009,『신라왕도의 고총과 그 주변』, 학연문화사.

김용성, 2015,『신라 고분고고학의 탐색』, 진인진.

김원룡, 1960,『신라토기의 연구』, 을유문화사.

김원룡, 1986,『韓國考古學槪說』第三版, 一志社.

박천수, 2010,『가야토기-가야의 역사와 문화』, 진인진.

박천수, 2018,『가야문명사』, 진인진.

李盛周, 1998,『新羅 · 伽倻社會의 起源과 成長』, 學研文化社.

이한상, 2004,『황금의 나라 신라』, 김영사.

이희준, 2007,『신라 고고학연구』, 사회평론.

朱甫暾, 1998,『新羅 地方統治體制의 整備過程과 村落』, 신서원.

崔秉鉉, 1992,『新羅古墳研究』, 一志社.

崔鍾圭, 1995,『三韓考古學研究』, 書景文化社.

한국고고학회, 2007.『한국고고학강의』, 사회평론.

한국고고학회, 2010,『한국 고고학 강의』개정 신판, 사회평론.

[보고서]

慶北大學校博物館, 2006,『義城 大里里 3號墳』.

慶尙北道文化財研究院, 2005,『慶州 奉吉里古墳群 -本文-』.

경상북도문화재연구원, 2015,『공동주택부지 D · E구역 내 경주 황성동 590번지 유적 I 』.

경상북도문화재연구원, 2015,『공동주택부지 D · E구역 내 경주 황성동 590번지 유적 II 』.

경상북도문화재연구원, 2015,『공동주택부지 D · E구역 내 경주 황성동 590번지 유적 III 』.

경상북도문화재연구원, 2015,『공동주택부지 D · E구역 내 경주 황성동 590번지 유적 IV 』.

경상북도문화재연구원, 2015,『공동주택부지 D · E구역 내 경주 황성동 590번지 유적 V 』.

慶州大學校博物館, 2003,『慶州 隍城洞 古墳群 III 』.

國立慶州文化財研究所, 1995,『慶州 皇南洞 106-3番地 古墳群 發掘調査報告書』.

國立慶州文化財研究所, 1998,「慶州 隍城洞 634-1番地 古墳群」,『文化遺蹟發掘調査報告(緊急發掘調査報告書III)』: pp.11-156.

국립경주문화재연구소, 2002,『慶州 仁旺洞 古墳群 發掘調査 報告書』.

國立慶州文化財研究所, 2003,『慶州月山里遺蹟』.

국립경주문화재연구소, 2007,『신라고분 기초학술조사연구III -문헌 · 고고자료-』2.

국립경주문화재연구소, 2010,『경주 쪽샘유적』국립경주문화재연구소 발굴조사 성과.

국립경주문화재연구소, 2013,「경주 쪽샘지구 신라고분유적 발굴조사(2012)」(약보고서).

국립경주문화재연구소, 2015,「쪽샘 44호분」(현장 안내서).

國立慶州文化財研究所 · 慶州市, 2011,『慶州 쪽샘遺蹟 新羅古墳 I -A地區-』.

국립경주문화재연구소 · 경주시, 2012,『慶州 쪽샘地區 新羅古墳 II -C地區 發掘調査報告書-』.

국립경주문화재연구소·경주시, 2013,『慶州 쪽샘地區 新羅古墳Ⅲ-B1號 發掘調査 報告書-』.

국립경주문화재연구소·경주시, 2014,『慶州 쪽샘地區 新羅古墳遺蹟 Ⅳ-A·C~F地 區 分布調査報告書-』.

국립경주문화재연구소·경주시, 2015,『慶州 쪽샘地區 新羅古墳遺蹟 Ⅴ-G地區 分 布調査報告書-』.

국립경주문화재연구소·경주시, 2016a,『慶州 쪽샘地區 新羅古墳遺蹟 Ⅵ-B지구 시·발굴조사 보고서-』, pp.75.

국립경주문화재연구소·경주시, 2016b,『慶州 쪽샘地區 新羅古墳遺蹟 Ⅶ-B지구 연 접분 발굴조사 보고서-』.

국립경주문화재연구소, 2017,『慶州 쪽샘地區 新羅古墳遺蹟Ⅷ H·L지구 분포조사 보고서』.

국립경주문화재연구소, 2018,『경주 쪽샘지구 신라고분유적 Ⅸ-C10호 목곽묘· C16호 적석목곽묘-』.

국립경주문화재연구소, 2019,『경주 쪽샘지구 신라고분유적 ⅩⅠ-Ⅰ·M지구 분포조사 보고서』.

國立慶州博物館, 1999,『盈德 槐市里 16號墳』,

國立慶州博物館, 2000,『慶州 朝陽洞 遺蹟』.

國立慶州博物館, 2002,『慶州 隍城洞 古墳群 Ⅱ-513·545番地-』.

國立慶州博物館, 2003,『慶州 仁旺洞遺蹟 -협성주유소 부지-』.

國立慶州博物館, 2006,『慶州 九政洞 古墳』.

국립경주박물관, 2010,『경주 계림로 14호분』.

國立慶州博物館, 2012,『慶州鷄林路新羅墓 1』.

國立慶州博物館, 2014,『慶州鷄林路新羅墓 2』.

國立慶州博物館·慶州市, 1990,『慶州市月城路古墳群-下水道工事에 따른 收拾發掘

      調査報告-』.

國立博物館, 1948,『壺衧塚과 銀鈴塚』, 乙酉文化社.

國立中央博物館, 2000,『慶州 路東里 4號墳』.

국립중앙박물관, 2016,『慶州 金冠塚(遺構篇)』.

국립중앙박물관, 2017,「2017년 경주 서봉총 재발굴」, (현장설명회 자료집).

國立中央博物館·國立慶州博物館, 2015,「금관총 2015 발굴조사 자료집」.

금오문화재연구원, 2019,『慶州 塔洞 21番地 遺蹟』.

金宅圭·李殷昌, 1975,『皇南洞古墳發掘調査槪報』, 嶺南大學校博物館.

金宅圭·李殷昌, 1978,『鳩岩洞古墳發掘調査報告』, 嶺南大學校博物館.

東國大學校 慶州캠퍼스 博物館, 2002,『慶州 蓀谷洞·勿川里(Ⅱ)-墳墓群-』.

東國大學校 慶州캠퍼스 博物館, 2002,『隍城洞 古墳群』.

東國大學校 慶州캠퍼스 博物館, 2008,『慶州 皇吾洞 100遺蹟 Ⅰ』.

文化公報部 文化財管理局, 1974,『天馬冢 發掘調査報告書』.

文化財管理局 文化財研究所, 1985,『皇南大冢Ⅰ 北墳 發掘調査報告書』.

文化財管理局 文化財研究所, 1993,『皇南大冢Ⅱ 南墳 發掘調査報告書 (圖版·圖
      面)』.

文化財管理局 文化財研究所, 1994,『皇南大冢Ⅱ 南墳 發掘調査報告書 (本文)』.

文化財管理局 慶州史蹟管理事務所, 1975,『慶州地區 古墳發掘調査報告』第一輯.

文化財管理局 慶州史蹟管理事務所, 1980,『慶州地區 古墳發掘調査報告』第二輯.

부산대학교박물관, 1985,『울산양동발굴조사개보』.

釜山大學校博物館, 1990,『東萊福泉洞古墳群Ⅱ -本文-』.

釜山大學校博物館, 2001,『東萊 福泉洞 鶴巢臺古墳』.

聖林文化財研究院, 2013,『慶州 堤內里 新羅墓群』.

신라문화유산연구원, 2010,『慶州 士方里 古墳群 -慶州 士方里 996-1 番地 遺蹟』.

신라문화유산연구원, 2010,『경주 동산리유적 Ⅱ-1 -삼국시대-』.

신라문화유산연구원, 2010,『경주 동산리유적 II-2 -삼국시대-』.

신라문화유산연구원, 2010,『경주 동산리유적 II-3 -삼국시대-』.

신라문화유산연구원, 2011,『경주 북토리 고분군』.

신라문화유산연구원, 2014,『경주 황성동 590번지 일원 공동주택 건립부지 내(A~C 구역) 경주 황성동 590번지 유적 I -원삼국시대 목관묘 · 옹관묘-』.

신라문화유산연구원, 2015,『경주 황성동 590번지 일원 공동주택 건립부지 내(A~C 구역) 경주 황성동 590번지 유적 II -원 · 삼국시대 목곽묘 · 옹관묘 · 575번지 분묘-』.

신라문화유산연구원, 2016,『경주 황성동 590번지 일원 공동주택 건립부지 내(A~C 구역) 경주 황성동 590번지 유적 III -삼국시대 적석목곽묘-』.

신라문화유산연구원, 2017,『경주 황성동 590번지 일원 공동주택 건립부지 내(A~C 구역) 경주 황성동 590번지 유적 IV -삼국시대 석곽묘-』.

신라문화유산연구원, 2017,『경주 황성동 590번지 일원 공동주택 건립부지 내(A~C 구역) 경주 황성동 590번지 유적 V -삼국~통일신라시대 석실묘 · 기타유구-』.

신라문화유산연구원, 2017,『경주 황성동 590번지 일원 공동주택 건립부지 내(F 구역) 경주 황성동 590번지 유적 VI -삼국시대 목곽묘 · 적석목곽묘 · 의례 유구-』.

신라문화유산연구원, 2016,『경주 교동 94-3 일원 유적 - 천원마을 진입로 확 · 포장 공사부지 발굴조사 보고서-』조사연구총서 제79책.

신라문화유산연구원, 2017,「경주 황남동 95-6번지 유적」,『2015년도 소규모 발굴조사 보고서 XIX -경북7-』, 韓國文化財財團.

신라문화유산연구원, 2019,『경주 두산리 산66 고분군-임도구간 긴급수습 발굴조사 보고서-』.

嶺南大學校博物館, 1994,『慶山 林堂地域 古墳群 II - 造永 EIII-8號墳 外-』.

嶺南大學校博物館, 1991,『昌寧 桂城里 古墳群 -桂南1 · 4號墳-』.

嶺南大學校博物館, 1999, 『慶山 林堂地域 古墳群 IV - 造永 C I · II 號墳- (本文)』.

嶺南文化財研究院, 2001, 『慶山林堂洞遺蹟 II -G地區 5 · 6號墳-』.

嶺南文化財研究院, 2010, 『慶州 隍城洞 575番地 古墳群-본문-』.

유네스코東아시아문화연구센터, 2000, 『朝鮮古蹟研究會遺稿 I』, 財團法人 東洋文庫.

李相俊, 1995, 「隍城洞 601-2番地」, 『慶州 隍城洞 601-2番地 皇南洞 192-4番地 發掘調査報告書』, 國立慶州文化財研究所: pp. 5-56.

中央文化財研究院 · 慶州市, 2005, 『慶州 德泉里古墳群』.

창원대학교 박물관, 2006, 『울산 중산리유적 I 』.

崔鍾圭, 1983, 「慶州九政洞一帶發掘調査」, 『박물관신문』, 제39호 국립중앙박물관.

한국문화재재단, 2018, 「1. 경주 황남동 95-4번지 유적」, 『2016년도 소규모 발굴조사 보고서 XV -경북6-』, 한국문화재재단.

한국문화재재단, 2019, 「44 · 45. 경주 황남동 232 · 231번지 유적」, 『2017년 소규모 발굴조사 보고서』.

朝鮮古蹟研究會, 1937, 「乙 慶州邑皇吾里古墳の調査」, 『昭和十一年度 古蹟調査報告』.

朝鮮總督府, 1924, 『慶州金冠塚과 其遺寶 -本文上册-』.

朝鮮總督府, 1932, 『大正13年度古蹟調査報告 第1册 本文 - 慶州金鈴塚飾履塚發掘調査報告』.

朝鮮總督府, 1935, 『昭和六年度古蹟調査報告-慶州皇南里第八十二號墳第八十三號墳調査報告-』.

朝鮮總督府, 1937, 『昭和九年度古蹟調査報告-慶州皇南里第百九號墳皇吾里第十四號墳調査報告-』.

梅原末治, 1932, 『大正13年度古蹟調査報告 第1册 本文 - 慶州金鈴塚飾履塚發掘調査報告』.

有光教一, 1934, 「皇吾里第五十號墳甲・乙塚」, 『昭和八年度古蹟調査槪報』, 朝鮮古蹟研究會.

[논문]

강봉원, 2004, 「신라 적석목곽분 출현과 '기마민족 이동' 관련성의 비판적 재검토」, 『韓國上古史學報』第46號, 韓國上古史學會.

강봉원, 2013, 「신라 적석목곽분 출현과 기마민족 이동의 상관관계에 대한 재검토-위신재 유물을 중심으로-」, 『新羅文化』第41號, p.97-134, 東國大學校 新羅文化研究所.

강승규, 2019, 「창녕지역 횡구식 석곽의 축조 방법과 출현 배경」, 『韓國考古學報』第113輯.

강인구, 1981, 「신라 積石封土墳의 구조와 계통」, 『韓國史論』第7輯, 서울大學校國史學科.

강인구, 1991, 「新羅 古墳에 있어서 몇 가지 補正」, 『선사와 고대』第1輯, 韓國古代學會.

강인욱, 2015, 『유라시아 역사 기행』, 민음사.

강현숙, 2012, 「高句麗 古墳과 新羅 積石木槨墳 交叉編年에서의 몇 가지 論義」, 『韓國上古史學報』第78號, 韓國上古史學會: pp.83-111.

고광희, 2019, 「충주 고구려비 판독문 재검토」, 『충주 고구려비 발견 40주년 기념학술회의 자료집』, 동북아역사재단・한국고대사학회: pp.36-68.

구자봉, 1997, 「경주인왕동고총군의 목곽묘 출토토기 소개」, 『한국고대의 고고와 역사』, 학연문화사.

권용대, 2009, 「경주지역 적석목곽묘 조영집단의 성층화와 지배구조」, 『야외고고학』7: pp.5-55.

權龍大, 2017, 『蔚山地域 三國時代 古墳 硏究』, 慶尙大學校大學院 博士學位論文.

길가은, 2018, 「三國時代 慶山地域 積石木槨墓 硏究」, 영남대학교 대학원 석사학위
　　　논문.

金基雄, 1970, 「新羅古墳의 編年에 대하여」, 『漢坡李相玉博士回甲紀念論集』: pp.97-
　　　108.

金基雄, 1976, 『新羅の古墳』.

김대환, 2001, 「영남지방 적석목곽묘의 시공적 변천」, 『嶺南考古學』29, 嶺南考古
　　　學會.

김대환, 2004, 「新羅 高塚의 지역성과 의의」, 『新羅文化』第23輯, 동국대학교 신라문
　　　화연구소.

김도영, 2018, 「신라 대장식구의 전개와 의미」, 『韓國考古學報』107: pp.71-123.

김동숙, 2002, 「신라·가야 분묘의 제의유구와 유물에 관한 연구」, 『영남고고학보』
　　　30호.

金東潤, 2009, 「신라 적석목곽묘의 변천과정 연구」, 『고고광장』: pp.99-138.

金斗喆, 1992, 「신라와 가야의 馬具-馬裝을 중심으로-」, 『韓國古代史論叢』3집.

金斗喆, 1993, 「三國時代 轡의 硏究」, 『嶺南考古學』13호.

金斗喆, 1998, 「新羅馬具 硏究의 몇 課題」, 『新羅文化』第15輯, 동국대학교 신라문화
　　　연구소.

金斗喆, 2002, 「時至聚落遺蹟에 대한 약간의 檢討」, 『嶺南文化財硏究』15: pp.25-54.

김두철, 2007, 「소위사방식적석목곽묘의 검토」, 『고고광장』(부산고고학연구회) 1.

김두철, 2009, 「積石木槨墓의 구조에 대한 비판적 검토」, 『古文化』第73집.

金斗喆, 2010, 「棺床과 前期加耶의 墓制」, 『한국고고학보』75, pp.126-169.

金斗喆, 2011, 「皇南大塚 南墳과 新羅古墳의 編年」, 『韓國考古學報』80.

김옥순, 2010, 「삼국시대 분묘의 시공간성과 공동체의 사회통합 유형 - 금호강 유역
　　　5~6세기 고분군을 중심으로 -」, 『嶺南考古學』52號: pp.67-98.

金龍星, 1989, 「慶山·大邱地域 三國時代 古墳의 階層化와 地域集團」, 『嶺南考古學』6.

김용성, 1996, 「토기에 의한 대구·경산지역 고대분묘의 편년」, 『한국고고학보』 35.

김용성, 1997, 「대구·경산지역 고총고분의 연구」, 영남대학교 박사학위논문.

金龍星, 2001, 「嶺南地方 積石木槨墓의 時空的 變遷」, 『嶺南考古學』 29.

金龍星, 2003, 「皇南大塚 南墳의 年代와 被葬者 檢討」, 『韓國上古史學報』 42, 韓國上古史學會.

김용성, 2005, 「고구려 적석총의 분제와 묘제에 대한 새로운 인식」, 『북방사논총』 3호.

김용성, 2007, 「신라 적석봉토분의 지상식 매장주체시설 검토」, 『韓國上古史學報』 제56호: pp. 115~141.

김용성·최규종, 2007, 「적석목곽묘의 새로운 이해」, 『천마고고학논총』(석심정영화 교수 정년퇴임기념논총 간행위원회).

김용성, 2009, 「창녕지역 고총 묘제의 특성과 의의」, 『한국 고대사 속의 창녕』, 경북대 영남문화연구원.

金宇大, 2013, 「新羅 垂飾附耳飾의 系統과 變遷」, 『韓國考古學報』 89: pp. 48-93.

김은경, 2020, 『신라 적석목곽묘 상장의례 연구』, 영남대학교대학원 박사학위논문.

金俊植, 2019, 『加耶 橫穴式石室 研究』, 경북대학교 대학원 박사학위논문.

金昌億, 2000, 「三國時代 時至聚落의 展開過程과 性格」, 『嶺南考古學』 27號: 85-124.

김창호, 2004, 「신라 적석목곽묘의 연구 성과와 과제」, 『신라문화』 23: pp. 69-83.

김창호, 2014, 「신라 금관총의 이사지왕과 적석목곽묘의 편년」, 『신라사학보』 32.

남익희, 2015, 「고 신라토기」, 『신라고고학개론』 下,

박광열, 2000, 「신라 적석목곽묘의 개시에 대한 검토」, 『경주사학』 제20집.

박광열, 2014, 「신라 적석목곽분의 연구와 금관총」, 『금관총과 이사지왕』(국립중앙박물관 학술심포지엄), 국립중앙박물관.

朴普鉉, 1987, 「樹枝形立華飾冠의 系統」, 『嶺南考古學』 4.

朴普鉉, 1988, 「冠帽前立飾金具를 통해 본 積石木槨墳時代 사회조직」, 『古代研究』 1.

朴普鉉, 1990,「積石木槨墳에 보이는 多葬墓」,『大邱史學』39.

朴普鉉, 1991,「積石木槨墳文化地域의 帶金具-三葉文透彫帶金具를 中心으로-」,『古文化』38.

朴普鉉, 1992,「積石木槨墳類型의 樣相」,『嶺南考古學』10.

박보현, 1995,『威勢品으로 본 古新羅社會의 構造』, 경북대학교 대학원 박사학위논문.

朴普鉉, 1998,「短脚高杯로 본 積石木槨墳의 消滅年代」,『新羅文化』15.

박진욱, 1964,「신라 무덤의 편년에 대하여」,『고고민속』4, 사회과학원출판사.

박천수, 1990,「5-6세기대 창녕지역 도질토기의 연구」, 경북대학교 대학원 석사학위논문.

박천수, 2006,「新羅加耶古墳의 編年 -日本列島 古墳과의 並行關係를 中心으로-」,『日韓古墳時代의 年代觀』<歷博國際硏究集會>, 國立歷史民俗博物館 · 韓國國立釜山大學校博物館.

박천수, 2010,『가야토기-가야의 역사와 문화』, 진인진.

박천수, 2010,「新羅 加耶古墳의 曆年代」,『한국상고사학보』69: pp.71-102.

박천수, 2016,「慶州 皇南大塚의 曆年代와 新羅 陵園의 形成 過程」,『신라문화』47: pp.1-18.

박천수, 2019,「고고학으로 본 비화가야의 새로운 접근」,『창녕 영산고분군 학술심포지엄』자료집.

박형열, 2015,「4~6세기 신라 고배의 문양 변천 -경주 황오동고분군 출토품을 중심으로 -」,『영남고고학』73호: pp.72-101, 영남고고학회.

박형열, 2016a,「신라 지상식 적석목곽분의 발생에 대한 일고찰」,『嶺南考古學』75號: pp.73-103.

박형열, 2016b,「경주 덕천리유적 목곽묘단계의 시공간적 특징으로 본 집단과 계층」,『한국고고학보』100집.

박형열, 2017, 「경주 쪽샘유적 적석목곽분의 특징과 과제」, 『문화재』 50권 4호.

박형열, 2018a, 「Ⅴ. 경주 쪽샘지구 C10호 목곽묘의 구조에 대하여」, 『경주 쪽샘지구 신라고분유적 Ⅸ -C10호 목곽묘 · C16호 적석목곽묘-』, 국립경주문화재연구소: pp. 354-365.

박형열, 2018b, 「러시아 파지릭고분과 경주 적석목곽분의 구조비교와 연관성 검토」, 『韓國考古學報』 109.

박형열, 2019, 「Ⅴ. 고찰 2. 경주 쪽샘 Ⅰ · M지구 출토 유물의 분포양상과 의의」, 『경주 쪽샘지구 신라고분유적 ⅩⅠ』: pp. 380-387.

박형열, 2020, 「신라 적석목곽분의 구조와 특징」, 『2020 Asian Archaeology 학술심포지엄』 (발표자료집): pp. 1-16, 국립문화재연구소.

徐敬敏, 2008, 「洛東江 上流地域 三國時代 土器 硏究」, 慶北大學校 大學院 碩士學位論文.

송의정, 1991, 「경주 월성로 출토유물의 분석」, 서울대학교 대학원 석사학위논문.

申敬澈, 1982, 「釜山 · 慶南出土瓦質系土器」, 『韓國考古學報』 12: pp. 39-99.

신경철, 1988, 「부산연산동 8호분 발굴조사개요」, 『부산직할시립발물관연보』 10집.

신경철, 1989, 「삼한 · 삼국시대의 부산(고고학적 고찰)」, 『부산시사』 제1권, 부산직할시사편찬위원회.

신경철, 1998, 「김해대성동 · 동래복천동고분군 점묘-금관가야 이해의 일단-」, 『부산사학』 제19집.

심현철, 2012, 「新羅 積石木槨墓의 構造 硏究」, 釜山大學校 大學院 碩士學位論文.

심현철, 2013, 「新羅 積石木槨墓의 構造와 축조공정」, 『韓國考古學報』 88.

심현철, 2018, 「경주분기의 고지형과 대릉원 일원 신라고분의 입지」, 『문화재』 51-4, 국립문화재연구소.

심현철, 2020, 『新羅 積石木槨墓 硏究』, 釜山大學校 大學院 博士學位論文.

安在晧 · 宋桂鉉, 1986, 「古式陶質土器에 관한 약간의 考察」, 『嶺南考古學』 1: pp.

17-54.

禹炳喆, 2019,『新羅・加耶 武器 研究』, 慶北大學校 大學院 博士學位論文.

윤상덕, 2001,「6~7세기 신라토기 相對編年 試論」,『韓國考古學報』45輯.

윤상덕, 2014,「봉토 외형으로 본 신라 전・중기의 왕릉 추정」,『한국고고학보』93: pp.164-191.

윤상덕, 2016,「金冠塚 被葬者의 性格 再考」,『마립간의 기념물: 적석목곽분』금관 총・서봉총 재발굴 기념 학술심포지엄, 국립중앙박물관.

이동헌, 2008,「인화문 유개완 연구」, 부산대학교대학원 석사학위논문.

이성주, 1993,「낙동강동안양식토기에 대하여」,『제2회 영남고고학회 학술발표회발 표 및 토론요지』, 영남고고학회.

李盛周, 1993,「1-3세기 가야 정치체의 성장」,『韓國古代史論叢』5: pp.69-209.

이성주, 1996,「新羅式 木槨墓의 展開와 意義」,『新羅考古學의 諸問題』(제20회 한국 고고학 전국대회).

이성주, 1999,「진・변한지역 분묘 출토 1~4세기 토기의 편년」,『영남고고학』24, 영 남고고학회.

李盛周, 2000,「"皇南大塚의 構造와 新羅 積石木槨墳의 變遷 起源"에 대한 檢討」,『皇 南大塚의 諸照明』, 國立慶州文化財研究所.

이성주, 2009,「新羅・伽倻 土器樣式의 生成」,『韓國考古學報』72輯.

李盛周・孫徹, 2005,「GIS를 이용한 新羅古墳群 空間組織의 分析」,『韓國考古學報』 第55輯: 93-94.

이용현, 2020,「忠州 高句麗碑 '忌'・'共'의 재해석」,『한국사학보』80, 고려사학회: pp.7-56.

이은석, 1999,「경주 황남대총 구조에 대한 일고찰」,『고고역사학지』15호.

李殷昌, 1970,「伽耶地域 土器의 研究」,『新羅伽倻文化』第2輯, 嶺南大學校 新羅伽倻 文化研究所: pp.85-175.

李殷昌, 1981, 「新羅 · 伽耶土器 編年에 關한 研究」, 『曉大論文集』: pp.725-856.

李在煥, 2007, 「洛東江 上流地域 橫口式石室 研究」, 慶北大學校 大學院 碩士學位論文.

李在賢, 1994, 「嶺南地域 木槨墓에 대한 연구」, 釜山大學校 大學院 文學碩士學位論文.

李在賢, 2002, 『弁 · 辰韓社會의 考古學的 研究』, 釜山大學校 大學院 文學博士學位論文.

이재흥, 2007, 「경주지역 적석목곽묘의 출현과정에 대한 일고찰」, 『嶺南考古學』 43, 嶺南考古學會.

이재흥, 2009, 「경주와 경산지역의 중심지구 유적으로 본 4~5세기 신라의 변모」, 『韓國考古學報』 70.

이종선, 1992, 「적석목곽분의 편년에 대한 제논의」, 『한국고대사논총』 3집.

이종선, 1996 「황남대총쌍분 : 적석목곽분연구의 새 지표」, 『신라고고학의 제문제』.

이주헌, 2015, 「경주 황남대총 북분 주인공 성격 재고」, 『신라문화』 45.

李漢祥, 1995, 「5~6世紀 新羅의 邊境支配方式 ―裝身具分析을 중심으로―」, 『韓國史論』 33, 서울大 學校國史學科: pp.1-78.

李漢祥, 1996, 「6世紀代 新羅의 帶金具 ―'樓岩里型'帶金具의 設定―」, 『韓國考古學報』 35, 韓國考古學會: pp.51-78.

李漢祥, 1997, 「裝飾大刀의 下賜에 반영된 5~6世紀 新羅의 地方支配」, 『軍事』 35, 國防部軍史編纂委員會: pp.1-37.

李漢祥, 1998, 「金工品을 통해 본 5~6世紀 新羅墳墓의 編年」, 『慶州文化研究』 1, 慶州大學校文化財研究所: pp.1-31.

李漢祥, 1999, 「7世紀 前半 新羅 帶金具에 대한 認識 ―'皇龍寺型 帶金具'의 설정―」, 『古代研究』 7, 國立公州博物館: pp.27-38.

李漢祥, 2000, 「新羅館 研究를 위한 一試論」, 『考古學誌』 第11輯: pp.95-134.

이현태, 2013, 「慶州 仁旺洞 19·20號墳의 發掘成果 追報-未報告 금속유물의 소개를 겸하여-」, 『한국고대사연구』 70.

李熙濬, 1987, 「慶州 皇南洞 第109號墳의 構造 再檢討」, 『三佛金元龍教授停年退任紀念論叢 I -考古學篇』, 一志社.

李熙濬, 1995, 「경주 皇南大塚의 연대」, 『嶺南考古學』 17, 嶺南考古學會.

이희준, 1996, 「경주 월성로 가-13호 적석목곽묘의 연대와 의의」, 『석오윤용진교수 정년퇴임기념논총』: pp. 295-307.

이희준, 1997, 「토기에 의한 신라고분의 분기와 편년」, 『한국고고학보』 36.

이희준, 1998, 「김해 예안리유적과 신라의 낙동강 서안진출」, 『한국고고학보』 39집.

李熙濬, 1998, 『4-5世紀 新羅의 考古學的 研究』, 서울大學校 大學院 博士學位論文.

이희준, 2000, 「삼한 소국 형성 과정에 대한 고고학적 접근의 틀 -취락 분포 정형을 중심으로-」, 『韓國考古學報』 43輯.

이희준, 2002, 「4-5세기 신라고분 피장자의 복식품 착장정형」, 『한국고고학보』 47: pp. 63-92.

이희준, 2004, 「경산 지역 고대 정치체의 성립과 변천」, 『嶺南考古學』 34: pp. 25-30.

이희준, 2005, 「4~5세기 창녕지역 정치체의 읍락 구성과 동향」, 『영남고고학』 37호.

李熙濬, 2016, 「영남지방 3~5세기 목곽 구조 복원안들의 종합토론」, 『야외고고학』 제25호.

이한상, 2002, 「6세기대 신라 태환이식의 제작기법과 편년」, 『경주문화연구』 5.

李賢珠, 2006, 「꺾쇠의 사용례로 본 4세기대 영남지역 목곽묘의 구조 복원」, 『石軒 鄭澄元教授 停年記念論叢』: pp. 563-575.

장기명, 2014, 「경주지역 원삼국시대 분묘의 철기부장유형과 위계」, 『한국고고학보』 92.

張容碩, 2001, 「慶山 林堂遺蹟의 空間構成에 대한 研究」, 嶺南大學校 大學院 碩士學位論文.

張容碩, 2002, 「林堂遺蹟의 空間構成과 그 變化」, 『韓國上古史學報』37: pp. 53-85.

장용석, 2016, 「임당토성 축조에 따른 취락공간의 재편」, 『한국고고학보』101집.

장용석, 2018, 「압독국에서 신라 지방사회로의 전환」, 『최신 연구성과로 본 압독국』.

정상민, 2018, 「경주지역 5-6세기 수혈식석곽묘 연구」, 동국대학교대학원 석사학위
        논문.

정석배, 2000, 「'先흉노-스키타이 세계' 小考」, 『韓國上古史學報』32호: pp. 29-74.

정일·이은석, 2018, 「황남대총 남분출토 '馬朗'명 칠기의 의미」, 『중앙고고연구』
        27호.

曹永鉉, 1994, 「嶺南地方 橫口式古墳의 硏究(Ⅰ)」, 『伽耶古墳의 編年 硏究 Ⅱ -墓制
        -』, 嶺南考古學會.

曹永鉉, 2002, 「皇南大冢과 天馬冢의 區劃築造에 대하여」, 『嶺南考古學』31號: pp. 83-
        116.

조수현, 2003, 「慶州地域 竪穴式石槨墓에 관한 一考察」, 경상대학교 대학원 석사학
        위논문.

주보돈, 2002, 「사로국을 둘러싼 몇 가지 문제」, 『신라 국가의 기원과 전통』제22회
        신라문화학술회의, 동국대학교 신라문화연구소 편, pp. 69-89.

주보돈, 2009, 「문헌상으로 본 고대사회 창녕의 향방」, 『한국 고대사 속의 창녕』. 경
        북대 영남문화연구원.

車順喆, 1999, 「同穴主副槨式 木槨墓 硏究」, 慶星大學校 大學院 碩士學位論文.

崔秉鉉, 1980, 「古新羅積石木槨墳硏究(上)-墓型과 그 性格을 중심으로-」, 『韓國史硏
        究』31.

崔秉鉉, 1981, 「古新羅積石木槨墳硏究(下)-墓型과 그 性格을 중심으로-」, 『韓國史硏
        究』32.

崔秉鉉, 1981, 「古新羅 積石木槨墳의 變遷과 編年」, 『韓國考古學報』10·11, 韓國考古
        學會.

崔秉鉉, 1987, 「新羅後期樣式土器의 成立 試論」, 『三佛金元龍教授停年退任記念論 叢』I 考古學 篇.

崔秉鉉, 1992, 『新羅古墳研究』, 一志社.

최병현, 1998, 「新羅 積石木槨墳의 起源 再論」, 『崇實史學』12, 崇實大學校 史學會.

최병현, 2000, 「황남대총의 구조와 신라 적석목곽분의 변천·기원」, 『皇南大塚의 諸 照明』(국립경주문화재연구소).

최병현, 2011, 「한국 고분문화의 전개와 양상」, 『동아시아의 고분문화』, 중앙문화재 연구원 편, 서경문화사.

崔秉鉉, 2011, 「신라 후기양식토기의 편년」, 『嶺南考古學』59號, 嶺南考古學會.

최병현, 2012, 「신라 조기양식토기의 설정과 편년」, 『영남고고학』63호: pp. 105-156.

최병현, 2013, 「신라 전기양식토기의 성립」, 『고고학』12-1호, 중부고고학회: pp. 5-58.

최병현, 2014, 「경주 월성북고분군의 형성과정과 신라 마립간시기 왕릉의 배치」, 『한 국고고학보』제90집, 韓國考古學會.

최병현, 2014, 「초기 등자의 발전」, 『중앙고고연구』14, (재)중앙문화재연구원: pp. 1-57.

최병현, 2014, 「5세기 신라 전기양식토기의 편년과 신라토기 전개의 정치적 함의」, 『고고학』13-3호, 中部考古學會.

최병현, 2015, 「신라 조기 경주지역 목곽묘의 전개와 사로국 내부의 통합과정」, 『한 국고고학보』제95집, 韓國考古學會.

최병현, 2016, 「신라 전기 적석목곽분의 출현과 경주 월성북고분군의 묘제 전개」, 『문화재』40호.

최병현, 2017, 「신라 전기 경주 월성북고분군의 계층성과 복식군」, 『韓國考古學報』 104집: pp. 78-123.

최수형, 2010, 「충전석목곽묘의 구조변화와 성격 검토」, 『중앙고고연구』7, 중앙문화재연구원.

최수형, 2014, 「경주지역 적석목곽묘의 위계구조 검토」, 『중앙고고연구』 12: pp. 61-94.

崔鍾圭, 1982, 「陶質土器成立前夜와 展開」, 『韓國考古學報』 12: pp. 213-244.

최종규, 1983, 「中期古墳의 性格에 대한 약간의 考察」, 『釜大史學』 第7輯, 釜山大學校 史學會.

崔鍾圭, 1995, 『三韓考古學研究』, 書景文化社.

崔鍾圭, 2012, 「福泉洞高塚의 禮制」, 『考古學探究』 11: pp. 47-91.

최병현, 1992, 『신라고분연구』, 일지사.

하대룡, 2016, 「고총단계 신라 고분의 부장 정형과 그 함의 -착장 위세품과 무구, 마구를 중심으로-」, 『韓國考古學報』 101.

하대룡, 2019, 「적석목곽묘 피장자의 성별 재고 -성별이형성을 기초로 한 천(釧)의 계측적 분석을 중심으로-」, 『韓國考古學報』 第111輯.

하대룡, 2020, 「신라 고분의 착장 이식에 따른 부장 양상 차별화와 그 의미」, 『한국고고학보』 제114輯.

하승철, 2012, 「고고자료를 통해 본 창녕 계성고분군의 위상」, 『계성고분군의 역사적 의미와 활용방안』, 경남발전연구원 역사문화센터.

咸舜燮, 2010, 「皇南大冢을 둘러싼 論爭, 또 하나의 可能性」, 『황금의 나라 신라의 왕릉 황남대총』, pp. 226-247.

홍보식, 2001, 『6~7세기대 신라고분 연구』 부산대 대학원 박사학위논문.

홍보식, 2012, 「신라·가야토기·須惠器의 편년 -교차편년과 역연대-」, 『原三國·三國時代 曆年代論』 (재)세종문화재연구원 학술총서3, 학연문화사.

홍지윤, 2003, 「尙州地域 5世紀 古墳의 樣相과 地域政治體의 動向」, 『嶺南考古學』 32.

宮川禎一, 1993, 「新羅印花文陶器變遷의 劃期」, 『古文化談叢』 第30集(中), 九州古文化研究會.

宮川禎一, 1988,「文様からみた新羅印花文陶器の變遷」,『高井悌三郎先生喜壽記念論集』, 歷史學と考古學事業會.

梅原末治, 1947,『朝鮮古代の墓制』.

毛利光俊彥, 1983「新羅積石木槨墳考」,『文化財論叢』.

穴澤和光, 1972「慶州古新羅古墳の編年」,『古代學』18-2.

藤井和夫, 1979,「慶州古新羅古墳編年試案-出土新羅土器を中心として-」,『神奈川考古』6.

부록 1

I . 머리말

경주 월성북 고분군은 신라의 대표적인 고분군이다. 경주 시내 중심가에 자리하고 있는 이 고분군은 과거 마을의 이름을 따라서 노동동, 노서동, 황남동, 황오동, 인왕동, 교동 고분군 등으로 불렸다. 그 이전에는 경주 읍성의 남쪽에 자리하고 있어서 경주 읍남 고분군으로 불리기도 하였다. 현재는 경주 대릉원 일원인 사적 제512호로 재지정 되었다. 본고에서는 신라시대 당시 왕성이었던 월성을 기준으로 그 북쪽에 위치한 고분군이라는 명칭인 경주 월성북 고분군으로 칭해야 한다는 견해(최병현 2014: 121-122)를 받아들여 사용하고자 한다.

이와 같이 과거 분리되었던 고분군의 명칭을 통일된 고분군의 명칭으로 사용하고자 함은 고분을 용이하게 관리하기 위한 것도 있지만 여러 명칭으로 나누어진 이들 고분군이 하나로 연결된 일정 범위 안에 포함되기 때문이다. 비단 이러한 노력이 오늘날에만 이루어진 것은 아니다. 과거 일제강점기에도 경주 시내에 위치한 고분군은 전술한 것과 같이 마을에 따라 구분되어 명칭이 부여되었었다. 그러다 어느 순간에 일괄적으로 고분의 이름인 고분번호가 부여되었다.

고분번호가 지정된 고분분포도가 언제 누구에 의해 작성되었는지 현재 명확하지 않다. 기존 연구에 의하면, 분포도의 작성자로 노모리 켄(野守 健)(차순철 2006; 국립경주문화재연구소 2010; 경주시 · (재)신라문화유산연구원 2018: I 권 21-22)과 다나

카 주죠(田中十臧)(함순섭 2010)가 언급된다. 하지만 아리미쓰 교이치(有光敎一)의
전언에 의하면 노모리 켄이 작성한 도면에는 200기에 가까운 고분이 표시되어 있

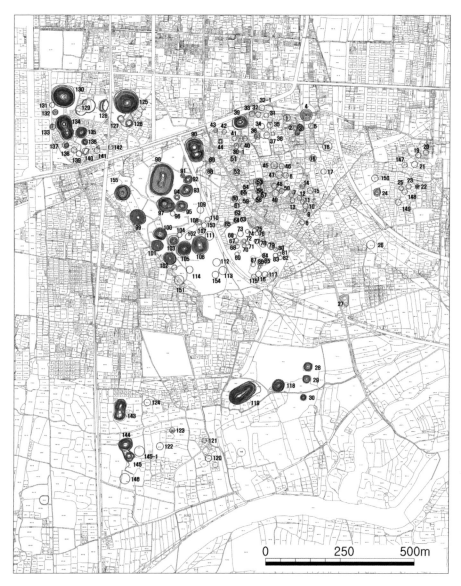

그림 부1-1. 경주 월성북 고분군 고분번호 지정 현황

었다고 한다(경주시 · (재)신라문화유산연구원 2018). 그리고 다나카 주죠는 함순섭의 연구를 참고하면 노모리 켄과 공동 작성자로 볼 수 있다. 그러나 현재 경주 고분분포도로 사용되는 도면에는 155기가 표시된 것으로 이상의 노모리 켄이 작성한 도면과는 고분 수에서 차이를 보인다. 이러한 현상은 1970년대 경주고적발굴조사단이 참고한 도면이 노모리 켄이 작성한 도면이 아니였을 가능성을 보여준다. 신라문화유산연구원은 대릉원 일대 조사 보고에서 고분분포도의 작성과정을 면밀히 추적하였다.

그러면서 경주고적발굴조사단에서 사용한 최병현의 도면이 노모리 켄이 아닌 경주고적보존회 시절 고이즈미 아키오(小泉顯夫)와 모로가 히데오(諸鹿央雄)에 의해 작성되었을 가능성을 제시하였다. 결국 현재 사용되는 경주 고분분포도는 고이즈미 아키오와 모로가 히데오가 작성한 것을 기초한 것으로 추정된다. 이 도면과 이종선의 지적도 청사진을 바탕으로 최병현이 원형으로 고분표시를 추가하고 최종적으로 오늘날 고분분포도로 사용되고 있을 가능성이 있다. 여기서 문제는 최초 작성된 노모리 켄과 다나카 주죠의 분포도가 남아 있지 않다는 점이다. 따라서 고분분포도가 언제 작성되었으며, 고분번호가 언제, 어떻게 지정되었는지 알 수 없다.

경주 월성북 고분군의 고분번호 현황은 알려진 것과 같이 1호에서 155호까지이다. 하지만 고분번호는 쉽게 그 부여순서를 알아보기 어렵다. 1호에서 155호까지의 순서가 뒤죽박죽이기 때문이다. 실제 개수는 155기 보다 5기가 많은 160기가 존재한다. 이는 결과적으로 어딘가에서 문제가 발생했다는 점을 나타낸다. 1호에서 155호 이외에 추가된 번호는 30-1호, 32-1호, 145-1호, 156호, 156-1호이다. 이들 다섯 개의 번호는 왜? 추가된 것일까?

이와 같이 고분번호의 현황에서 문제점이 드러난다. 가장 큰 문제는 첫째, 고분번호의 부여 순서를 알 수 없다는 점이고. 둘째 언제 고분번호가 부여되었는지 알 수 없다는 것이다. 바로 고분번호가 어떻게 부여되었는지 알 수 없기 때문에 고분의 추가번호를 후대에 설정한 것이다. 이처럼 기존 고분번호의 부여 기준을 알지 못한 상태에서 지속적인 발굴이 진행된다면 30-1, 30-2, 30-3 등 고분번호에 혼동을 초래할 가능성이 크다. 단지 번호가 늘어나는 것이 문제는 아니다. 추가된 이들 고분들이 기존의 고분과 전혀 다른 이격된 또 하나의 고분이라는 점이 문제이다.

경주 월성북고분군은 일제강점기 이후 현재까지도 지속적으로 발굴이 진행되고 있다. 이것은 앞으로의 번호부여방식에 대한 문제도 함께 존재한다는 점도 시사한다. 이처럼 기존의 번호와 현재 발굴조사 되었거나 진행되고 있는 번호와의 관계, 추후 재정비의 필요성 등 많은 문제를 해결하기 위해서는 과거 경주 월성북고분군 내 고분 번호가 어떻게 지정되고 정착하게 되었는지 살필 필요가 있다.

본고에서는 일제강점기 경주 월성북고분군에 부여된 고분번호가 어떤 과정으로 부여되고 사용되었는지 살펴보고, 그 과정을 정리한 후 활용방안에 대해 논하도록 하겠다.

II. 고분번호 부여 순서와 연대

1. 고분번호 부여 순서와 조사 일수(차례)

경주 월성북 고분군의 1호에서 155호까지 번호를 군집화하면 10개의 군집과 1개의 단독개체가 분리된다. 1群은 1호에서 18호이고, 2群은 19호에서 30호이다. 3群은 31호에서 50호, 4群은 51호에서 87호, 5群은 88호에서 117호, 6群은 118호에서 124호이다. 7群은 125호에서 142호이고, 8群은 143호에서 146호이다. 그리고 147에서 150호가 9群이고, 10群은 151호에서 154호이다. 마지막으로 155호가 단독으로 분리되어 있다.

이상의 1群에서 10群까지는 일정한 번호부여의 순서가 있다. 〈그림 2〉를 참고하면 북쪽에는 1군, 3군, 5군, 7군이 위치하고, 남쪽에는 2군, 6군, 8군이 위치한다.

그리고 이격된 거리가 좀 있지만 9군이 북쪽에 10군이 남쪽에 위치한다. 이렇게 북쪽과 남쪽, 상하로 구분된다. 또 다른 양상은 분리된 상하群 안에서 살필 수 있다. 상군은 1군에서 3군, 5군, 7군 순으로 동쪽에서 서쪽으로 순서가 변화하고 하군은 2군, 6군, 8군으로 동쪽에서 서쪽으로 변화한다. 그리고 9군에서 10군, 단독개체로의 변화도 동쪽에서 서쪽이다. 따라서 또 다른 양상은 동쪽에서 서쪽으로 번호가 부여되는 점이다.

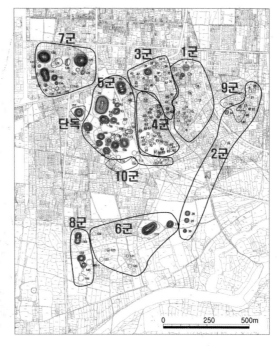

그림 부1-2. 경주 월성북고분군의 고분번호별 군집

이상을 정리하면 1군에서 10군, 그리고 단독개체까지는 북에서 남, 동에서 서라는 방향성이 확인된다. 즉, 고분군의 북동쪽에서 남서쪽으로 번호가 지그재그로 이동하는 경향이 있다. 단 9군과 10군, 단독개체는 고분군 중앙부에 위치하고 있어서 개별고분의 방향성을 살펴볼 필요가 있다.

개별고분의 고분번호 부여 순서를 앞에서 기술한 群단위로 살펴보면 다음과 같다.

1群은 1호에서 18호이고, 서쪽에서 동쪽으로 이동한 다음 남쪽으로 이동하고 다시 남서쪽에서 북동쪽으로 이동한다. 2群은 19호에서부터 남서쪽으로 이동하여 30호까지 간다. 3群은 31호인 동쪽에서 서쪽으로 이동한 후 남동쪽으로 이동하여 50호에 이른다, 4群은 51호에서 87호까지 지그재그 방향으로 남쪽으로 이동하는 경향성이 있다. 5群은 88호에서 117호까지 3군과 마찬가지로 동쪽에서 서쪽

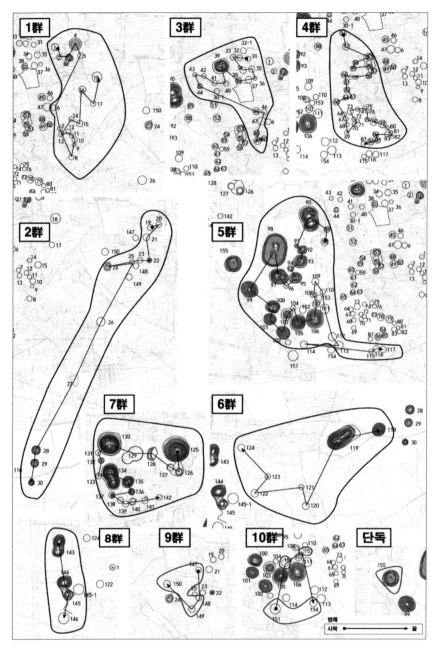

그림 부1-3. 경주 월성북 고분군의 고분번호 부여 순서군

으로 이동한 후 남동쪽으로 이동하는 경향을 보인다. 6群은 118호에서 서쪽으로 이동하여 124호까지이다. 7群은 125호에서 서쪽으로 이동 후 다시 동쪽으로 142호까지이고, 8群은 143호에서 남쪽으로 146호까지이다. 그리고 147에서 150호가 속한 9群과 151호에서 154호가 속한 10群은 원형으로 이동한 것처럼 보이지만 일정한 방향성을 가지지 않는다. 마지막으로 155호가 단독으로 분리되어 있는데 별개의 고분으로 인식하였거나 누락된 사실을 인지하지 못하고 마지막으로 번호를 부여하였을 가능성도 있다(그림 3과 4).

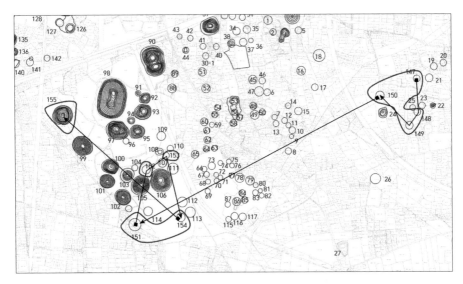

그림 부1-4. 고분번초 부여 9-10군의 순서와 배치도

이러한 번호의 이동 패턴을 정리하면 두 가지가 확인된다. 하나는 서에서 동으로 이동하는 패턴이고, 다른 하나는 동에서 서쪽으로 이동하는 패턴이다. 이 두 패턴을 통해 조사의 시작점은 1호분의 서쪽으로 볼 수 있다. 이상과 같이 경주 월성북 고분군의 고분번호 부여 순서를 고려하면, 고분번호는 11일이나 11차례에 걸쳐 조사되었을 가능성이 크다. 〈표 1〉과 같이 정리할 수 있다.

표 부1-1. 경주 월성북고분군의 고분번호 부여 순서군과 조사 순차별 기수

번호군집	고분개수(기)	고분번호(호분)	면적(略)	조사 성격
1群	18	1-18	125,000㎡	1차 조사
2群	12	19-30	115,000㎡	2차 조사
3群	20	31-50	45,000㎡	3차 조사
4群	37	51-87	45,000㎡	4차 조사
5群	30	88-117	165,000㎡	5차 조사
6群	7	118-124	93,000㎡	6차 조사
7群	18	125-142	153,500㎡	7차 조사
8群	4	143-146	35,000㎡	8차 조사
9群	4	147-150	? ㎡	1차 보강
10群	4	151-154	? ㎡	2차 보강
11群	1	155	? ㎡	3차 보강

〈표 1〉에서 순서군별로 조사된 고분의 기수를 참고하면, 한 번에 보통 20기의 고분을 측량한 것으로 생각된다. 그리고 고분의 규모가 작은 소형의 경우는 약 35기를 측량하고, 규모가 크거나 거리가 긴 경우는 측량 기수가 줄어들어 약 10기 내외의 고분을 측량하였던 것으로 짐작된다. 결과적으로 총 8차례의 순차 조사와 2차례 이상의 보강 조사가 있었던 것으로 추정된다.

2. 고분번호 부여 연도

현재 경주 월성북 고분군의 고분번호가 언제 지정부여 되었는지 살펴보기 위해서는 다음 세 가지 사항을 살펴봐야 한다. ① 발굴보고서에 사용된 고분 이름, ② 경주 월성북 고분군 내 개별 고분의 발굴연도, ③ 제도 정비 연도 등 세 가지이다.

①과 ②는 경주 월성북고분군에서 고분번호가 부여된 연도와 매우 밀접한 관련성을 가진다. 그 이유는 발굴보고서에는 발굴될 당시의 고분이름을 사용하는 것이 보편적이기 때문이다. 따라서 현재 경주 월성북 고분군 내 고분이름이 어떻게 변

화하였는지 살펴보면 그 내용을 파악할 수 있을 것이다. 실제 경주 고분은 여러 이름으로 불리는 경우가 있다. 예를 들면 황남대총은 98호분, 천마총은 155호분, 금관총은 128호분, 서봉총은 129호분, 금령총은 127호분, 식리총은 126호분, 검총은 100호분, 미추왕릉은 106호분이고, 옥포총은 노동리 4호분 혹은 142호분이다.

표 부1-2. 경주 월성로 고분군 내 고분의 이름 변화

유형	1차 고분이름	2차 고분이름	1차 이름 어원	2차 이름 어원	발굴 연도	보고서 간행 연도
A	황남리남총	145호분	황남리에서 가장 남쪽에 있는 고분	고분번호 부여	1906	1916
A	검총	100호분	최초 검출토	고분번호 부여	1910	1916
A	금관총	128호분	최초 금관출토	고분번호 부여	1921	1924
A	식리총	126호분 (노동리 2호)	최초 식리출토	고분번호 부여 (노동리 고분번호)	1924	1932
A	금령총	127호분 (노동리 3호)	최초 금령출토	고분번호 부여 (노동리 고분번호)	1924	1932
B	노동리 4호	142호분(옥포총)	노동리 고분번호 부여	고분번호 부여	1924	2000
A	서봉총	129호분	스웨덴의 한자 첫음인 '서'와 봉황모양꼭지 합 의 첫음인 '봉'을 결합	고분번호 부여	1926	2007
D	황남리 갑분	-	황남리에 있음	-	1926	-
D	황남리 을분	-	황남리에 있음	-	1926	-
D	황남리 병분	-	황남리에 있음	-	1926	-
D	황남리 고분	-	황남리에 있음	-	1926	-
C	황남리 82호분	82호분	고분번호 부여	-	1931	1935
C	황남리 83호분	83호분	고분번호 부여	-	1931	1935
C	황남리 54호분	54호분 갑총	고분번호 부여	별개 고분 확인	1933	1934
C	황남리 54호분	54호분 을총	고분번호 부여	별개 고분 확인	1933	1934
D	황오리고분	-	황오리에 있음	-	1934	1937
C	황오동 14호분	14호분	고분번호 부여	-	1934	1937
C	황남리 109호분	109호분	고분번호 부여	-	1934	1937
C	노서리 140호분	호우총	고분번호 부여	호우명 그릇 출토	1946	1948
C	노서리 139호분	은령총	고분번호 부여	은제방울 출토	1946	1948
C	황남리 155호분	천마총	고분번호 부여	천마도말다래 출토	1973	1974
A	황남대총	황남리 98호분 ※ 발굴당시	황남리에서 제일 큰 무덤	고분번호 부여	1973 -74	1985 1994

※ 일제 강점기 자료를 중심으로 하며, 광복 이후는 고분번호가 부여된 주요 고분을 대상으로 하였다.

이들 고분에 처음 사용되었던 고분 이름과 이후 붙게 된 이름을 추적해 보면 네 가지의 경우로 구분할 수 있다. 첫째는 무슨'총'으로 불리다가 고분번호가 부여된 경우이다(A유형). 둘째는 임의의 번호로 불리다가 고분번호가 부여된 경우이다(B유형). 셋째는 고분번호로 불리다가 무슨'총'으로 불리게 된 경우이다(C유형). 넷째, 임의의 번호로 불리다가 고분번호가 부여되지 않은 경우이다(D유형). 이와 같은 네 가지의 유형으로 정리해 보면 다음과 같다.

A, B, C유형은 현재에도 고분이 그 자리에 위치하고 있어서 고분을 확인할 수 있지만, D유형의 경우는 현재 고분이 없어져서 그 모습을 알 수 없다. B형인 노동리 4호분은 노동리에 있는 봉황대와 식리총, 금령총과 더불어 임의의 번호가 지정되었다가 고분번호가 정정된 경우이다. 이 경우로 보아 1924년 노동리 4호분을 발굴할 때까지 전체적으로 고분 번호가 통합되지 않았다는 것을 확인할 수 있다.

〈표 2〉에서 주목되는 것은 D유형에 속하는 황남리 을분이 현재 91호분이라는 점이다. 황남리 을분은 발굴 당시 사진에서 조사 후 봉분을 복원한 것이 눈에 띈다(그림 8-②의 우상단). 봉분을 복원한 이유는 갑총과 병총이 적석목곽분인 반면, 을분은 두 개의 석실이 나란히 있는 형태로 매장시설이 그대로 유지되었기 때문으로 생각된다. 또 하나는 발굴 전 사진에서도 봉분이 일부 잔존하고 있다. 그래서 이 두 가지 이유 때문에 을분은 잔존하고 복원될 수 있었을 가능성이 있다. 그러나 갑분과 병분은 조사 이후 흔적도 없이 사라졌다. 다행이면서도 기대되는 점은 갑분의 조사 사진에서 주곽이 확인되지 않는 점이다. 이것은 아마도 부곽이 조사된 것으로 보이며, 그 동편에 주곽이 남아있을 가능성이 크다.

정리하면 고분번호 부여 방식 A와 B유형은 이미 고분의 이름이 있던 경우로 차후에 고분번호가 지정되면서 두 개의 이름으로 불리게 된다. C유형은 고분번호가 지정된 이후 발굴된 것이며, D유형은 고분번호가 부여되기 이전에 새로이 발굴되었지만, 곧바로 파괴되어 사라진 고분이다. 이상으로 보면 고분번호는 1926년에서 1931년 사이에 정해진 것으로 볼 수 있다.

그러나, 1934년 발굴 조사된 황오리고분의 경우는 고분번호를 지정하는 과정에서 누락된 고분으로 보인다. 그 이유는 1931년 이미 황남리 82호와 83호분의 조사에서 고분번호가 사용되고 있기 때문이다. 이것이 아니라면, 고분번호가 확정된 시기가 1935년 이후일 가능성도 있다. 즉, 82호와 83호분을 조사한 1931년에도 이 고분의 이름이 존재하지 않았을 가능성이다. 그러나 황오리 고분의 보고서가 간행된 1937년에 황남리 109호와 황오리 14호 보고서가 간행되고 있어서 황오리 고분은 고분번호가 처음부터 부여되지 않았던 고분으로 보는 것이 좋을듯싶다.

다시 정리하면, 경주 월성북 고분군의 고분번호는 1926년에서 1931년 사이에 지정된 것으로 보인다.

Ⅲ. 과거 발굴자료 재정리의 필요성

고분번호를 부여한 연도를 추론하면서 언급하였듯이 고분번호가 부여되기 전과 후에 사용된 고분이름(번호)에서 차이가 있다. 여기에서 주목되는 부분은 고분번호를 확인할 수 없는 고분의 번호부여 방식 D유형이다. 발굴 당시에는 임의의 고분번호(이름)로 불리다가 흔적조차 없이 사라진 고분들이 포함된 유형이다. 대표적인 고분은 황남리 고분과 황오리 고분이다. 이들 고분의 위치와 현상을 간략하게 설명하면 다음과 같다.

1. 황남리 고분

황남리 고분은 발굴조사 사진으로 보면 98호분과 90호분 사이에 위치한다[1]. 문제

---

1 황남리고분에 대한 조사 내용은 차순철의 논고(차순철 2006: 117-118)에 언급되어 있다. 위치에 대

그림 부1-5. 황남리 고분군 전경(남서쪽에서 촬영)
(國立中央博物館 1997, 1999 전재 - 이하 그림 동일)

가 되는 부분은 이 지역에는 고분이 보고된 적이 없다는 점이다. 갑·을·병분 3기와 약 57기의 소형 고분이 조사된 후 파괴되었지만, 현재 그 위치조차 불분명하다. 이곳에서 출토된 유물의 위치를 확인하기는 쉽지 않다.

여기에서는 총 60여기의 번호를 확인할 수 있지만, 번호를 알 수 없는 유구도 존재하고 있어서 그 수량도 미지수이다.

황남리 고분을 간략하게 살펴보면, 황남리 고분의 발굴은 98호분과 92호분 사이에 위치한 보리밭을 제거하면서 시작되었다. 이 고분은 갑총(그림 7-①[2])으로 기록 되었으며, 대형 적석목곽분으로 추정된다. 조사된 부분은 사진을 통해 보면 부곽으로 추정된다. 그리고 토사 운반용 철로를 서에서 동으로 이동하면서 92호분 북편에 있는 작은 봉토분을 파괴하였다.

이 고분은 을총(그림 7-②)으로 내부에서 석실 2기가 나란히 자리잡고 있었으며, 석실은 횡혈식 구조를 띤다(그림 7-③·④). 병총은 90호분 서편에 위치한 첨성대로 이어진 길 서편에 위치한다(그림 7-⑤). 전형적인 적석목곽분(그림 7-⑥)으로 볼 수 있다.

한 내용은 서봉총보고서(국립중앙박물관 2014)에서 언급하고 있으며, 함순섭의 논고(함순섭 2010)와 계림로 신라묘 보고서(국립경주박물관 2012, 2014)의 유적분포지도에 제시되어 있다. 김대환(아나자와 와코·마노메 순이치(김대환 역) 2013)은 아나자와 마노메(穴和光·馬目順一 2007)의 글을 번역하면서 황남리 고분의 위치에 대해 언급하고 있다. 다만 이들 자료에서는 도면에 위치만 표시되어 있고 분묘의 내용이 적어서 아쉬운 부분이 있다.

2 본 글에서 사용한 이하의 황남리고분 사진은 국립중앙박물관에서 발간한 유리원판 목록집(國立中央博物館 1997, 1999)에서 발췌한 것이다.

그림 부1-6. 경주 황남리고분 전경과 갑·을·병 총의 위치

병총이 조사된 이후 토사 채취가 본격적으로 이루어진 것으로 보인다. 토사를 운반하는 철로가 서쪽에서 동쪽으로 이동하는 모습은 그림 8-①과 ③에서 확인할 수 있다. 그림 8-①에서는 가로수가 멀리 위치하지만 그림 8-③에서는 가깝게 자리한 것을 통해 점차 조사가 동쪽으로 이동하고 있음을 짐작할 수 있다. 이때 많은 양의 고분이 추가로 확인된 것으로 보인다. 갑·을·병총 이후에는 번호를 지정하여 매기게 되는데, 1호(그림 8-②)에서 57호까지 번호를 지정하였다. 대부분의 무덤은 32호에서 35호까지(그림 8-④)처럼 매우 근접하여 확인된다.

황남리 고분의 조사 순서를 정리하면, 서남쪽에서 갑총을 시작으로 동북쪽의 병총까지 조사한 이후, 길을 따라 형성된 삼각형 대지를 서에서 동쪽으로 이동하면서 토사를 채취하며 고분을 파괴한 것으로 볼 수 있다.

이러한 당시의 발굴 상황은 현재 남은 황남리 고분의 사진을 통해서만 확인할

그림 부1-7. 경주 황남리 고분 발굴 사진
(① 갑총 전경, ② 을총 전경, ③ 을총 석실 전경, ④ 을총 석실 내부, ⑤ 병총 전경, ⑥ 병총 출토유물)

수 있으며, 보고서는 간행되지 않았다. 결국, 경주 고분 분포도에서는 이미 사라지고 그 존재를 알 수 없는 상태에 이르게 되었다.

이제 이 부분을 다시 정리하여 앞으로 고분 분포도에 표시할 필요가 있다. 경주박물관에서 간행한 계림로 신라묘 보고서의 주변유적분포도에서는 비교적 경주

그림 부1-8. 황남리고분 발굴 전경
(① 발굴 초기 전경, ② 1호 전경, ③ 발굴 전경, ④ 32~35호 전경)

월성북 고분군 내 발굴 내용을 반영하고자 노력하였다. 그러나 유적 분포도라는
한계에서 오는 문제겠지만, 위치에 대한 고증이나 구체적인 내용을 제시하지 못
하는 부분은 아쉬운 점이다.

2. 황오리 고분

황오리 고분은 약보고서 형식으로 1937년 보고되었지만, 고분군은 이미 사라
지고 없어서 그 존재가 불분명하다. 그러나 위치는 비교적 정확하게 기술되어 있
는데, 그 위치는 황오리 98-3번지이다. 이 지번을 통해서 현재 연구자들은 황오리

98-3번지 고분으로 부르기도 한다.

하지만 문제는 현재 사용되는 지적도에서 황오리 98-3번지를 찾을 수 없다는 것이다[3]. 따라서 현재 이 고분의 위치는 연구자마다 다르게 나타내고 있다. 이런 문제가 발생하게 된 것은 이 고분이 조사된 과정과 관련 있다.

발굴 조사는 경주역과 동해남부선 철도(경주~울산 간 광궤철도선)를 개설하면서 진입로 확장공사를 진행할 때 이 고분이 포함되면서 1934년에 조사된 것이다. 고

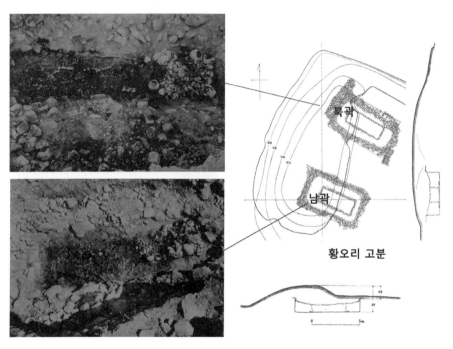

그림 부1-9. 경주 황오리고분

---

3 경주 황오동 일대의 지번은 1913년(대정 2년) 지적도에서는 지번 분할이 없는 것으로 보아 1920~30 년대 어느 시기에 분할 관리되는 것으로 확인된다. 하지만 경주시청 토지정보과에 문의 결과 1930년 대 지적도는 확인할 수 없으며, 지적등본 상에 지번 번호가 분할되어 존재한다. 황오동 98번지의 경 우 98-1부터 98-11번지까지 분할되었다. 결과적으로 현재 지적도에서 황오동 98-3번지는 확인할 수 없다.

분은 조사된 이후 곧바로 제거되고, 그 위에 철길이 신설되었다. 즉 현재는 사라지고 없다는 것이다.

다행히도 그 위치는 세 가지의 자료를 통해 접근해 볼 수 있다. 첫 번째는 지적도를 통해서이고, 두 번째는 보고서의 기술내용이다. 그리고 세 번째는 남아있는 사진 자료를 통해서이다.

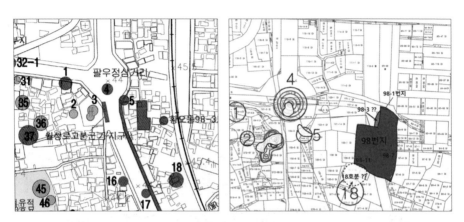

그림 부1-10. 경주 황오리 고분의 위치
(좌: 계림로 보고서(국립경주박물관 2012 p.20 도면3), 우: 2007년 지적도)

첫 번째로 고분 분포도와 지적도를 통해 그 위치를 검토해 보았다. 위 도면에서 보면 계림로신라묘 도면(左)에 표시된 황오리고분(황오동 98-3)이 현재 지적도(右)에서 황오동 98-11번지에 표시된 것을 확인할 수 있으며, 계림로 보고서 도면의 황오리고분은 18호분일 가능성도 있다. 그리고 현재 지적도에서는 황오리 고분의 위치를 확인할 수 없다.

하지만 1913년 지적도를 참고하면 고분은 잔존된 봉분을 측량하여 잔존형태 그대로 표시한 것을 확인할 수 있다. 즉, 황오리 98번지에서 봉분의 형태로 잔존하는 부분을 찾아보면, 그 위치를 알 수 있을 것이다. 1913년 지적도에서는 98번지 북동쪽 부분에 반원형의 경계선이 확인된다. 이것은 현재의 지적도에서 98번

그림 부1-11. 경주 지적도 (좌: 1913년 지적도, 우: 2007년 지적도)

지의 분할 번호가 북동쪽에서부터 98-1번지로 구분되고 있어서 이 반원형의 부분이 곧 98-3번지일 가능성이 크다.

그림 부1-12. 경주-감포 간 도로(1913년 지적도 기준)에서의 남쪽 100m지점 표지(구글지도 참고)

두 번째는 보고서의 기술 내용을 참고할 필요가 있다. 보고서에서는 황오리고분이 경주와 감포를 연결하는 도로에서 남쪽으로 100m 거리에 고분이 위치한다고 記載하고 있다. 이 부분은 매우 중요한 단서이다. 고분에서부터 경주와 감포를 잇는 도로까지의 거리가 꼭 100m에 위치한다는 이 내용을 참고한다면 첫 번째에서 확인한 부분이 98-3번지일 가능성을 반증한다.

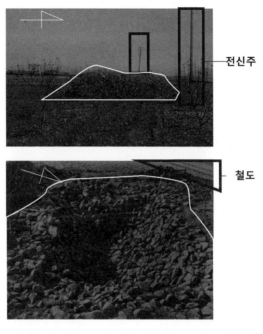

그림 부1-13. 황오리고분 사진에서 보이는 위치에 대한 특징

세 번째는 남아있는 유구의 사진을 통해서 이다. 북곽을 동쪽에서 바라본 사진은 사진 위쪽에 철길이 있음을 확인할 수 있다. 그리고 동남쪽에서 고분을 바라본 사진에서는 사진 우측에 전신주가 있는 것을 확인할 수 있다. 이 두 사진에서 얻을 수 있는 사실은 고분이 전신주가 있는 도로에서 가까운 곳에 위치 한다는 점과 고분의 서쪽으로 철길이 지나가고 있다는 점이다. 이를 지적도에서 확인하면 98-1번지 북편에 맞닿아 도로가 있었음을 알 수 있으며 98-3번지로 추정하는 둔턱 서편에 철길이 있다. 따라서 이제부터는 황오리고분인 98-3번지 고분의 위치를 수정할 필요가 있다.

이와 같이 황남리와 황오리 고분과 같이 발굴조사 된 이후 사라진 고분이 고분번호가 부여되지 않아 그대로 우리의 기억에서 지워진 경우가 또 있을 가능성은 매우 다분하다. 우리는 이제 이들 사라진 고분을 다시 찾고, 그 번호를 재지정하여 관리할 필요가 있다. 또한 고분에서 출토되었던 많은 유물의 행방을 찾아 나서야 할 때이다.

IV. 맺음말

경주 월성북고분군의 고분 번호가 어떤 과정으로 어떻게 지정되었는지 추론하면서 그 순서와 작업량, 작업일수, 지정연도 등을 살펴보았다. 더불어 이 분석과정에서 확인된 누락된 고분인 황남리고분과 황오리고분에 대해 간략하게 검토하였다.

고분번호는 매겨진 순서를 살펴보았을 때 약 11개의 순서군으로 분리된다. 이것으로 작업된 수량과 일수나 차수가 분리되었음을 확인할 수 있다. 결과적으로 총 8차례의 순차 조사와 2차례 이상의 보강조사가 있었던 것으로 추정된다. 다음 고분의 이름이 불리는 시기에서 이름과 번호가 변화하는 시기를 파악하여 고분번호가 지정된 연도를 추론하였다. 고분번호는 1926년에서 1931년 사이에 지정된 것으로 보인다. 이 시기를 기점으로 일제강점기 신라고분에 대한 인식이 변화한 것으로 볼 수 있다. 번호가 사용된 시기는 광복 이후인 1945년 이후 발굴에서부터 본격적으로 고분번호가 사용된 것으로 볼 수 있다. 그 이유는 1937년에서 1945년 사이에는 전쟁으로 인해 발굴조사가 진행되지 않았는데, 고분번호가 정착되어 사용될 수 있는 환경이 조성되지 않았기 때문으로 생각된다.

이상의 과정에서 보면 기존에 조사된 고분의 번호와 수량을 정확히 파악해야 하는 문제를 확인하였으며, 누락되었던 일제강점기 발굴조사 자료를 재정리하여 현재의 발굴자료에 추가시킬 필요가 있다. 그렇게 하여 고분번호가 재정비된다면, 새로운 발굴이 진행된 고분과의 관계도 보다 더 명확해질 것이다.

중요한 점은 현재에도 지속적으로 경주 월성북 고분군에서는 발굴이 진행되고 있다는 점이다. 하지만 현재는 각각의 유적이 조사된 이후 번호가 부여되는 양상을 보인다. 또한 기존에 부여된 고분 번호가 혼용되고 있어서 혼란을 야기하는 소지도 있다.

더불어 최근 연구에서 적석목곽분의 특징이 연접과 중복에 의해 군집분이 구분되고 그 경계가 뚜렷하다는 사실이 확인되었다. 이것으로 번호부여 방식에서는 또 다른 방향성을 제시할 수 있다.

두 가지의 번호부여방식을 예로 들면, 첫째 군집단위를 한 번호로 지정하고 여기에 포함된 매장시설을 하위 단위로 구분하여 1곽, 2곽, 3곽 등이나 남곽, 북곽 등으로 구분하는 방식이다. 예시하면 황남대총이나 황남리 109호분, 황오리 14호분, 황남리 82호분 등이 이러한 부여방식을 취하고 있다. 두 번째는 군집분을 구분하지 않고 각각의 매장시설 단위를 구분하여 번호를 부여하는 방식이다. 이 방식의 예는 경주 쪽샘유적 B연접분으로 각각의 매장시설을 1호, 2호, 3호, 4호, 6호로 구분하고 있다. 결국 매장시설을 하나의 고분으로 인식하는 것이다.

현재 경주 월성북 고분군의 분묘 특징을 고려하면 호석을 가진 고분과 호석이 없는 분묘가 뒤섞여 있기 때문에 이들 묘제를 분리할 필요가 있다. 다시 말하면 경주 월성북 고분군에서는 과거 발굴된 자료의 재발굴과 번호가 지정되었던 기존 고분의 발굴, 새로운 고분의 발굴이 동시에 진행되고 있다. 이러한 발굴의 성과로 월성북 고분군의 전체적인 윤곽이 점차 드러나고 있으며, 기존 견해와 달리 다양한 고분이 분포하고 있음이 확인된다. 이 문제는 아마도 일제 강점기 고분번호가 부여될 당시 하나의 번호였는데 현재 여러 매장시설이 확인되는 고분과 관련지을 수 있다. 그리고 월성북 고분군에는 적석목곽분 이외에 목곽묘와 석곽묘, 석실분, 옹관묘 등 매우 다양한 묘제가 뒤섞여 존재하고 있다. 이것은 각각의 묘제마다 번호를 지정해야 함은 물론이고 기존 일제강점기에 지정된 고분번호의 수량과 순서를 재확인하고 다시 작성할 필요가 있다. 그러기 위해서는 드러난 고분군을 전체적으로 정리하고, 번호체계를 재정립하는 것은 월성북고분군을 이해하고 연구하는데 필요한 부분이 될 것이다.

더불어 황남리고분군과 황오리고분 이외에 경주 월성북고분군에서 누락되거나 잘못 표기된 고분이 상당수 존재한다. 쪽샘유적 보고서에서 26호분이 임시주차장부지 등에 잘못 표기되어 이중 표기된 것 등은 일례이다. 본 연구를 시작으로 이와 같은 문제점을 수정하고, 신라 고분의 중심인 경주 월성북고분군의 전모를 확인하는데 도움이 되길 바란다.

부록1 참고문헌

경주시·(재)신라문화유산연구원, 2018,『경주 대릉원 일원 고분 자료집성 및 분포
　　　조사 종합보고서』제1-5권.

國立慶州文化財研究所, 2002,『慶州 仁旺洞 古墳群 發掘調査 報告書』.

國立慶州文化財研究所, 2008,『新羅古墳 環境調査 分析報告書』IV.

국립경주문화재연구소, 경주시, 2011,『慶州 쪽샘遺蹟 發掘調査 報告書 I -A地區-』.

국립경주문화재연구소, 경주시, 2013,『慶州 쪽샘地區 新羅古墳 III -B1號 發掘調査
　　　報告書-』.

國立慶州博物館, 2003,『慶州 仁王洞 遺蹟 -협성주유소 부지-』.

국립경주박물관, 2012,『慶州 鷄林路 新羅墓 1』.

국립경주박물관, 2014,『慶州 鷄林路 新羅墓 2』.

國立慶州博物館·慶州市, 1990,『경주월성로고분군-下水道工事에따른收拾發掘調査
　　　報告』.

國立博物館, 1948,『國立博物館 古蹟 調査 報告 第一册 - 壺杅塚과 銀鈴塚』, 乙酉文
　　　化社.

國立中央博物館, 1997,『유리원판 목록집 I』.

國立中央博物館, 1999,『유리원판 목록집 III』.

國立中央博物館, 2000,『慶州 路東里 四號墳』.

국립중앙박물관, 2009,『경주 황남동 출토 신라 토우』.

국립중앙박물관, 2014,『慶州 瑞鳳冢 I (遺物篇)』.

文化公報部 文化財管理局, 1974,『天馬塚 發掘調査報告書』.

文化財管理局 文化財研究所, 1985,『皇南大塚 北墳發掘調査報告書』.

文化財管理局 文化財研究所, 1993,『皇南大塚 南墳發掘調査報告書 (圖板·圖面)』.

文化財管理局 文化財研究所, 1994,『皇南大塚 南墳發掘調査報告書 (本文)』.

아나자와 와코·마노메 순이치(김대환 역), 2013, 「3. 경주 서봉총의 조사」, 『慶州 瑞鳳冢』, 국립중앙박물관, pp.178-179.

朝鮮古蹟研究會, 1937, 「乙 慶州邑皇吾里古墳の調査」, 『昭和十一年度 古蹟調査報告』, pp.37-44.

朝鮮總督府, 1916, 「八古新羅時代」, 『朝鮮古蹟圖譜 三』, pp.311-382.

朝鮮總督府, 1924, 『古蹟調査特別報告 第3冊 慶州 金冠塚と其 遺寶 本文上冊』.

朝鮮總督府, 1932, 『大正十三年度古蹟調査報告 第一冊 本文 - 慶州 金鈴塚飾履塚發掘調査報告』.

朝鮮總督府, 1934, 『古蹟調査槪報 - 慶州古墳 昭和八年度』.

朝鮮總督府, 1935, 『昭和六年度古蹟調査報告 第一冊 - 慶州 皇南里 第八十二號墳第八十三號墳 調査報告』.

朝鮮總督府, 1937, 『昭和九年度古蹟調査報告 第一冊 - 慶州 皇南里 第百九號墳皇吾里第十四號墳 調査報告』.

차순철, 2006, 「일제강점기의 신라고분조사연구에 대한 검토」, 『문화재』 제39호, pp.95-130.

최병현, 2014, 「경주 월성북고분군의 형성과정과 신라 마립간시기 왕릉의 배치」, 『韓國考古學報』 第90輯.

咸舜燮, 2010, 「皇南大塚을 둘러싼 論爭, 또 하나의 可能性」, 『황금의 나라 신라의 왕릉 황남대총』, 국립중앙박물관, pp.226-245.

小泉顯夫, 1927, 「慶州瑞鳳冢の發掘」, 『史學雜誌』38編 1號(史學會), pp.75-83.

小泉顯夫, 1986, 「3. 瑞鳳冢の發掘」, 『朝鮮古代遺蹟の遍歷』, 六興出版, pp.47-62.

穴和光·馬目順一, 2007, 「慶州瑞鳳冢の調査-梅原考古資料と小泉顯夫の同想にもとづく發掘現況の再現と考察」, 『石心鄭永和教授 停年退任紀念 天馬考古學論叢』, pp.613-670.

부록 2

신라 중심고분군의 참고도면 및 기준 편년안

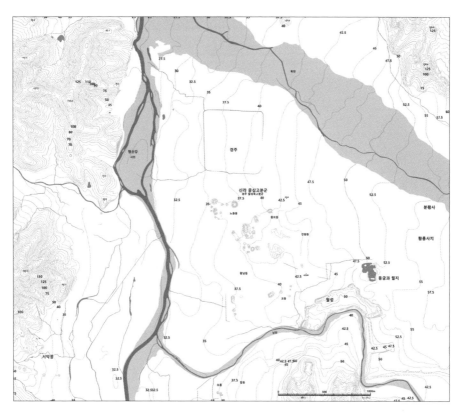

그림 부2-1. 경주 중심고분군의 입지 및 지형도
(筆者 再作圖; 1933년 경주유적지도 참조)

그림 부2-2. 신라 중심고분군(경주 월성북고분군) 유구배치도

그림 부2-3. 경주 월성로고분군 유구배치도 (筆者 作圖)

그림 부2-4. 경주 계림로고분군 유구배치도
(필자 재작도-국토지리정보원 1983 및 국립경주박물관 2014 도면 참조)

그림 부2-5. 경주 황남동고분군 및 미추왕릉지구 유구배치도 (筆者 作圖)

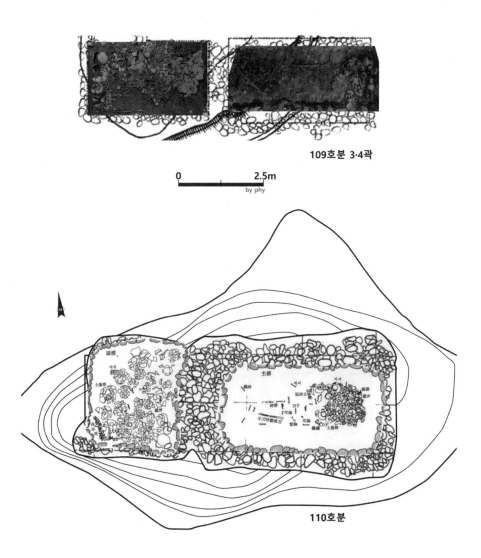

109호분 3·4곽

0   2.5m
by phy

110호분

그림 부2-6. 경주 황남동 109호분 3 · 4곽(상)과 110호분(하) (筆者 改變)

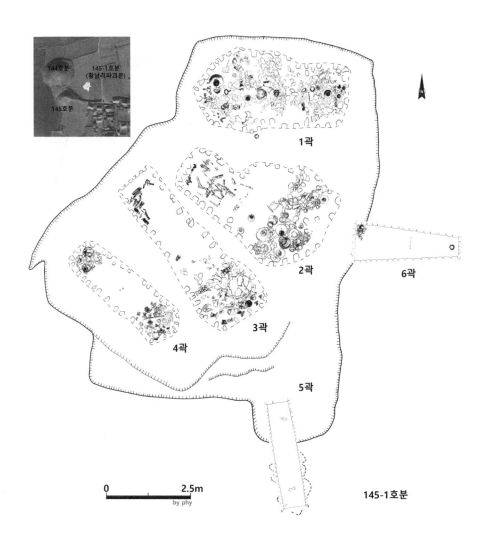

1곽

2곽

6곽

3곽

4곽

5곽

145-1호분

144호분
145-1호분
(황남리파괴분)

145호분

0   2.5m
by phy

그림 부2-7. 경주 황남동 145-1호분 (筆者 改變)

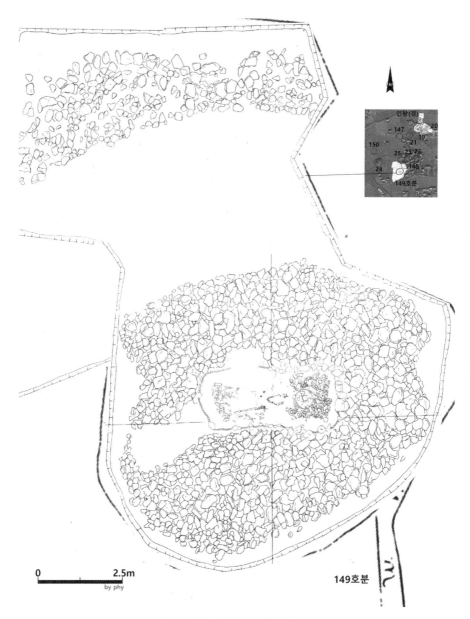

그림 부2-8. 경주 인왕동 149호분 (筆者 改變)

149호분

0   2.5m

by phy

표 부2-1. 신라 중심고분군 분묘 편년안 1

遺蹟 / 時間	大形墳 / 노동동·노서동	황요동 14·16호분	황남리파괴분 (145-1호)	미추6	미추4 / 미추5 / 미추9	미추1	계림로 1+14호	계림로2	쪽샘	황오동100	월성로	인왕동 (협성)	인왕 75-13 149호분	인왕동 19/20호분 인왕교동군	황남동106-3 (95-14)	인왕95-4	인왕95-6	인왕81-1	인왕814-3	인왕814-4	分期	時期	段階	時代
2C 4/4																					Ⅱ-1			
3C 1/4																					Ⅱ-2		목곽묘단계	사로국시대
3C 2/4									C-2호 Ⅰ-M지구 (42번유물)					고총군 C·D·E·F			5묵 10묵			묵1	Ⅱ-3	Ⅱ		
3C 3/4									Ⅰ-M지구 (61번유물)								7·8·9묵		묵4		Ⅱ-4			
3C 4/4																	6묵				Ⅱ-5			
4C 1/4											가-29호			고총군 A·B·C·D·E·F							Ⅲ-1			
4C 2/4									L-17호		가-30호			고총군 C·D·E·F		8묵	2·3묵		토1		Ⅲ-2	Ⅲ	적석목곽묘단계	신라시대
4C 3/4									가-5호		가-5호						1묵	토1			Ⅲ-3			
4C 4/4						5-1호			C-10호(목)	18호(토)	가-6호					10(묵)					Ⅲ-4			
5C 1/4	황남동 109호 3·4곽 황남동 110호	14·1호 14·2호	황남리파괴분 (145-1)Ⅳ곽		5-6		1호 37호 17호 18호 36호		C-16호(격목) A-1호(목) A-11호	19호(토) 1호(예4) 3호(上層)	나-13호	10호 9호 3-B호	10호 9호 3-B호	10호 9호 J묘		2묵 1묵	4묵 11묵 12묵 13묵			묵2	Ⅳ-1a Ⅳ-1b	Ⅳ	적석목곽분단계	
5C 2/4	황남대총 남분 82호분 동곽 황남리 109호 2곽 83호분 황남리 109호 1곽(남쪽) 82호분 서곽(남쪽)	16·8·10곽 16·6·7곽 16·2·3곽 16·4·5곽	황남리파괴분 (145-1)Ⅱ곽 황남리파괴분 (145-1)Ⅲ곽		5-21 5-4		E호 3호 35호 21호 20호 5호 25호 (4호?) 8호	88호 46호 45호 47호 51호 50호	C-9호(목) C-1호(목) B-2호 C-4호(목) A-2호(목) B-1호 B-6호 C-5호(목)	12호(목) 16호(목) 17호(목)	나-4호 나-14호 가-11-1호 나-14호 7-8호	10호 12-3호 12-1호(석) 1호	3-A호 2호 149호분 75b-13 목곽 1호 8호	고총군 A묘 G묘 D묘 K묘 C·D·E·F Z묘 B묘	149호분	2격묵 1격묵	6격묵 단독부장례		1		Ⅳ-2			
5C 3/4	138호분 황남대총 북분 황오리 1호분		황남리파괴분 (145-1)Ⅲ곽				27호 2호 7호 33호 38호 19호 30호 H호 L호	44호 52호	B-3호 C-11호(목) A-9호 B-25호 A12호 B-22호 A-16호(석) B-11호	19호(사-각) 9호(석) 3호 2호 5호(석) 20호(석)	나-8호	9호(석) 3호 2호	5호	E묘 F묘						2-1(석)	Ⅳ-3			

부록2 365

표 부2-2. 신라 중심고분군 분묘 편년안 2

遺蹟 / 時期	대릉원/노동동/노서동	황남 231·232	미추7	미추6	미추4 미추5 미추9	미추1 381번지	계림로1 +14호	계림로2	죽명	황오동 100	월성로	인왕(협장) 795-13	인왕동(경주) 19/20호	인왕동 19/20호	황남동 106-3 (95-14)	인왕 95-6	인왕 95-4	인왕 815-1	인왕 814-3	인왕 814-4	分期	時期	段階	時代
5C 4/4	서봉총	황남대총 남분 (145·1)IV곽					(10 11 12 13호) 28호		A-6호(석) B-13호	11호(上層)	나-7호	21호 11호	6-B호 4호(석)	H곽	3호분	2곽목					IV-4	IV	적석목곽분단계	삼국시대
	33호분 동마총·식리총		8	C1	5-14	C호	9호	48호	B-24호		가-19호	15호 13호	6-A호	20호곽	7호분	1곽목				2-3	IV-4	IV	적석목곽분단계	삼국시대
	33호분 서마			C2		M호		40호	1호(上層)		가-4호	23호	7호		8호분	3곽목		1호		2-3(석)	IV-4	IV	적석목곽분단계	삼국시대
	황오리 4호분			C4	5-15	381번지 가호			A-3호(석)	1호(上層)		14호			4호분 6호분	5곽목					IV-4	IV	적석목곽분단계	삼국시대
6C 1/4	천마총	2호분	5 (황남2232 1호분)	C3	5-17	381번지 나호	29호	40호	B-4호 A-5호(석)	6호(上層)	가-15호	14-2호	1호(석)		(6호 밭 저부장유물) 2호분(석)	7곽목				4(석)	IV-5	IV	적석목곽분단계	삼국시대
	노동리 4호분(142호분) 2호분	151호분 적석총(주)	3	C7	5-18 5-8		14호					12-2호									IV-5	IV	적석목곽분단계	삼국시대
	황오리 5호분	151호분 적석총 부곽 (주)	2	C9 C10 C구 10호(석)	5-2 5-5 5-16 9-II 9-1				A-10호 B-18호 C-8호(석)		가-1호 다-10호	6호	2호(석)		5호분	4곽목		2호	1호(단독 부장묘)	2-2	IV-5	IV	적석목곽분단계	삼국시대
6C 2/4	금령총	단독 부장묘	6 4		5-11 4(A)2					7호(上層)	가-18호			1곽	1호분	2곽목				1(석)	IV-5	IV	적석목곽분단계	삼국시대
	은령총	황오26 11·12호	7	D	5-19 5-9 4(A)3-1 9-III						나-6호 8호(석)										IV-5	IV	적석목곽분단계	삼국시대
	호우총				5-7 5-20 5-10호																IV-5	IV	적석목곽분단계	삼국시대
6C 3/4	151호(석실분)				5-12 4(A)3-2																V-1	V	석실분단계	삼국시대

366 古新羅 古墳群 研究

표 부2-3. 신라 중심고분군 주변 경주지역 분묘 편년안

遺蹟 / 時間	황성동						동산	사방	사라	조양	죽동	구어
	황성II	575	590 ABC	590 DE	590 F	강변로						
2C 3/4	67,66,65,57,44,53,39	10,14,15,13										
2C 4/4	49,2,63	5,59				1						
3C 1/4	47,40,68,31,55,56,34,41,31	67,58,66				12						
3C 2/4		43,57,65				5,2,36						
3C 3/4		42,74,53,29				3						
3c 4/4	46,45,28,3,70		41,71,47,112 111	75,108,107,106,79,1 1,112,85,113,53,51,1 14,122,105,86,103,1 04,82		14						
4C 1/4	14,18,15,61	56,51,41,63,49,5,8 70,46,2,39,6,21	16,12,4,78,110,17	67,52,110,74,76, 78,65 63,61,62		13	34	1 2	96 58	9,12,6		34,42
4C 2/4	6,27	52,18,38,25,47,22,1 5,19,54,55,21,72,32 ,23,20	3,26,8,20,7,15,10,27,1 3,38,36,56,44,85,62,6 5,74,64,51,84,57,81,7 3,23,63,14,11,12,40,5 3,61,43,21,50,88,89	72,83,87,59,66			35,36,37 69,45,60	5 4 8 7	55	13 김문환	1 2	16,25 12,33 4,23
4C 3/4	16,60,8,7,11,5,20,5 9,10,22,36,29,30	34,31,33,3,7,45,48 61,64,14,37,1,17	14,6,25,2,4,1,11 35,69,20,22,24,72 19,76,83,32,29,37 45	77,115,50,,49,48 64		6,29	26,31,70,74,38, 44,64,41	6 3	5			1 3
4C 4/4	17,12,69,13,25,33	9,12,35,68,60,69, 40,50	19,24,18,34,5 105,104 80,66,35,82,16,75, 30,34,25,90	71,47,46,34,33 32,30,96		45	33,57,30,58 72			65		21
5C 1/4			60,87,97,102, 92,98,107,99,103,93 95,105	94,99,31,42,57, 16,18,15,14,13 39,38,35,36,45, 17,19,11,12		41	87,73,90,89,88,75, 49,86,56,46,55,27, 29,90			63 64 13 4		7 6 35
5C 2/4			96,106,100, 9(추),94(석)	37,54,58,44,1,20 116,118 117,81,90,43,56, 2,26,27,10		40,43 ,33,32	54,47,52,53,9, 51,43,10,13	10 11 12 13	54 20 29 1	박대봉		5
5C 3/4			109,101 79	4 119,40,70 41,55,69,3,6,25, 7,29,28,8	적14	42 34	93,20,85,79,48,17, 63,5,8,101,15,100, 24,83,95,66,50,42, 77,59,84,76,1,64,1 1,81,16,67,82,2,21, 6,7,91,18,23,40,78, 96,92			14,11,4		14,13
5C 4/4			86,15 7 108	97,98,24,22 93,91,68,23	적15,적19, 적11	35 28,31,44	99,98,86,6,102, 132,13,14,19,22			10,7,2, 5,1,(3)		
6C 1/4				121,120	적13 적12	23 21						
6C 2/4						37 9,39,7,8,15, 22,24,13						
6C 3/4						11,18						
6C 4/4												

Abstract

Old Silla Burials

Park, HyoungYoul

Between Wolseong(月城), the walled royal town of the Old Silla(古新羅: BC 57-676 AD), and the modern city in Gyeongju(慶州), there is a cemetery with a large concentration of huge burial mounds. Inside this cemetery, called Wolseong-Buk burials(月城北古墳群), the tombs of the kings of the Maripgan Period Silla(麻立干 時期: 356–514 AD), high-status nobles and bureaucrats, and their close relatives are placed. During the Maripgan period, Silla formed a political organization into which relatively independent polities distributed in the eastern part of the Nakdong-river(洛東江) valley were integrated, but by the end of this period it had grown into an early state. During this period, Silla's central government was formed by Yukbu(六部), the six regional groups located in the Gyeongju Basin, and the leader of the most powerful group became king. It was the Silla political system during the Maripgan period that local small polities distributed around the central government of the Gyeongju basin were loosely integrated.

The various regional groups in the central and provincial regions of Silla have repeatedly built graves of dead members in one place for hundreds of years, forming cemeteries. Just as the central and the local groups were hierarchically organized to form the Silla socio-political system, their cemeteries and tombs were also differentiated in terms of the level of wealth shown by the grave goods and the size of the burial structure. Among these cemeteries, Wolseong-Buk burials contains tombs of the highest rank ruling group in Silla. In addition to this cemetery, there are several ancient burials which had been built by the different groups at different times in the Gyeongju basin. Some of them were excavated in considerable areas, revealing how the burial structures were constructed and how each grave was arranged spatially. This book is a research of the cemeteries formed by the six major regional groups that organized the central government of Silla during the Maripgan period.

This research first raised the question of whether the burials in the cemeteries of Silla, including Wölsöng-Buk burials, are classified into meaningful types. The classifications of Silla burials so far have not systematically defined the types, but have intuitively compared the observed attributes and loosely defined them into 5 types, such as stone-piled wooden chamber tumulus(SPWC tumulus: 積石木槨墳), wooden chamber burial(WC burial: 木槨墓), stone chamber burial(SC-burial: 石槨墓), jar-burial(甕棺墓), pit-burial(土壙墓), based on their superficial similarities. However, I assumed that the size, structure, and construction materials of the burials and the forms of the funeral equipments were strictly institutionalized according to their age, gender, status, etc. In other words, in Silla society, which was operated by the cast system called Golpumje(骨品制), it is believed that the status differentiation was materially institutionalized before the written law. The materialized institution was not fixed, but changed over time. Therefore, I think it is necessary to create a basic framework of reference first by allowing the relevant definition and designation of various Silla burials in this study.

I would suggest that several variations, which have been vaguely subsumed under the name of SPWC tumulus, should be further classified into three different types. It would be appropriate to classify SPWC group into SPWC burial and SPWC tumulus first according to the presence or absence of large-sized burial mound, of which SPWC tumulus is again classified into two categories: ground type and subterranean type. Among them, the ground type SPWC tumulus is the highest-rank burial structure, consisting of four parts: earthen mound, stone pile, wooden chamber, and perimeter stonework. In the form of royal tombs, SPWC tumulus is the highest class, followed by the subterranean type SPWC tumulus, and the SPWC burials and stone chamber burials are next in order. Of the four elements that make up the royal tomb-type SPWC tumulus, the most important is the stone pile built on a huge frame of log furniture. It is believed that the Silla-style royal tomb was completed by developing the stone-pile structure and constructing the huge earthen mound.

Second, this research analyzes the relationship between the burials placed close to each other within the cemeteries of the Gyeongju basin. When analyzing the relationship between burials, two concepts are important: "overlay layout (OL)" and "linked layout (LL). The OL relationship only represents the order of construction between the two burials, but the LL is assumed to represent some kinds of connection, such as social or blood ties, between the two burials. Analyzing the boundary part between the two burials, the construction of new burial without considering the existence of nearby burials, and that indicating that it is related to the pre-constructed burial could be distinguished. In the former case, the relationship between the two burials appears to be superimposed, i.e., a vertical relationship, while in the latter is represented by horizontal relationships. In particular, the two relationships can be distinguished by how the perimeter stonework is built at the point where the two burials meet. This distinction is critical to understanding the relationships between the burials and ultimately how large cemeteries were formed.

Third, this research tried eventually to explain the forming process of the Silla cemeteries in the Gyeongju Basin. The six local groups who participated in the organization of the central government of Silla each created their own cemeteries throughout the Gyeongju basin. Each cemetery has a different period of time and the composition of the members buried within it is different. Some cemeteries had been formed during the Proto-Three Kingdoms Period, others during the early and mid Three-Kingdoms Period, and the formation period of others were limited to the 6th and 7th centuries. Among these various cemeteries, the Proto-three Kingdoms and Three-Kingdoms Period cemeteries prior to the emergence of stone chamber with corridor type burial, including the Wolseong-Buck burials, were analyzed in this research. The forming a cemetery is a kind of spatial growth process in which burials of the deceased members of a social group have been added one by one over a long period of time within a certain spatial boundary. When a new burials was added in the past in a cemeteries, it is assumed that one of the most important consideration for those who perform the funeral is its location. Based on the determination of where the new burial will be located in the cemetery, the cemetery will be expanded or enriched in that direction, and a large cemetery will be created following the repetition of such a decision.

When the new burial is added to a certain place in the process of the cemetery forming, the important factors considered by the funeral community include the micro-topographic position and empty space left within the cemetery, and relationships with pre-placed burials. In particular, when the community decides where to place the new burial in the cemetery, it considers its relationship with pre-placed burials as the most important basis for the decision and try to make some regulations in that regard. Therefore, it is assumed that the process of a cemetery growth creates a socially meaningful spatial organization among the burials. If we can define the spatial pattern between the burials built earlier and the later, we can provide a meaningful basis for interpreting social relationships through spatial organization between the burials. Analyzing the spatial organization and the growing process in the Silla cemeteries, it could be inferred that there is a significant change in the growth pattern around the early 5th century. Several models have been proposed in relation to the spatial growth of Silla cemeteries, including two models, linear-growth and sectored-growth model, which are considered relevant to describe the growth of each period. Overall, Silla cemeteries before the 5th century grew in a linear-growth model, but by the 5th century, almost all of them had their growth patterns shifted to the sectored-growth model. Once a certain empty space in the cemetery has been occupied by a relatively higher ranked burial, the new burials that are socially related to it are placed nearby, and then the density of the burials in the sector increases. This type of cemetery growth can be defined as a sectored-growth pattern. The shift in spatial expansion patterns from liner-growth to sectored-growth may be related to the emergence of a society in which the differentiated social or blood-related units within the community have become more important than the bond of the whole community.

찾 아 보 기